Сидни Шелдон

РАСКОЛОТЫЕ СНЫ

Издательство «АСТ»
Издательство «ОЛМА-ПРЕСС»
Москва
2002

УДК 820(73)-31
ББК 84(7США)
Ш42

Sidney Sheldon
TELL ME YOUR DREAMS
1998

Перевод с английского Т. А. Перцевой

Печатается с разрешения
The Sidney Sheldon Family Limited Partnership,
c/o Janklow&Nesbit Associates
и литературного агентства «Права и переводы»

Исключительное право на публикацию книги на русском языке принадлежит издательству АСТ. Любое использование материала данной книги, полностью или частично, без разрешения правообладателя запрещается.

Шелдон С.
Ш42 Расколотые сны. — М.: ОЛМА-ПРЕСС Звездный мир, АСТ, 2002. — 383 с. — (Огни большого города).
ISBN 5-94850-056-X

Совершена серия убийств. Убийца ненормален и жесток на столько, что дело его рук потрясает даже полицию. Но самое страшное — все указывает на то, что этот маньяк — молодая женщина. Расследование началось. Подозреваемых — три. Одна из них виновна...

УДК 820(73)
ББК 84(7США)

© Sidney Sheldon Family Limited Partnership, 2000
© Перевод. Т. А. Перцева, 2000
© Издательство «ОЛМА-ПРЕСС Звездный мир», 2002
© ООО Издательство «АСТ», 2000

ISBN 5-94850-056-X

Этот роман основан на истинном происшествии

Посвящается двум Ларри:
Ларри Хьюзу и Ларри Киршбауму,
моим литературным шерпам

Книга 1

Глава 1

Кто-то неотвязно преследовал ее. Она читала о подобном в газетах, видела в кино и по телевизору, но все эти страшные истории случались с другими. Происходили в ином мире — мире насилия и жестокости. Она понятия не имела, кто бы это мог быть. Значит, у нее появились враги? Неужели кому-то взбрело в голову расправиться с ней?

Она отчаянно пыталась держать себя в руках, не запаниковать, не сорваться, но последнее время ее сны превратились в невыносимые кошмары, и каждое утро она просыпалась с предчувствием неминуемой беды. Словно густой серый туман окутал ее, стискивая горло, проникая в легкие, не давая дышать.

«Возможно, все дело в разыгравшемся воображении. Я слишком много работаю. Давно пора взять отпуск».

Эшли Паттерсон со вздохом повернулась к зеркалу. Из серебристой глубины на нее глядела молодая, строго одетая женщина с тонкими патрицианскими чертами лица, стройной фигурой и умными, но, к сожалению, встревоженными карими глазами. Эшли словно окружала атмосфера истинной неброской элегантности, неяркой красоты и такого редкого в наши дни интеллекта. Темные волосы мягкими волнами спадали на плечи.

«Боже, ну и уродина же я! Тощая, как жердь. Нужно хотя бы попытаться больше есть и не надрываться на работе!»

Обреченно пожав плечами, Эшли вышла из ванной и отправилась на кухню готовить завтрак. Хорошо бы выкинуть из головы навязчивые мысли об ужасе, в котором она живет последнее время, и сосредоточиться на взбивании омлета. Остается надеяться, что он получится таким, как в кулинарной книге, — пышным и золотистым. Ну вот, кажется, все в порядке. Остается включить кофеварку и сунуть в тостер кусочек хлеба.

Уже через десять минут все было в полном порядке. Эшли накрыла на стол, уселась, взяла вилку, но тут же с отвращением отвернулась. Страх окончательно лишил ее аппетита.

«Так больше продолжаться не может! Кто бы ни была эта тварь, не позволю доводить себя до безумия! Не позволю! Я должна, должна сделать что-то!»

Эшли взглянула на часы. Ну вот, опять ничего не вышло. И на работу пора.

Она поспешно осмотрелась, будто пытаясь найти утешение в знакомой обстановке. Уютная, со вкусом меблированная квартира. Третий этаж доходного дома на Виа-Кэмино-Корт: гостиная, спальня, кабинет, ванная, кухня и туалетная комната для гостей. Вот уже три года она жила в небольшом городке Купертино, штат Калифорния, и до последнего времени считала свой дом идеальным гнездышком, убежищем от надоедливо-обыденной действительности. Но две недели назад дом превратился в неприступную крепость, место, где никто ее не потревожит. Не посмеет причинить зло.

Эшли подошла к двери и принялась внимательно изучать замок.

«Нужно непременно установить еще один засов. Завтра же».

Она выключила свет, еще раз проверила, заперта ли дверь, и спустилась на лифте в подземный гараж.

Там никого не было. Машина Эшли стояла в двадцати футах от лифта. Эшли в панике огляделась и, звонко простучав каблучками по бетонному полу, метнулась к автомобилю. Она благополучно скользнула внутрь и, захлопнув дверцу, попыталась отдышаться. Сердце колотилось так, что болели ребра.

Она включила зажигание и направилась в центр городка. Надо же, и погода выдалась под стать ее настроению. Над домами нависало низкое, зловеще-черное небо. Цвет дурного предзнаменования. Тучи — предвестники несчастья...

Сегодняшний прогноз погоды обещал дождь.

«Не может быть! Солнце обязательно выглянет! Господи, ты позволишь заключить с тобой договор? Если сегодня будет сухо, значит, все в порядке, и я просто все это себе напридумывала. Пожалуйста, Господи!»

Десять минут спустя Эшли Паттерсон оказалась в деловой части Купертино. Она все еще испытывала нечто вроде благоговения перед событием, превратившим когда-то сонный маленькой уголок долины Санта-Клара в мировое чудо. Именно здесь, в пятидесяти милях от Сан-Франциско, началась компьютерная революция, и весь мир узнал новое наименование этого места — Кремниевая Долина.

Эшли работала в «Глоубл компьютер грэфикс корпорейшн», процветающей, быстро растущей молодой фирме с двумя сотнями служащих.

Повернув на Силверадо-стрит, Эшли вдруг зябко поежилась. Опять это странное чувство! Словно он сзади. За спиной. Преследует ее. Едет по пятам. Но кто? И почему?

Эшли глянула в зеркальце заднего обзора. Кажется, все как обычно. Совершенно обычно.

Несмотря на то, что сердце, инстинкт и интуиция вопили, кричали, твердили об опасности.

Эшли подъехала к длинному современному зданию «Глоубл компьютер грэфикс», оставила машину на стоянке, показала охраннику свое удостоверение и облегченно вздохнула. Здесь она чувствовала себя в полной безопасности.

Не успела она выйти из машины, как хлынул дождь.

Несмотря на раннее утро, в коридорах компании сновал народ. Опаздывать было не принято. Уже к девяти часам здание гудело, точно улей. Все восемьдесят модульных отсеков-клетушек были заняты молодыми амбициозными компьютерными асами, вундеркиндами и гениями, энергично создающими очередные «уэб сайтз»*, логотипы новых компаний, макеты обложек и наклеек для звукозаписывающих и издательских фирм и иллюстрации для журналов.

На этом этаже находилось несколько отделов — административный, реализации, маркетинга и вспомогательно-технический. Атмосфера царила самая неформальная. Служащие считали возможным являться на работу в джинсах, свитерах и футболках.

---

* Букв. «узлы паутины», составляющие Интернета. — *Здесь и далее прим. пер.*

Эшли уже шагнула было к своему столу, но дорогу заступил Шейн Миллер, ее непосредственный начальник. Широкоплечий плотный мужчина лет тридцати двух, с довольно приятным, хотя и неизменно серьезным лицом. В самом начале их знакомства он, очевидно, из чисто спортивного интереса, попытался было затащить Эшли в постель, но, поскольку из этого ничего не вышло, сумел вовремя отступить и остаться ее хорошим приятелем. Только приятелем и никем иным.

Поздоровавшись, он вручил Эшли последний номер журнала «Таймс»:

— Видела?

Во всю обложку красовалось фото представительного пожилого человека с копной серебряных волос. Подзаголовок гласил:

«Доктор Стивен Паттерсон — автор методики микроопераций на сердце».

— Видела.

— Интересно, каково это — быть дочерью знаменитого отца?

— Изумительно, — улыбнулась Эшли.

— Он действительно потрясный мужик.

— Обязательно передам ему твои слова. Мы сегодня обедаем вместе.

— Вот и прекрасно. Кстати...

Шейн Миллер протянул Эшли снимок кинозвезды, рекламирующей косметику для очередного клиента:

— У нас очередная проблема. Дезире успела набрать около десяти фунтов, и этого никак не скроешь. Взгляни только на эти темные круги под глазами! Словно сажей умывалась! И даже под слоем штукатурки заметно, что кожа припухшая и покрыта какими-то красными пятнами! Настоящее чучело. Как по-твоему, можно что-нибудь сделать?

Эшли пристально вгляделась в изображение кинодивы.

— Можно использовать блюр: фильтр-размывку* для глаз, а для того чтобы физиономия казалась потоньше, попробую искажение... Нет, тогда она на себя не будет похожа...

Она снова принялась изучать фото.

— Возможно, аэрограф-имитатор* или клон-тул* на некоторых участках...

— Спасибо. Насчет субботнего вечера: надеюсь, все без изменений?

— Совершенно без.

Миллер кивнул на снимок:

— Можешь не спешить. Все равно срок сдачи истек еще месяц назад.

— Что еще такого же приятного сообщишь? — улыбнулась Эшли.

Забыв обо всем, она принялась за работу. Эшли считалась специалистом по рекламе и компьютерной графике. Именно ей поручались самые сложные заказы.

Еще через полчаса, почувствовав чей-то взгляд, она подняла голову. Рядом стоял Деннис Тиббл.

— Доброе утро, солнышко.

Скрипучий голос словно напильником резанул по натянутым нервам. Эшли едва заметно поморщилась. Тиббл считался настоящим компьютерным гением, чудо-мальчиком и недаром получил прозвище «Скорая помощь», поскольку за считанные минуты мог исправить любую неполадку в компьютере. Типичный самовлюб-

---

* Фильтр-размывка, аэрограф-имитатор, клон-тул — методы и приемы компьютерной графики в системе «фотошоп», применяемой для изготовления иллюстраций.

ленный осел, из тех чванливых жлобов, кто еще в юности успели растерять все волосы, зато приобрели невыносимо покровительственную манеру общения с окружающими. Несмотря на поистине золотые руки, он не пользовался симпатией служащих компании. Последнее время ходили упорные и небеспричинные слухи, что он неравнодушен к Эшли.

— Требуется подмога?

— Нет, спасибо.

— Эй, как насчет интимного ужина в субботу вечером?

— Благодарю, я уже приглашена.

— Снова кадришься с боссом?

— Послушай, Тиббл, какое тебе... — рассерженно начала Эшли.

Но тот не дал ей договорить:

— Не пойму, что ты в нем нашла? Кретин, мозги квадратные. Прикинь, какой тебе смысл с ним валандаться? Мы с тобой нехило время проведем, вот увидишь. — И, подмигнув, добавил: — Сечешь, о чем я толкую?

— Извини, Тиббл, у меня много дел, — процедила Эшли, стараясь не сорваться.

Но ничуть не смутившийся Тиббл наклонился еще ближе и прошептал:

— Тебе давно следует знать, крошка, что я не отступаю от задуманного. Никогда.

Эшли с брезгливой гримасой посмотрела ему вслед: «Неужели это он? Бр-р-р...»

Ровно в двенадцать тридцать Эшли поднялась из-за стола и отправилась в «Жемчужину Рима», где договорилась пообедать с отцом.

Она сидела за угловым столиком в переполненном ресторане, глядя на приближавшегося отца. Нужно признать, он действительно красив и в пятьдесят остается стройным и подтянутым. Недаром люди оборачиваются, когда он проходит мимо.

«Каково это — быть дочерью знаменитого отца?»

Много лет назад доктор Стивен Паттерсон стал зачинателем нового и сенсационно-успешного метода хирургических операций на сердце, требовавшего самого минимального вторжения в самый жизненно важный орган человека. Теперь его постоянно приглашали читать лекции и проводить курсы обучения хирургов в самых известных больницах мира. Мать Эшли умерла, когда девочке было двенадцать, и теперь у нее не осталось ни одного родственника, кроме отца.

— Прости за опоздание, Эшли! — извинился он, целуя дочь в щеку.

— Ничего страшного, я сама только появилась.

Стивен придвинул стул и уселся:

— Видела «Таймс»?

— Да. Шейн показывал.

— Шейн? — нахмурился отец. — Твой босс?

— Не босс. Просто... просто один из старших дизайнеров.

— Никогда не следует мешать бизнес с удовольствием, Эшли. Ты ведь встречаешься с ним вне работы? По-моему, это в лучшем случае нелепо, а в худшем — непоправимая ошибка.

— Папа, мы всего лишь хорошие...

У столика возник официант:

— Не хотите ли взглянуть в меню?

Доктор Паттерсон круто развернулся.

— Вы, кажется, не видите, что мы беседуем? — рявкнул он на весь ресторан. — Убирайтесь и не подходите, пока не позовут!

— Я... я... Простите.

Совершенно уничтоженный, официант исчез. Эшли съежилась от стыда. Опять она забыла о почти безумной вспыльчивости отца. Однажды он ударил ассистента, сделавшего что-то не так во время операции.

Эшли вспомнила дикие ссоры между отцом и матерью, когда дело доходило едва ли не до драки. Каждая такая стычка смертельно пугала ее. Причина скандалов много лет оставалась неизменной, но что это была за причина, Эшли не помнила. Мозг маленькой девочки словно заблокировал неприятное открытие.

Отец спокойно продолжал, как бы не замечая позорного бегства официанта и смятения дочери:

— На чем мы остановились?.. Ах да. Подобные отношения с Шейном Миллером я считаю ошибкой. Огромной ошибкой.

Его слова пробудили в памяти еще одну тягостную историю. В голове вновь и вновь, с навязчивостью испорченной пластинки звучал отцовский голос:

«Такого рода отношения с Джимом Клири — ошибка. Огромная ошибка».

Эшли как раз исполнилось восемнадцать. Тогда она жила в Бедфорде, штат Пенсильвания, городе, где родилась и выросла. Джим Клири был всеобщим любимцем и пользовался огромным успехом среди девчонок бедфордской средней школы. Футболист, красавец с неотразимой улыбкой и редкостным чувством юмора. Эшли казалось, что все одноклассницы умирают от желания переспать с ним и большинство уже осуществило свою мечту. Когда Джим стал назначать Эшли свидания, та была полна решимости не сдаваться. Она не станет подражать этим жалким безвольным дурам! Сначала девушка была уверена, что ему нужно от нее лишь одно, но со временем убедилась, что это вовсе не так. Им было хорошо вдвоем, и Джим, казалось, искренне наслаждался ее обществом.

Зимой старшеклассники собрались поехать в горы на субботу и воскресенье. Все предвкушали удовольствие покататься на лыжах, посидеть в горной хижине и поразвлечься без постоянного надзора взрослых. Джим Клири ни о чем другом не мог думать — он был заядлым лыжником.

— Мы классно проведем время, — пообещал он Эшли.

— Я не еду.

Джим ошарашенно моргнул и в полном изумлении уставился на Эшли:

— Почему?

— Ненавижу холодную погоду. Пальцы даже в перчатках превращаются в ледышки.

— Но представь только, как весело...

— Я не еду.

И он остался в Бедфорде, чтобы побыть с ней.

Обнаружилось, что у них общие интересы, одинаковые жизненные принципы и вместе им никогда не скучно. Как-то Джим Клири с непривычной робостью пробормотал:

— Мальчишки все время пристают ко мне. Хотят знать наверняка, ты моя девушка или мы с тобой всего лишь... Что им сказать?

— Скажи, что ты мой парень, — улыбнулась Эшли.

Но доктор Паттерсон, очевидно, не слишком одобрял их дружбу.

— Ты слишком часто видишься с этим мальчишкой Клири.

— Отец, он хороший, порядочный и добрый, и я его люблю.

— Любишь? Какая чушь! Разве можно любить какого-то идиотского футболиста?! Не позволю своей единственной дочери выйти замуж за балбеса-спортсмена. Он недостаточно хорош для тебя, Эшли.

Позже она слышала эту фразу каждый раз, когда знакомилась с очередным мужчиной.

Отец сыпал упреками, всячески изничтожая несчастного Джима едкими репликами, но настоящий взрыв произошел в ночь выпуска. Джим Клири заехал за Эшли, чтобы отвезти ее на бал, и удивленно застыл на пороге, увидев, что она всхлипывает.

— В чем дело? Что случилось?

— Мой... мой отец сказал, что увозит меня в Лондон. Он... он записал меня в колледж...

Джим тяжело вздохнул:

— Он сделал это из-за нас, верно?

Эшли пристыженно опустила глаза и кивнула.

— Когда ты улетаешь?

— Завтра.

— Нет! Эшли, ради бога, не позволяй ему разлучить нас! Послушай, я хочу жениться на тебе. Дядя предложил мне хорошее место в Чикаго, в его рекламном агентстве. Я сумею заработать на нас двоих. Будем учиться, хотя бы по вечерам. Давай убежим. Завтра жди меня на вокзале. Поезд на Чикаго отходит в семь утра. Ты поедешь со мной?

Эшли долго смотрела на него, прежде чем снова кивнуть:

— Поеду.

Позже, думая о том вечере, Эшли никак не могла вспомнить, что творилось на балу. Они с Джимом весь вечер просидели в укромном уголке, взволнованно обсуждая свои планы.

— Почему бы не полететь самолетом? — спросила Эшли.

— Потому что при покупке билетов спрашивают фамилии. Если мы поедем поездом, никто не дознается, куда мы делись.

Когда музыка стихла, огни потухли и бывшие школьники веселой толпой повалили из зала, Джим тихо спросил:

— Не хочешь заглянуть ко мне? Предки уехали на весь уик-энд.

Эшли поколебалась, раздираемая желанием побыть с Джимом немного подольше и страхом перед отцом.

— Джим... мы так долго ждали. Какое значение имеют еще несколько дней?

— Ты права, — разочарованно вздохнул Джим, но тут же расплылся в улыбке. — Должно быть, я остался единственным в этой стране, кому повезло жениться на девственнице.

Дома Эшли уже дожидался доктор Паттерсон, багровый от ярости:

— Где вы шлялись так долго?!

— Простите, сэр. Бал...

— Не желаю слушать никаких ваших чертовых оправданий, Клири. Интересно, кого вы пытаетесь одурачить, молодой человек?

— Я не...

— С этой минуты держите свои грязные лапы подальше от моей дочери, ясно?

— Отец...

— А тебе лучше помолчать! — завопил он. — Клири, немедленно проваливайте из моего дома, и чтобы я больше вас здесь не видел.

— Сэр, ваша дочь и я...

— Джим...

— Немедленно иди к себе.

— Сэр...

— И если я когда-нибудь увижу твою рожу еще раз, переломаю тебе все кости!

Эшли в жизни не видела его в таком бешенстве. Дело кончилось криками и едва ли не дракой. Когда Джим все-таки ушел, Эшли залилась слезами. Она убежала к себе и долго сидела на постели, сжавшись в комочек. Она не должна позволять отцу разрушать ее жизнь. Ее будущее — Джим, и она уйдет с ним. Больше ее ничего здесь не удерживает.

Эшли потихоньку встала, побросала в сумочку кое-какие вещи и, выскользнув с черного хода, побежала к дому Джима, расположенному всего в нескольких кварталах. Сегодня она останется у него, а завтра они вместе уедут в Чикаго.

Но на полпути Эшли остановилась. Стоит ли портить все, что так прекрасно начиналось? Лучше прийти прямо на вокзал.

И она пошла домой. И всю ночь не спала, думая о счастье, которое ждет их впереди. Какие только фантазии не рождались в мозгу девочки, стремившейся вырваться наконец на волю и избавиться от давящей опеки отца. В половине шестого она подхватила сумку, на цыпочках прошла мимо закрытой двери отцовской спальни и села на автобус, идущий к вокзалу. Джима еще не было. Она приехала слишком рано. До поезда еще целый час.

Эшли уселась на скамейку, вне себя от нетерпения. Скорей бы пришел Джим! Не дай бог, отец проснется раньше обычного и обнаружит ее побег. Страшно представить, что тогда будет!

Но она не должна позволять ему и впредь манипулировать ею, как марионеткой. Когда-нибудь он поймет, какой прекрасный человек Джим и как ей повезло. Шесть тридцать... шесть сорок... шесть сорок пять...

Где же Джим? Эшли в ужасе осмотрелась. Что могло случиться? Нужно немедленно позвонить!

Длинные гудки отдавались эхом в глубине пустого дома. Никто не брал трубку.

Шесть пятьдесят пять... Он в любую минуту появится.

Вдалеке послышался гудок тепловоза, и девушка посмотрела на часы. Без одной минуты семь. Состав уже подают!

Эшли вскочила и в отчаянии заломила руки: «С Джимом произошел несчастный случай! Что-то ужасное! Он в больнице!»

Несколько минут спустя Эшли тупо уставилась вслед поезду, уносившему с собой ее мечты. Подождав еще с полчаса, она снова попыталась позвонить Джиму и, не получив ответа, медленно зашагала к дому. В полдень она вместе с отцом уже сидела в самолете, летевшем в Лондон...

Два года Эшли проучилась в английском колледже и, когда решила специализироваться в области компьютерного дизайна, приняла участие в конкурсе Калифорнийского университета в Санта-Круз на престижную стипендию Уонга, учрежденную для женщин, избравших технические профессии. Она оказалась одной из победительниц и три года спустя поступила на работу в «Глоубл компьютер грэфикс корпорейшн». Вначале Эшли пыталась писать Джиму Клири, но каждый раз рвала письма. Его исчезновение и упорное молчание яснее слов говорили о том, что отец оказался прав.

Безапелляционный голос Стивена вернул Эшли к реальности.

— Ты где-то за сотни миль от меня. О чем только думаешь?

— Ни о чем, — небрежно бросила она, не глядя на отца.

Доктор Паттерсон знаком подозвал официанта и, великодушно улыбнувшись, объявил:

— Теперь, пожалуй, можно нести меню.

После долгого, мучительного обеда Эшли, обреченно вздохнув, выбежала из ресторана и только тогда вспомнила, что забыла поздравить отца с очередным свидетельством его всемирной славы.

Ничего не поделаешь, может, она позвонит... позже.

У стола Эшли уже отирался Деннис Тиббл:

— Говорят, ты общалась с папашей.

«Он еще подслушивает, слизняк несчастный! Вечно сует свой нос в каждую щель! Не успокоится, пока не пронюхает, что творится в каждом отделе!»

— Совершенно верно.

— Должно быть, скука смертная! — Он интимно понизил голос: — Почему бы тебе не пообедать как-нибудь со мной?

— Деннис, я уже говорила, ты меня не интересуешь.

— Ничего, — ухмыльнулся Тиббл, — заинтересуешься. Еще не вечер.

Несмотря на улыбку, слова его прозвучали почти угрозой. Что-то в нем неприятное... пугающее, отчего мороз по коже пробирает. Неужели именно он преследует...

Эшли покачала головой. Нет. Нужно забыть обо всем и жить дальше.

По пути домой Эшли остановилась у «Эппл Три Бук Хаус», большого книжного магазина. Прежде чем войти, она долго изучала свое отражение в витрине, чтобы убедиться в отсутствии слежки. Но за спиной никого не было, да и улица оказалась почти пустынной. Она открыла дверь. Навстречу шагнул молодой человек:

— Чем могу помочь, мисс?

— Вы... У вас есть книга о маньяках?

— Маньяках? — переспросил продавец, както странно поглядев на нее. Эшли почувствовала себя окончательной идиоткой.

— Да, — пролепетала она. — И еще мне нужны книги по садоводству... и африканской фауне.

— Значит, маньяки, садоводство и африканская фауна?

— Именно, — коротко подтвердила она.

«Кто знает? Может, когда-нибудь я разведу сад и поеду в Африку».

Эшли едва успела вернуться к машине, как снова заморосило. Дождь все усиливался. Прозрачные капли били по ветровому стеклу, искажая видимость и превращая улицы в сюрреалистические пуантилистские* картины. Девушка включила «дворники». Резиновые скребки шуршали по окну, шипя, словно рассерженные змеи:

«Он тебя достанет... достанет... достанет...»

Эшли поспешно дернула ручку переключателя. Нет, не может быть. Они просто говорят: «Здесь никого нет... никого нет... никого нет...»

Она снова включила «дворники».

«Он достанет тебя... достанет... достанет...»

---

* Одно из направлений импрессионизма — способ рисования точками.

Эшли оставила автомобиль в гараже, вызвала лифт и поднялась к себе. Повернув ключ в замке, она открыла дверь и застыла на пороге.

Вся квартира сияла огнями, как праздничная елка. Лампы, светильники, бра и торшеры были включены. Кем? Кем?!

Глава 2

Вокруг тутовника вприпрыжку
Гонялась за хорьком мартышка.
И чуть не падала от смеха:
«Вот так игра! Ну и потеха!»
Но — прыг да скок — удрал хорек*.

Глупая песенка, верно? Совсем идиотская. Но в глубине души Тони Прескотт точно знала, почему так любит ее напевать. Мамаша на стенку лезла, едва заслышав мелодию:

— Перестань нудить! Опять это дурацкое нытье! Слышишь? Немедленно замолчи! И голос у тебя, как у вороны! Вместо того чтобы каркать, уроки учи!

— Хорошо, мама.

И Тони продолжала упорно петь, только на этот раз про себя или едва слышно. Как давно это было, и все же до сих пор мысль о том, как она ухитрялась делать матери назло, греет душу.

Тони Прескотт тоже работала в «Глоубл компьютер грэфикс корпорейшн» и терпеть не могла самый воздух своей унылой клетушки. Будь ее воля, непременно нашла бы что-то получше. Паршивая дыра с наглыми снобами-поганцами, которые только и знают, что носы задирать! Однако она изо

---

* Все стихи в книге даны в переводе Е.Ф.Левиной.

всех сил старалась не выказывать своих истинных чувств. Да и кто бы мог заподозрить в лицемерии изящную двадцатидвухлетнюю красотку с точеной фигуркой, веселыми карими глазами и лукавым овальным личиком, всегда готовую на озорную проделку и остроумный розыгрыш. Уроженка Лондона, она до сих пор говорила с очаровательным британским акцентом и в довершение ко всему была заядлой спортсменкой и обожала зимние виды спорта, особенно лыжи, коньки и бобслей.

Несколько лет назад Тони училась в одном из лондонских колледжей, и если днем ничем не выделялась из обычной студенческой толпы, вечером мало кто мог бы узнать скромно одетую мисс Прескотт в размалеванной развязной девице в почти не существующей мини-юбке и ярком прикиде в стиле диско. Она посещала все модные уэстэндские тусовки, клубы и дискотеки, вроде «Электрик Болрум» на Камден-Хай-стрит и «Лепед Лаундж». У нее оказался чудесный голос: чувственный, низкий, чуть хрипловатый, и Тони иногда выходила на эстраду, садилась за пианино и пела. Публика, как правило, награждала ее шумными овациями. Только в такие минуты она оживала и могла дышать полной грудью.

Но дальше все шло по накатанной дорожке, избитому, изъезженному шаблону, от чего у Тони сводило скулы и в душе поселялась тихая неизбывная тоска.

— Знаете, Тони, вы чертовски хорошая певица.

— Наверное.

— Разрешите угостить вас? Что будете пить?

— Неплохо бы попробовать, какой здесь «Пиммз»*.

---

* Фирменное название алкогольного напитка из джина, разбавленного особой смесью.

— Будет сделано.

И кончалось все совершенно одинаково, словно иных слов они не знали. Мужчина наклонялся поближе и заговорщически шептал:

— Почему бы нам не отправиться ко мне и не повеселиться на всю катушку?

— Отвали, — коротко бросала Тони и исчезала.

По ночам она долго лежала без сна, размышляя о том, как глупы и ничтожны мужчины и как легко ими манипулировать. Бедняги, сами того не зная, хотели, чтобы их дергали за ниточки. Их необходимо дергать за ниточки. Без этого они ни на что не способны.

А потом пришлось переехать в Купертино. Вначале новая жизнь казалась сущим кошмаром. Тони мгновенно прониклась отчаянной ненавистью к Купертино и «Глоубл компьютер грэфикс». Ей до смерти осточертело слушать споры о «количестве линий на дюйм», «полутонах», «гридах» и «дополнительном расширении программ»*. Ей ужасно не хватало ежевечернего допинга лондонской ночной жизни. Правда, и в округе было несколько неплохих местечек, и Тони скоро освоилась с «Сан-Хосе Лайв», «Пи Джи Миллиген» и «Холливуд Джанкшн». Снова пригодились ее обтягивающие микроюбчонки, липнущие к телу топики с огромными вырезами, босоножки с двенадцатисантиметровыми каблуками и туфли на толстых пробковых платформах. И макияж, тонны и тонны макияжа: накладные ресницы, черный карандаш для век, цветные тени и яркая губная помада. Она словно старалась спрятать свою красоту за уродливо размалеванной маской.

* Термины компьютерной графики.

Иногда Тони проводила уик-энд в Сан-Франциско, где кипела настоящая жизнь: обходила рестораны и клубы, в которых играли оркестры «Гарри Дентон», «Уан Макет» и «Калифорниа Кефи», а стоило музыкантам уйти на перерыв, как Тони подбегала к фортепьяно и принималась играть и петь. Постепенно клиенты стали узнавать девушку. Очевидно, она пользовалась немалым успехом, потому что, когда пыталась заплатить за ужин, владельцы отказывались брать деньги и просили лишь об одном: чтобы она приходила почаще.

— Вы просто великолепны, — не уставали повторять они. — Пожалуйста, не пропадайте.

«Слышишь, мама?! "Вы просто великолепны. Пожалуйста, не пропадайте!"»

Как-то в субботу Тони ужинала во французском зале отеля «Клифф». Музыканты закончили часть программы и, отложив инструменты, ушли с эстрады. Метрдотель многозначительно взглянул на Тони. Девушка поднялась и, сев за рояль, начала петь старую песню Коула Портера. Когда последние аккорды замерли, раздался гром аплодисментов. Тони исполнила еще две вещи и вернулась к своему столику. К ней подошел лысый мужчина средних лет, извинившись, попросил разрешения присесть. Тони отрицательно покачала головой, но незнакомец оказался настойчивее, чем она предполагала.

— Я Норман Циммерман, — представился он. — Продюсер гастрольной труппы «Король и я». Мне бы хотелось поговорить с вами насчет возможности артистической карьеры.

Тони только на днях прочла огромную статью о Циммермане. Автор рассыпался в комплиментах и именовал продюсера «настоящим ценителем, гением театра, одним из последних могикан, которых так мало осталось в наше время».

Норман придвинул стул и долго устраивался поудобнее.

— У вас выдающийся талант, юная леди. Вы зря тратите время, околачиваясь в подобных забегаловках. Вам следует попробовать свои силы на Бродвее.

«Бродвей. Ты слышишь, мать? Бродвей!»

— Я с удовольствием устрою вам прослушивание, если, конечно...

— Простите, но все это ни к чему. Я не могу.

Циммерман ошарашенно уставился на нее:

— Такой шанс выпадает раз в жизни, юная леди. Даю слово, перед вами откроются все двери. Вы, кажется, сами не понимаете, насколько одарены.

— У меня уже есть работа.

— Можно спросить, чем же вы занимаетесь?

— Служу в компьютерной компании.

— Вот что, дорогая, условимся, что для начала я дам вам вдвое больше, чем вы получаете сейчас, и...

— Поверьте, я крайне польщена, — перебила Тони, — и ценю ваше предложение, но... Но не могу.

Циммерман тяжело откинулся на спинку стула:

— Вас не интересует шоу-бизнес?

— Почему? Интересует, и очень.

— В чем же проблема?

Тони немного поколебалась и ответила, тщательно выбирая слова:

— Может так сложиться, что я покину вас на середине турне.

— Из-за мужа или...

— Я не замужем.

— Знаете, я отказываюсь вас понимать. Сами утверждаете, что шоу-бизнес вам небезразличен. Превосходный случай доказать, что...

— Мне очень жаль, но всего не объяснишь. Могу сказать только, что это невозможно.

«А если и объясню, разве он поймет? Ни он и никто в целом свете. Что поделать, если я обречена жить с дьявольским проклятьем на душе. На мне клеймо, и избавиться от него невозможно».

Несколько месяцев спустя после начала работы в «Глоубл компьютер грэфикс» Тони открыла для себя Интернет — огромный мир, доступный всем и каждому, независимо от того, несчастен ли он или счастлив, одинок или успел обзавестись семьей. Мир, в котором можно было без опаски знакомиться с мужчинами.

Как-то она ужинала в ресторане с Кэти Хили, подругой, работавшей в конкурирующей компьютерной фирме. Ресторан «Герцог Эдинбургский» когда-то представлял собой настоящий английский паб, который разобрали по кирпичу и досточке, сложили в контейнеры и переправили в Калифорнию. Тони нередко прибегала сюда, чтобы полакомиться излюбленными блюдами кокни*: жареной рыбой с картофелем, грудинкой, йоркширским пудингом, сосисками с пюре и английскими бисквитами, пропитанными шерри и залитыми взбитыми сливками.

— Нельзя отрываться от родной почвы, — приговаривала она, — и забывать свою родину. Неплохо бы точно знать, где твои корни.

Подружки оживленно болтали, не забывая при этом запивать еду светлым пивом, но Тони нео-

---

* Коренной житель лондонского Ист-Энда, обитатель бедных кварталов.

жиданно замолчала и умоляюще посмотрела на Кэти:

— Мне неловко просить тебя об одолжении.

— Все, что пожелаешь, дорогая.

— Пожалуйста, помоги мне с Интернетом. Никак не соображу, с чего начать.

— Тони, у меня дома нет компьютера, а единственный, с которым я имею дело, стоит в офисе, и руководство компании запрещает...

— Пропади пропадом твоя компания и ее руководство. Ты знаешь, как пользоваться Интернетом?

— Разумеется.

Тони погладила подругу по руке и улыбнулась:

— Вот и чудненько.

Назавтра к вечеру Тони явилась в кабинет подруги, и Кэти после долгих уговоров научила ее входить в Интернет.

Вызвав «иконку» Интернета, Кэти ввела свой пароль. После секундного ожидания она щелкнула мышкой дважды, чтобы вызвать еще одну «иконку», и вошла в «чет-рум»*. Тони изумленно застыла, наблюдая, как на экране появляются и исчезают фразы, напечатанные людьми, находившимися в эту минуту на другом конце света.

— Я должна в этом разобраться! — воскликнула она. — Немедленно покупаю себе компьютер! Будь лапочкой, покажи еще раз, как это делается.

— Запросто. Это легче легкого. «Кликаешь» мышкой и входишь в сектор ЛРР, локатор расположения ресурсов, а потом...

---

* «Чет-румы» — многочисленные серверы в Интернете, где люди, объединенные общими интересами, могут пообщаться и т. д.

— Как поется в песне: чем рассказывать, лучше сразу показать, дорогая.

Верная слову, Тони на следующий же день приобрела компьютер последней модели, и с тех пор в ее жизнь вошло волшебство Интернета. Она больше не скучала, не раздражалась, не томилась тоской. Интернет стал ковром-самолетом, носившим ее по всем странам и континентам. Приходя домой, Тони наспех переодевалась, включала компьютер и путешествовала по разнообразным «чет-румам». Все оказалось проще простого. Главное — войти в Интернет, нажать клавишу, и на экране развертывалось окно, разделенное на две рамки.

— Привет, — напечатала Тони. — Есть тут кто-нибудь?

В нижней рамке засветились слова:

— Боб. Я тут. И жду тебя.

У нее появилось множество друзей. Теперь Тони никогда не будет одинокой.

— Я Ганс. Живу в Амстердаме.

— Расскажи о себе, Ганс.

— Я диск-жокей в потрясном клубе. Фанатею хип-хопом, рейвом, уорлд-битом*. Словом, только назови, я тут как тут.

— Просто отпад! Я люблю танцевать. Хоть всю ночь напролет! Но живу в ужасном городишке. Здесь негде оторваться, разве что на дискотеке, да и то не каждый день.

— Сочувствую.

— Спасибо, но что поделать?

— Хочешь, повеселимся вместе? Зависнем на все сто, закумаримся... Как насчет встречи?

— Привет.

---

* Направления современной музыки.

Тони быстро вышла из «чет-рума».

— Давно не встречались, Тони. Помнишь меня? Я Пол из Южной Африки. Йоханнесбург. Хорошо, что ты вернулась, Тони.

— Я здесь и ужасно хочу узнать все о тебе, Пол.

— Мне тридцать два. Я доктор в больнице...

Тони рассерженно щелкнула мышкой и отключилась. Доктор! Ужасные воспоминания захлестнули ее, сдавив горло петлей, не давая дышать. Сердце бешено колотилось, на лбу выступили капли пота.

Тони закрыла глаза, стараясь взять себя в руки. Пожалуй, на сегодня хватит!

Она встала и, шатаясь, направилась в спальню.

Но на следующий вечер снова включила компьютер. На этот раз ее собеседником был некий Шон из Дублина.

— Тони... Какое милое имя.

— Спасибо, Шон.

— Бывала когда-нибудь в Ирландии?

— Нет.

— Тебе бы понравилось. Это страна фей и гномов. Но лучше скажи, какая ты, Тони? Бьюсь об заклад, что очень красивая.

— Ты прав. Я прелестная, волнующая и к тому же одинокая. А где ты работаешь, Шон?

— Я бармен в...

Тони не захотела читать дальше.

Каждая ночь была по-своему интересна. Мужчины, мужчины, бесчисленное множество мужчин самых разнообразных профессий. Аргентинский игрок в поло, японский продавец автомобилей, служащий чикагского универмага, телевизионный мастер в Нью-Йорке... Интернет все больше затягивал Тони, превращаясь из занимательной игры в способ существования, и девушка неимоверно наслаждалась каждым сеансом. Теперь она могла делать все что угодно: болтать на любые темы и заходить так далеко, как никогда раньше не смела. И при этом знать, что она в полной безопасности. Ничего ей не грозит, и никто не узнает, кто она. Не узнает правды.

Так продолжалось несколько месяцев. До той самой ночи, когда на связь вышел Жан-Клод Паран.

— Bonsoir*. Счастлив познакомиться, Тони.

— Очень рада, Жан-Клод. Откуда ты?

— Из Квебека.

— Никогда не была в Квебеке. Мне там понравится?

Тони ожидала увидеть на экране слово «да», но вместо этого Жан-Клод написал:

— Не знаю. Зависит от того, что ты за человек.

Столь нестандартный ответ заинтересовал Тони.

— Неужели? И какой же я должна, по-твоему, быть, чтобы прижиться в Квебеке?

— Квебек немного напоминает североамериканский фронтир**, хотя это настоящий французский город. Квебекцы очень независимы и не любят никому подчиняться. И никто им не указ.

— Как и мне, — напечатала Тони.

— В таком случае добро пожаловать в Квебек. Это чудесное место, заключенное в кольцо

---

* Добрый вечер *(фр.)*.

** Новые земли, занимаемые переселенцами еще до образования Соединенных Штатов.

гор и голубых озер. Настоящий рай для охотников и рыболовов.

Как ни странно, Тони отчего-то остро чувствовала искренний энтузиазм Жан-Клода. Неужели ей наконец повезло напасть на родственную душу?

— Звучит неплохо, Жан-Клод. Расскажи о себе, если хочешь, конечно.

— О себе? Что тут расскажешь? Тридцать восемь лет, не женат. Недавно расстался с подругой и хотел бы найти женщину, которая бы меня понимала. Понимаешь, о чем я? Настоящую женщину. А ты? Замужем?

— Нет, и тоже в поисках. Чем занимаешься?

— Владею небольшим ювелирным магазинчиком. Надеюсь, ты когда-нибудь приедешь навестить меня и все увидишь собственными глазами.

— Это приглашение?

— Разумеется.

— Пожалуй, я поддамся искушению и соглашусь.

На этот раз она не шутила. Не пыталась отделаться общими фразами.

«Возможно, я действительно найду способ оказаться в Квебеке. Что, если он — именно тот, кто в силах спасти меня?»

Теперь они переговаривались каждую ночь. Жан-Клод даже сумел сосканировать и переслать свое фото, и Тони увидела весьма привлекательного мужчину с умными проницательными глазами. Ничего не оставалось, кроме как ответить такой же любезностью. Увидев фото Тони, Жан-Клод напечатал:

— Ты прекрасна, ma cherie. Я знал это с самого начала. Пожалуйста, приезжай ко мне.

— Обязательно.

— И как можно скорее.

— Пока.

Тони торопливо отключилась.

Утром, на работе, Тони прошла мимо занятых разговором Шейна Миллера и Эшли Паттерсон.

«Какого дьявола он в ней нашел? Настоящая курица!» По мнению Тони, Эшли была фригидной старой девой. «Ханжа чертова! Вечно строит из себя недотрогу!» Тони видеть ее не могла! По ее мнению, Эшли давно отстала от жизни и не находит ничего лучшего, как сидеть по вечерам дома, читать дурацкие книжки и смотреть по телевизору заплесневелые исторические фильмы или передачи Си-эн-эн. Даже спортом не интересуется! Зануда несчастная! Она и понятия не имеет о существовании «чет-рум»! Ей, конечно, в голову не придет знакомиться с мужчинами через Интернет.

«Не знает, чего лишилась, дура этакая! Холодная бесчувственная рыба! Не будь Интернета, я никогда бы не встретила Жан-Клода!»

Тони представила, как возненавидела бы мать Интернет и все, что с ним связано. Впрочем, мать ненавидела весь свет и ни к чему не относилась спокойно. На все реагировала либо воплями, либо нытьем. Недаром Тони, как ни старалась, не могла ей угодить.

«Неужели ты никогда и ничего не можешь сделать по-человечески, глупая дрянь?» — эта фраза до сих пор звенит у Тони в ушах. Ничего, мамаша свое получила.

Тони вспомнила об ужасной гибели матери. Как она кричала тогда!

Тони удовлетворенно улыбнулась и вздохнула. Так ей и надо! Больше она никогда не запретит дочери петь!

На пенни ниток, чтобы шить,
И пенни за иголку.
Грош туда и грош сюда,
И в кармане пустота.
Прыг да скок — удрал хорек!

Глава 3

Интереснее всего, что Алетт Питерс могла бы стать знаменитой художницей. Правда, в другое время и в другом месте. Сколько она себя помнила, с самого раннего детства все ее ощущения были настроены на определенные цветовые оттенки. В отличие от простых смертных, она была способна видеть, слышать и обонять цвета.

Голос ее отца был синим, а иногда и красным.

Голос матери никогда не менял темно-коричневого цвета.

Голос учителя светился желтым.

Голос бакалейщика наливался фиолетовым.

Шум ветра в листве сверкал изумрудами.

Звон льющейся воды играл отблесками серого.

Алетт Питерс едва исполнилось двадцать. Она могла быть почти уродливой, привлекательной или неотразимо прекрасной — в зависимости от настроения и мнения о себе. Но никто и никогда не считал ее хорошенькой или «пикантной мордашкой». Очарование Алетт крылось еще и в том, что сама девушка совершенно не подозревала о своей красоте и не слишком заботилась о внешности. Милая, застенчивая, мягкая, словом, из тех паинек, которых нынче днем с огнем не сыщешь.

Алетт родилась в Риме, обладала музыкальным итальянским выговором и обожала свой родной город. Всем сердцем чувствовала духовное родство с великой столицей. Глядя на древние церкви и гигантский Колизей, она знала, что принадлежит к той давно угасшей эре великих свершений. Алетт гуляла по площади Навона, слушала мелодию воды, играющей в фонтанах Четырех Рек, мерила шагами площадь Венеции, площадь с похожим на свадебный торт памятником Виктору-Эммануэлю II. Проводила бесконечные часы в соборе Святого Петра, музеях Ватикана и галерее Боргезе, наслаждалась бессмертными творениями Рафаэля, Фра Бартоломео и Андреа дель Сарто. Талант этих великих мастеров одновременно восхищал и угнетал Алетт. Она ужасно жалела, что не родилась в шестнадцатом веке и навеки утратила возможность узнать их при жизни. Для нее они были куда более реальны, чем прохожие, деловито спешившие куда-то по оживленным улицам. Алетт отчаянно хотела стать художницей. Но темно-коричневый голос матери монотонно твердил:

— Только напрасно тратишь бумагу и краски. У тебя нет таланта.

Переезд в Калифорнию все изменил в ее жизни. Сначала Алетт тревожилась, не зная, как сложится ее судьба, боясь, что не сумеет привыкнуть, но Купертино оказался приятным сюрпризом. Здесь ее никто не знал. Она наконец обрела желанную свободу и, кроме того, полюбила свою работу в «Глоубл компьютер грэфикс корпорейшн». Правда, здесь не было картинных галерей, но по выходным Алетт часто ездила в Сан-Франциско и бродила по тамошним музеям.

— Зачем тебе вся эта муть? — удивлялась Тони Прескотт. — Лучше пойдем со мной в «Пи Джи Миллиген», хоть повеселишься как следует!

— Неужели тебя не интересует искусство?

— Конечно, интересует, — лениво ухмыльнулась Тони. — А что это такое?

Лишь одно темное облако омрачало жизнь Алетт Питерс. Она страдала одной из форм маниакально-депрессивного психоза, и чувство постоянного отчуждения от окружающих нередко тревожило ее. Мгновенные смены настроения случались неожиданно, и она в одну секунду могла перейти от блаженной эйфории к полному отчаянию. И была лишена способности управлять своими эмоциями. Тони была единственной, с кем Алетт не стыдилась обсуждать свои проблемы. У нее всегда находился выход из любых затруднений, а именно: предложение пойти и развлечься на всю катушку.

Любимой темой разговоров Тони была Эшли Паттерсон. Стоило Шейну Миллеру подойти к Эшли, как Тони мгновенно настораживалась.

— Посмотри только на эту фригидную сучонку! — презрительно шипела она. — Подумаешь, снежная королева!

— Она и вправду чересчур серьезна, — соглашалась Алетт. — Не мешало бы кое-кому научить ее смеяться.

— Скорее уж трахаться, — фыркала Тони. — Бьюсь об заклад, она не знает, каким местом это делается!

Раз в неделю Алетт после работы посещала приют для бездомных и помогала раздавать ужин. Среди несчастных, которым не повезло в жизни, была одна старушка, которая с нетерпением ждала посещений Алетт. Она не поднималась с инвалидной коляски, и девушка помогала ей устроиться за столом и приносила еду.

— Дорогая, — как-то сказала старушка, — будь у меня дочь, я хотела бы, чтобы она была похожа на вас.

Алетт судорожно стиснула ее руку:

— Вы слишком добры! Я не заслужила таких похвал, но все равно спасибо.

А скрипучий насмешливый внутренний голос ехидно проскрежетал: «Будь у тебя дочь, наверняка бы оказалась такой же грязной свиньей, как ты».

Алетт в ужасе закрыла глаза. Откуда такие мерзкие мысли? Словно кто-то сидит в ней, чужой и злобный! И такое случалось постоянно.

Как-то Алетт поехала за покупками с Бетти Харди, прихожанкой той же церкви, что и сама Алетт. Они остановились перед витриной универмага, и Бетти восхищенно вздохнула:

— Какое миленькое платьице! Правда?

— Изумительное, — кивнула Алетт.

«В жизни не видела ничего уродливее! Вполне подходит такому чучелу, как ты».

Снова и снова, опять и опять... Ни друзей, ни поклонников. Всех критиковал, над всеми насмехался недремлющий мерзкий уродец, что жил в душе Алетт.

Однажды она ужинала с Роналдом, церковным сторожем. Тот был явно увлечен девушкой и непрерывно говорил ей комплименты:

— Мне нравится бывать с тобой, Алетт! Давай встречаться почаще!

— Согласна, — смущенно улыбнулась Алетт.

«Ни за что, болван стоеросовый! Гнусный слизняк! Только через мой труп!»

Она тут же опомнилась и испуганно вздрогнула.

Да что это с ней?

Ответа не было. Но самые мелкие обиды, причиненные окружающими, самые глупые недоразумения мгновенно приводили Алетт в бешенство. Как-то неосторожный водитель подрезал ее машину. Девушка заскрипела зубами, испытывая непреодолимое желание прикончить ублюдка, посмевшего так ее оскорбить. Мужчина высунулся, махнул рукой в знак извинения, и Алетт благосклонно улыбнулась, но ярость от этого не улеглась.

Когда черная туча вновь опускалась на Алетт, она изобретала всяческие казни и несчастья для ничего не подозревавших пешеходов. Сцены, которые она мысленно разыгрывала, были ужасающе реальными. Кровь лилась рекой, оторванные конечности, отрубленные головы валялись на тротуарах, крики и стоны раздирали воздух и казались Алетт прекраснейшей музыкой. Но уже через несколько минут она приходила в себя и корчилась от стыда.

В светлые дни Алетт превращалась в совершенно иного человека — искреннего, доброго, сострадательного, всегда готового помочь людям. Но и тогда радость омрачалась сознанием того, что тьма снова придет, накроет ее и она утонет в ней, а когда-нибудь обязательно захлебнется.

Каждое воскресенье Алетт ходила в церковь, священник которой был широко известен своими образовательными и благотворительными программами. Здесь оказывали помощь бездомным, проводили факультативные занятия по искусству и обучали неграмотных. Алетт вела несколько классов воскресной школы и помогала в детском саду. Она старалась принимать участие во всех благих начинаниях и посвящала им почти все свободное время. Особенно она любила давать детям уроки живописи.

В это воскресенье церковь устраивала благотворительную ярмарку для сбора средств. Алетт принесла на продажу несколько своих работ. Пастор Фрэнк Селваджо с изумлением воззрился на картины:

— Это... Это просто потрясающе! Блестяще! Вам следовало бы выставить их в галерее.

Алетт залилась краской:

— Да нет, не стоит. Это просто хобби.

На ярмарке было полно народу. Прихожане привели своих друзей и родных, и возле игровых павильонов и лотков с товарами яблоку негде было упасть. Здесь торговали соблазнительными тортами, искусно сшитыми лоскутными покрывалами, домашними джемами в красивых горшочках, резными деревянными игрушками. Люди переходили от лотка к лотку, угощались сластями и покупали совершенно ненужные им вещи.

— Ничего не поделаешь, все это в пользу бедных, — уговаривала какая-то женщина мужа.

Алетт в который раз оглядела картины, прислоненные к стенке киоска. В основном это были пейзажи в ярких сочных тонах, невольно приковывающие взгляд каждого зрителя. Но девушку переполняли сомнения и дурные предчувствия.

«Ты зря тратишь столько денег на краски, детка».

— Привет! — окликнул темно-синий, очень приятный мужской голос.

Девушка обернулась. Незнакомый мужчина сосредоточенно рассматривал картины:

— Это вы нарисовали?

«Нет, кретин! Микеланджело спустился с неба и взял в руки кисть!»

— Вы очень талантливы.

— Благодарю вас.

«Что знают о таланте такие, как ты?!»

Рядом остановилась молодая пара.

— Ты только полюбуйся на эти краски! Настоящий вихрь! — восхищалась молодая женщина. — Послушай, я должна во что бы то ни стало заполучить этот пейзаж! Мисс, вы настоящий мастер!

И так продолжалось весь день, пока у Алетт не осталось ни одной картины. Люди, не скупясь, платили деньги и осыпали ее комплиментами. Ей очень хотелось поверить, но каждый раз темный занавес неизменно опускался, отсекая ее от всего мира.

«Господи, неужели они не понимают, что нагло обмануты? О какой красоте идет речь? Они просто издеваются надо мной!»

Среди праздношатающихся оказался владелец художественной галереи. По достоинству оценив работы Алетт, он, как и все остальные, посоветовал выставлять их на продажу.

— Я всего лишь любитель, — возразила Алетт и наотрез отказалась продолжать разговор. К вечеру она собрала выручку, положила в конверт и вручила пастору Селваджо. Сумма оказалась так велика, что Фрэнк удивленно покачал головой:

— Благодарю вас, Алетт. У вас действительно редкостный дар. Что может быть лучше, чем нести людям радость и красоту?

«Ты слышишь, мама? Слышишь?»

Бывая в Сан-Франциско, Алетт подолгу бродила по залам музея современного искусства и музея Де Янга, изучая коллекции американской живописи. Там она часто встречала молодых художников, увлеченно писавших копии знаменитых шедевров. По-видимому, это были студенты многочисленных художественных студий и школ. Как-то ее внимание привлек молодой человек лет тридцати, светловолосый и стройный, с мужественным умным лицом и проницательным взглядом больших ясных глаз. «Петуньи» Джорджии О'Киф его кисти казались едва ли не лучше оригинала. Заметив, что Алетт наблюдает за ним, художник вежливо кивнул:

— Привет.

Теплый, глубокий голос цвета гречишного меда.

— Здравствуйте, — робко пролепетала Алетт.

Мужчина кивком показал на картину, над которой работал:

— Ну, как, по-вашему?

— Bellissimo! Это действительно великолепно! — выпалила она и насторожилась, ожидая, что внутренний голос язвительно добавит: «Для жалкого любителя».

Но ничего подобного не случилось. Алетт удивленно моргнула.

— Это действительно великолепно, — тупо повторила она.

— Рад слышать, — улыбнулся молодой человек. — Кстати, меня зовут Ричард, Ричард Мелтон.

— Алетт Питерс.

— Вы часто сюда приходите?

— Si. Как только выдастся свободная минутка. Я живу не в Сан-Франциско.

— Где же в таком случае?

— В Купертино.

Никаких «Это не твое собачье дело» или «К чему вам знать?». Просто «В Купертино». Что это с ней творится?

— Знаю. Милый маленький городок.

— Мне он тоже нравится.

Не «Какого черта вам кажется, что это милый маленький городок?» или «Что вам вообще известно о милых маленьких городках?», а всего лишь «Мне он тоже нравится». Чудеса!

Ричард встал и принялся складывать мольберт:

— Я проголодался. Вы позволите угостить вас ланчем? В кафе музея прекрасно кормят. Лучше, чем в любом ресторане.

Алетт почти не колебалась. Обычно она холодно отвечала, что не обедает с незнакомыми людьми, или отделывалась грубостью, но на этот раз с готовностью кивнула:

— Va bene. С удовольствием.

Такого с ней еще никогда не бывало. Воздух, казалось, пронизали тонкие золотые нити, в душе звучала неслышная для посторонних музыка, и мрак сменился безоблачной голубизной.

Они прекрасно провели время, и въедливый голос ни разу не дал о себе знать. Разговор зашел о великих мастерах прошлого, и Алетт упомянула, что родилась в Риме.

— Я никогда не был в Италии, — с сожалением вздохнул Ричард. — Возможно, когда-нибудь...

«Как было бы прекрасно гулять по Риму рука об руку с Ричардом!»

К концу обеда Ричард случайно отвел глаза и заметил на противоположном конце зала своего товарища по комнате.

— Гэри! — окликнул он. — Не знал, что ты здесь будешь. Иди сюда, я тебя кое с кем познакомлю. Это Алетт Питерс. Гэри Кинг.

Похоже, Гэри и Ричард были ровесниками и даже чем-то походили друг на друга, если не считать того, что у Гэри были густые, пышные локоны, доходившие до плеч.

— Рада познакомиться, Гэри, — вежливо пробормотала девушка.

— Гэри — мой лучший друг еще со школы.

— Совершенно верно. Не представляете, сколько компромата у меня накопилось на этого типа за все годы, проведенные вместе, так что, если желаете узнать интересные подробности, я всегда готов...

— Гэри, ты никуда не спешишь?

— Ну вот, всегда так. Вечно мне рот затыкают, — пожаловался Гэри. — Алетт, не забывайте, я всегда буду рад выложить все, что знаю. Привет. Еще увидимся.

Дождавшись, пока друг отойдет, Ричард тихо спросил:

— Алетт, могу я снова вас увидеть?

— Конечно. Мне бы тоже хотелось этого.

«Очень хотелось бы. Ужасно».

В понедельник Алетт рассказала Тони о новом знакомом.

— Нашла с кем связываться! — фыркнула Тони. — С художником! Всю жизнь будешь питаться фруктами, купленными для натюрмортов. На большее просто денег не хватит! Они все нищие! Неужели всерьез собираешься с ним встречаться?

— Да, — улыбнулась Алетт. — Кажется, я ему понравилась, и он мне тоже. Это впервые в жизни, неужели не понимаешь?

Все началось с небольшого недоразумения и закончилось яростным спором, едва не перешедшим в настоящий скандал. После сорока лет беспорочной службы пастор Фрэнк решил удалиться на покой. Паства, обожавшая своего доброго священника, столько сделавшего для прихода, была в полном отчаянии. Под конец, после множества тайных совещаний и обсуждений, было решено сделать ему прощальный подарок. Часы... деньги... путешествие... картина... Картина! Он так любит искусство!

Собравшиеся одобрительно зашумели. И тут кому-то в голову пришла блестящая идея.

— Почему бы не нарисовать его портрет на фоне церкви? — воскликнул кто-то из присутствующих. — Алетт, может, попробуете?

— Разумеется! — кивнула она, счастливо улыбаясь.

Но тут поднялся Уолтер Мэннинг, один из церковных старост, член приходского совета, известный своими щедрыми пожертвованиями. Он считался богатым, удачливым бизнесменом, имел прекрасную семью, не жаловался на здоровье, но, к сожалению, был крайне завистлив и терпеть не мог, когда его ближнему хоть в чем-то везло.

— Моя дочь прекрасно рисует, — бесцеремонно вмешался он. — Возможно, она согласится написать портрет.

— Устроим конкурс! — предложил Роналд, — и посмотрим, у кого лучше получится!

Собравшиеся горячо зааплодировали. Всем пришлась по душе идея церковного сторожа.

Алетт не выпускала из рук кистей и палитры. Пять дней она трудилась с утра до вечера, выпросив отпуск на работе, и сумела создать настоящий шедевр. С холста на зрителей смотрело само воплощение доброты и сострадания. Совсем как в жизни. Пастор Селваджо был истинным слугой Господним, призванным нести в мир справедливость и сочувствие к грешникам.

В следующую субботу прихожане снова собрались, чтобы взглянуть на портреты. Казалось, все голоса безоговорочно отданы плодам таланта Алетт.

— Совсем живой! Вот-вот сойдет с холста!

— О, ему, должно быть, ужасно понравится...

— Ему место в музее, Алетт...

Но тут Уолтер Мэннинг распаковал вторую картину. Добросовестная, чуть холодноватая работа. Несомненное сходство. Отсутствовал лишь огонь вдохновения, озарявший живопись Алетт.

— Очень мило, — тактично заметил один из прихожан, — но думаю, что Алетт...

— Совершенно верно...

— Я согласна...

— Алетт удалось схватить именно то...

Уолтер неодобрительно сжал губы.

— Решение должно быть единогласным, не так ли? — наконец процедил он. — Согласитесь, что моя дочь — профессиональная художница, а не дилетантка, как некоторые. Она сделала вам одолжение, согласившись участвовать в этом так называемом конкурсе. Вы не имеете права так оскорблять ее!

— Но, Уолтер...

— Нет уж, извините! Ничего и слышать не желаю. Либо будет по-моему, либо пастор останется без подарка.

У Алетт сжалось сердце. Ничего не поделаешь. Мэннинг имеет слишком большое влияние, и без его денег многим придется плохо.

— Мне очень нравится второй портрет, —

решительно объявила она. — И не стоит ссориться. Давайте сделаем так, как желает мистер Мэннинг.

— Бьюсь об заклад, он будет куда как доволен, — сыто ухмыльнулся Мэннинг.

Этим же вечером, по дороге домой, Уолтер был сбит неизвестной машиной, водитель которой трусливо умчался с места происшествия, оставив жертву истекать кровью. «Скорая» приехала слишком поздно.

Узнав о случившемся, Алетт горько зарыдала.

Глава 4

Эшли Паттерсон сегодня проспала, но, хотя и боялась опоздать на работу, все же решила наспех принять душ. Стоя под обжигающе горячими струями воды, упруго бьющими по телу, она неожиданно услыхала сквозь мерный шум какой-то странный звук. Стук открывшейся или закрывшейся двери?

Она повернула кран и с бьющимся от страха сердцем прислушалась.

Тишина.

Нерешительно помедлив, она торопливо вытерлась и на цыпочках пробралась в спальню. Кажется, все в порядке. Нигде никого.

«Опять мое идиотское воображение. Нужно поскорее одеться и бежать».

Она шагнула к комоду, выдвинула ящик и замерла, неверяще уставившись на его содержимое. Кто-то рылся в ее белье. Лифчики и колготки небрежно свалены в одну кучу. В ящике царит полный хаос, а ведь она всегда аккуратно складывает свои вещи, не говоря уже о том, что хранит все по отдельности, в закрытых пакетиках.

К горлу вдруг подкатила тошнота. Желудок сжало судорогой. Неужели *он* расстегнул брюки, схватил ее колготки и стал о них тереться своим?.. И при этом воображал, что насилует свою жертву? Издевается, чтобы потом убить?

Эшли судорожно втянула в легкие воздух.

Следовало бы немедленно обратиться в полицию, но ведь они посмеются над ней.

«Хотите, чтобы мы провели расследование только потому, что вы считаете, будто кто-то рылся в вашем комоде?

— Меня преследуют.

— Вы замечали за собой слежку? Видели кого-то?

— Нет.

— Вам угрожали?

— Нет.

— У вас есть враги? Знаете того, кто хотел бы расправиться с вами?

— Нет».

Бесполезно. Бесполезно и бессмысленно.

Эшли в отчаянии заломила руки. Она не может заявить полицейским ничего конкретного. Кончится тем, что они допросят ее и посчитают сумасшедшей. И будут правы.

Эшли с лихорадочной быстротой принялась натягивать первое, что попалось под руку, стремясь поскорее убраться отсюда.

Нужно поискать другую квартиру и переехать, оставив неотвязный призрак с носом. Забиться в нору, где ее никто не сможет найти.

Но радость длилась недолго. Эшли вновь поникла. Откуда такое чувство, что все усилия бесполезны и дамоклов меч, все время висящий над головой, неумолимо рухнет вниз?

«Он знает, где я живу и работаю. А я? Что мне известно о нем? Абсолютно ничего».

Она никогда не имела оружия, потому что ненавидела насилие и все, что с ним связано. Но теперь... Теперь она нуждается в защите.

Эшли метнулась на кухню, схватила острый нож для разделки мяса, отнесла в спальню и положила в ящик прикроватной тумбочки.

«Может быть, я сама устроила беспорядок в комоде и забыла об этом? Возможно... Или всего лишь стараюсь обмануть себя?»

Она спустилась в вестибюль и проверила почтовый ящик. Там оказалось письмо на ее имя с обратным адресом Бедфордской средней школы.

Эшли нервно разорвала конверт и пробежала глазами напечатанные на компьютере строчки. Ей пришлось перечитать их дважды, прежде чем удалось понять содержание.

«ВСТРЕЧА ЧЕРЕЗ ДЕСЯТИЛЕТИЕ!

БОГАЧ, БЕДНЯК, НИЩИЙ, ВОР, КЕМ БЫ ТЫ НИ БЫЛ! НЕУЖЕЛИ ТЕБЕ НЕ ИНТЕРЕСНО, ЧТО СТАЛОСЬ С ТВОИМИ ОДНОКЛАССНИКАМИ, КАК И ТЫ, ОКОНЧИВШИМИ ШКОЛУ ДЕСЯТЬ ЛЕТ НАЗАД? УТЕШЬСЯ, ТЫ НАКОНЕЦ ПОЛУЧИЛ ШАНС УЗНАТЬ ВСЕ! ПЯТНАДЦАТОГО ИЮНЯ СОСТОИТСЯ ТРОГАТЕЛЬНОЕ И ГРАНДИОЗНОЕ ВОССОЕДИНЕНИЕ НЕКОГДА РАЗЛЕТЕВШИХСЯ ПО ВСЕЙ СТРАНЕ ВЫПУСКНИКОВ. В ПРОГРАММЕ БАНКЕТ, ВЫПИВКА, НАСТОЯЩИЙ ОРКЕСТР И ТАНЦЫ. ДОБРО ПОЖАЛОВАТЬ!

ПРОСИМ ПРИСЛАТЬ ПИСЬМЕННОЕ СОГЛАСИЕ НА ПРИЕЗД, ЧТОБЫ МЫ ЗАРАНЕЕ ЗНАЛИ, СКОЛЬКО ЧЕЛОВЕК ЖДАТЬ. ВСЕ С НЕТЕРПЕНИЕМ ПРЕДВКУШАЮТ ВСТРЕЧУ С ВАМИ».

По дороге на работу Эшли не могла отделаться от мыслей о письме.

«Все с нетерпением предвкушают встречу с вами. Все, кроме Джима Клири, конечно».

Девушка горько усмехнулась и пожала плечами.

«Я хочу жениться на тебе. Дядя предложил мне работу в рекламном агентстве... Чикагский поезд отходит в семь утра... Ты поедешь со мной?..»

Снова эта мучительная боль. Боль бесплодного ожидания на вокзале. Боль утраченной веры. Боль поруганной любви. Он струсил! Отказался от нее, оставил одну дрожать на утреннем ветру. Не сумел защитить от Стивена.

«Ах, да забудь ты про все эти глупости. Ведь не вздумала же ты в самом деле ехать?»

В тот день Эшли обедала с Шейном Миллером. Беседа не клеилась: очевидно, настроение у обоих было не слишком подходящим для обмена любезностями.

— Ты чем-то расстроена? — спросил наконец Шейн.

— Прости, — буркнула Эшли, колеблясь между желанием признаться во всем и боязнью показаться смешной. Рассказать ему об утреннем случае? Но это чистейшей воды вздор. Что она объяснит? Кто-то залез в ее комод? Бред собачий!

Вместо этого она неожиданно для себя сказала:

— Я получила приглашение на встречу выпускников моей школы.

— Поедешь?

— Конечно нет! — негодующе воскликнула Эшли и осеклась. Она не ожидала от себя такого взрыва эмоций.

Шейн Миллер с любопытством воззрился на нее:

— Почему нет? Немного отдохнешь, отвлечешься. На таких встречах обычно дым стоит коромыслом!

А Джим? Захочет ли он приехать? Наверное, уже давно женат... отец семейства. Что он скажет при встрече? «Прости, я не смог прийти на вокзал. Мне очень жаль, но я вовсе не собирался жениться на тебе»?

— Я никуда не поеду.

Но Эшли, как ни старалась, не могла забыть о приглашении. Наверное, неплохо повидаться со старыми приятелями. Правда, таковых было не так уж много. Самой близкой подругой считалась Флоренс Шиффер. Интересно, что с ней сталось? И здорово ли изменился Бедфорд за время ее отсутствия?

Эшли Паттерсон выросла в Бедфорде, маленьком провинциальном городишке в двух часах езды от Питтсбурга. Кругом высились горы Аллеганы, принявшие его в свои надежные объятия. Отец Эшли в то время был главой Мемориальной больницы округа Бедфорд, одной из лучших в стране.

Эшли искренне считала, что лучшего города нет на свете. Столько парков и рощиц, в которых так чудесно устраивать пикники, полно ручьев и речек, где водится форель, и едва ли не каждую неделю праздники, балы и вечеринки! Эшли часто посещала Биг Велли, где располагалась колония аманитов*. Как было весело разглядывать смирных лошадок, впряженных в легкие, ярко раскрашенные коляски аманитов, причем каждый цвет знаменовал место в иерархии того или иного члена общины.

---

* Последователи одной из протестантских сект. Селятся общинами и живут так же, как жили их предки: сами строят себе дома, выращивают хлеб и шьют одежду.

В Бедфорде даже был свой любительский театрик, и каждый год устраивался Праздник Тыквы.

Эшли невольно улыбнулась при воспоминании о счастливых годах детства. Возможно, стоит еще раз побывать в Бедфорде. Вряд ли у Джима Клири хватит мужества показаться ей на глаза.

Шейн Миллер был единственным, кому Эшли рассказала о своем решении.

— Это всего неделя. Я вылечу в пятницу, а вернусь вечером в субботу, — пообещала она.

— Прекрасно. Сообщи номер рейса, я встречу тебя в аэропорту.

— Спасибо, Шейн.

Вернувшись на работу, Эшли поднялась к себе и включила компьютер. К ее удивлению, на экране начал разворачиваться сложный узор, складываясь в непонятный поначалу рисунок. Эшли недоуменно всматривалась в изображение, не понимая, что происходит. Точки складывались в ее портрет!

Под испуганным взглядом Эшли в верхней части экрана появилась рука с мясницким ножом. Потом рука стала приближаться к груди. Еще немного, и нож вонзится в нарисованную Эшли.

— Нет! — истерически взвизгнула она и, выключив монитор, вскочила.

— Эшли! Что с тобой? — встревожился Шейн, подбегая к ее столу.

— Там... На экране... — заикаясь, едва выговорила она.

Шейн снова нажал на кнопку и удивленно пожал плечами при виде котенка, гонявшего по зеленому газону клубок ниток.

— И что тут?.. — развел он руками.

— Оно... Оно исчезло... — охнула Эшли.

— Что исчезло? Что?

Эшли покачала головой:

— Ничего. Последнее время у меня не жизнь, а сплошной стресс. Прости, что обременяю тебя своими бедами!

— Почему бы тебе не поговорить с доктором Спикменом?

Эшли как-то встречалась с доктором Спикменом, психологом компании, нанятым специально, чтобы консультировать компьютерных специалистов, в самом деле постоянно находившихся в страшном напряжении. Правда, он не врач, зато умен, образован и всегда готов тебя понять. Действительно, неплохо бы открыть кому-то, что лежит у тебя на душе.

— Ты прав, — кивнула Эшли.

Сорокавосьмилетний Бен Спикмен был здесь самым старшим, настоящим патриархом среди зеленых юнцов. Его офис казался истинным оазисом спокойствия и уюта. Здесь можно было на несколько минут забыть о своих неприятностях. К тому же его приемная располагалась в самом конце здания, подальше от любопытных глаз.

— Прошлой ночью я видела страшный сон, — начала Эшли.

Она закрыла глаза и вздрогнула, воскрешая в памяти пережитый ужас.

— Я бежала, сама не зная куда, и очутилась в большом саду, полном цветов... Только у них были человеческие лица... гадкие... уродливые... Они что-то кричали, и я не могла расслышать ни единого слова. Просто мчалась куда-то... И дальше не помню.

Она осеклась и открыла глаза.

— Может, все не так? Вы старались скрыться? Кто-то гнался за вами?

— Не знаю. По-моему, меня преследуют наяву, доктор Спикмен. Понимаю, это кажется безумием, но... Думаю, меня хотят убить.

Спикмен пристально всмотрелся в Эшли:

— Кто именно?

— Не... не знаю.

— Вы видели преследователя?

— Нет.

— Вы живете одна, не так ли?

— Верно.

— Встречаетесь с кем-нибудь? Я имею в виду... есть ли у вас интимный друг?

— Нет. Сейчас нет.

— Значит, прошло какое-то время с тех пор, как вы... Понимаете, бывает, что, когда в жизни женщины давно нет мужчин... постепенно накапливается чисто физическое напряжение, и от этого бывают...

«Господи, он пытается объяснить, что я нуждаюсь в хорошем...»

Эшли не смогла заставить себя сказать *это* слово. Как же орал на нее отец!

«Не смей произносить такое! Люди подумают, что ты грязная потаскуха! Порядочные люди не говорят «трахаться». Где ты только подбираешь подобные выражения!»

— Я считаю, что вы слишком много работаете, Эшли. Вряд ли у вас есть причины для беспокойства. Повторяю, это всего-навсего чрезмерная нервная нагрузка. Постарайтесь побольше отдыхать. Не берите в голову.

— Попытаюсь.

Шейн Миллер дожидался ее у дверей офиса:

— Что сказал доктор Спикмен?

Эшли удалось выдавить улыбку:

— Утверждает, что все в порядке. Я слишком много работаю.

— Нужно что-то предпринять, — озабоченно пробормотал Шейн. — И для начала почему бы тебе не взять сегодня отгул?

— Спасибо, дорогой, — с улыбкой кивнула Эшли.

Он такой милый. Добрый и преданный. Настоящий друг.

Шейн не может быть *тем*. Не может!

Всю следующую неделю она не могла думать ни о чем, кроме встречи выпускников.

«Может, мое решение поехать — ошибка, которая мне дорого обойдется? Что, если Джим Клири все-таки явится? Сознает ли он, как жестоко ранил меня? Или ему все равно и он вообще забыл мое имя?»

Ночью, накануне отлета в Бедфорд, Эшли не могла уснуть. Она боролась с желанием все отменить и остаться дома.

«Я, кажется, окончательно спятила. Прошлое есть прошлое, и нечего дурью маяться. Что тебе до Джима и Джиму до тебя? У каждого своя жизнь».

Получив билет, Эшли мельком взглянула и протянула его кассиру:

— Боюсь, вы что-то напутали. Я лечу туристским классом, а это билет первого.

— Да, но ведь вы сами просили поменять его.

— Что? — ошарашенно переспросила Эшли.

— Вы звонили и попросили поменять билет, — повторил кассир, показывая Эшли листок бумаги. — Это номер вашей кредитной карты?

— Д-да, — медленно протянула Эшли. Она и не думала никому звонить.

Эшли приехала в Бедфорд рано утром и поселилась в гостинице курорта «Бедфорд Спрингз». Веселье должно было начаться не раньше шести, и в оставшееся время она решила осмотреть город. Выйдя на улицу, она остановила такси.

— Куда прикажете, мисс?

— Провезите меня по улицам.

Она всегда считала, что, когда возвращаешься в родной город после долгой разлуки, все кажется меньше размером и словно бы постаревшим, но, на взгляд Эшли, Бедфорд разросся и стал куда красивее, чем был десять лет назад. Такси колесило по знакомым местам. Они миновали здание «Бедфорд газетт», телестудию, дюжину знакомых ресторанчиков и художественных галерей. Тут все по-прежнему! А вот и музей Форта Бедфорд и Мемориальная больница — изящный трехэтажный дом с портиком. Именно здесь к отцу пришла мировая слава. Почему же в памяти живы ужасные, отвратительные скандалы между родителями? Они постоянно ссорились по одной и той же причине. Какой же? Теперь никак не вспомнить.

К пяти часам Эшли вернулась в отель. Пришлось переодеваться три раза, прежде чем она наконец остановилась на простом черном платье элегантного покроя. Пусть считают, что у нее все хорошо.

Ровно в шесть она вошла в празднично украшенный актовый зал бедфордской школы, и ее сразу же обступила толпа смутно знакомых людей. Некоторые одноклассники почти не изменились, остальных же было почти невозможно узнать. Но Эшли искала глазами только одно лицо. Лицо Джима Клири. «Каким он стал? Неужели приведет с собой жену?»

Девушку то и дело окликали:

— Эшли, помнишь меня? Я Трент Уотерсон. Потрясно выглядишь.

— Спасибо. И ты тоже.

— Познакомься с моей половиной.

— Эшли, неужели это ты?

— Я. Э-э-э...

— Арт Дэвис. Забыла?

— Нет, что ты!

«Как он плохо одет! И держится неловко, явно чувствуя себя не в своей тарелке».

— Как поживаешь, Арт?

— Знаешь, мечтал быть инженером, да ничего не вышло.

— Жаль.

— Ничего не попишешь, пришлось стать механиком.

— Эшли, я Ленни Холланд. Боже, да ты настоящая красавица!

— Благодарю, Ленни.

«Ужасно растолстел и носит на мизинце огромную печатку с бриллиантом».

— Занялся недвижимостью, и дела идут неплохо. Ты все еще не замужем?

Эшли немного поколебалась, прежде чем отрицательно качнуть головой.

— Помнишь Ники Бранд? Мы поженились. И у нас близнецы. Такие озорники, не представляешь...

— Поздравляю.

«Поразительно, что может произойти с людьми за десять лет! Поправились... похудели... процветают... бедствуют... Женятся... разводятся... стали родителями... бездетные...»

Эшли делала вид, что веселится, с аппетитом ела, много танцевала, участливо расспрашивала бывших приятелей о жизни, но в голове билась единственная мысль: где же Джим Клири? Так и не пришел? Побоялся? Знал, что она будет, и не посмел взглянуть ей в глаза?

Высокая привлекательная женщина неожиданно бросилась к ней с распростертыми объятиями:

— Эшли! Я так надеялась, что увижу тебя!

Флоренс Шиффер! Эшли искренне обрадовалась встрече. Как она, оказывается, соскучилась по Флоренс!

Женщины нашли незанятый столик в углу, устроились и обменялись растроганными взглядами.

— Ты ужасно красивая, Флоренс! — искренне вырвалось у Эшли.

— А ты! Просто глазам больно! Жаль, что я опоздала. Малышка что-то куксится. Боюсь, заболеет. Я за это время успела выйти замуж и развестись. Теперь ищу прекрасного принца. А как насчет тебя? Ты так внезапно исчезла после выпускного бала. Я пыталась разыскать тебя, но оказалось, что ты покинула город. Почему так поспешно?

— Улетела в Лондон, — пояснила Эшли. — Отец зачислил меня в колледж, и нужно было успеть к началу занятий.

— Не представляешь, чего я только не делала, чтобы связаться с тобой! Детективы почему-то считали, что я должна точно знать, где ты. А ты им понадобилась потому, что встречалась с Джимом Клири и...

— Де-те-ктивы? — медленно протянула Эшли.

— Ну да. Те, кто расследовал убийство.

Эшли почувствовала, как отливает от лица кровь и холодеют руки.

— Какое... убийство?

Флоренс ошеломленно уставилась на подругу:

— Мой бог! Так ты не знаешь?!

— Что?! Что я должна знать? — истерически вскрикнула Эшли. — Да что ты тянешь? Говори же!

— На следующий день после бала родители Джима вернулись домой и обнаружили его тело. Его зверски зарезали и... кастрировали.

Комната бешено завертелась. Эшли вцепилась в край стола, чтобы не упасть. Флоренс схватила ее за руку:

— Прости... прости, Эшли. Я думала, ты еще тогда прочла обо всем, но...

Эшли зажмурилась что было сил. Но ничего не помогало. В глазах стояло видение одинокой девичьей фигурки, пробиравшейся по темным улицам к дому Джима Клири. Но, как всегда, проклятое благоразумие взяло верх. Она струсила и повернула домой.

Если бы только она осмелилась тогда прийти к любимому, он был бы жив. Какой страшный грех — ведь все эти годы она ненавидела его. Кто же мог поднять на него руку? Кто?!

И снова разъяренный вопль отца: «Держи свои грязные лапы подальше от моей дочери! Если увижу твою рожу еще раз, все кости переломаю!»

Эшли торопливо поднялась:

— Извини, Флоренс, я что-то неважно себя чувствую.

И метнулась к выходу с таким видом, словно за ней гнался сам дьявол.

«Детективы. Они наверняка приходили к отцу. Почему он ничего не написал? Не хотел меня волновать? Не придал трагедии значения? Или... или боялся? Чего именно?»

Первым же рейсом она вылетела в Калифорнию и, добравшись до дому, уснула лишь под утро. Снова безумный кошмар навалился на нее.

Чья-то темная фигура принялась душить Джима, а потом и наносить удары ножом. Кровь растекалась по полу, поднималась все выше, грозя утопить Эшли. И крики. Невыносимо мучительные крики жертвы и торжествующий хохот убийцы. Наконец неизвестный выступил на свет. На Эшли глянули глаза отца.

Глава 5

Следующие месяцы слились в памяти Эшли как один бесконечный, исполненный тоски и муки день. Она не жила, а выживала. Старалась съежиться в незаметный комочек и переждать, пока не уляжется ураган. Вид изуродованного, садистски искалеченного тела Джима Клири преследовал ее. Сначала она решила было еще раз посетить доктора Спикмена, но поняла, что никому не посмеет открыть душу. Признаться в страшных подозрениях, разъедавших ее волю и мужество словно кислотой? Только последняя негодяйка способна подумать такое об отце. Разве Стивен способен на преступление?

Она пыталась прогнать неотвязные мысли и заняться работой. Бесполезно.

Она взглянула на экран. Ну вот, так и есть, логотип в очередной раз испорчен. Эшли поморщилась. Подошел Шейн. Взгляд пристальный и встревоженный.

— С тобой все в порядке, Эшли?

Она с трудом выдавила улыбку:

— В полном, дорогой.

— Все еще не можешь забыть своего друга?

Шейн был единственным, кому Эшли рассказала о гибели Джима.

— Я... Со временем пройдет.

— Как насчет того, чтобы поужинать сегодня?

— Спасибо, Шейн, я... Мне не до того. Лучше на следующей неделе.

— Заметано. Если я чем-то могу помочь...

— Знаю. Шейн, на тебя всегда можно положиться, только здесь уже ничем не поможешь.

— Смотри, мисс Тощая Задница чем-то расстроена, — прошептала Тони. — Так ей и надо, сучонке!

— А мне ее dispiace... то есть жаль, — возразила Алетт. — Кажется, у нее неприятности.

— Да пропади она пропадом. Можно подумать, у нас своих проблем нет!

Наконец-то закончилась еще одна неделя. Впереди уик-энд, и можно провести его дома, в постели, с книжкой в руках!

В пятницу вечером Эшли поднялась из-за стола и направилась было к выходу, но дорогу загородил Деннис Тиббл:

— Эй, беби, хочешь свалить, не поговорив со мной? У тебя что, зуб на меня вырос? А я-то надеялся, что ты согласишься сделать мне маленькое одолжение.

— Извини, Деннис, я...

— Да брось! Все о'кей! Держи хвост пистолетом!

И, схватив Эшли за руку, нагло заявил:

— Мне нужен совет умной бабы. Такой, как ты.

— Деннис, у меня нет настроения.

— Слушай, я влюбился в одну чувиху и хочу жениться, но появились некоторые заморочки. Не знаю, как и быть. Поможешь? Ну, что тебе стоит?

Эшли нерешительно огляделась. Она не питала особой симпатии к Деннису, но нельзя же отталкивать человека, обратившегося к тебе за помощью!

— А это не может подождать до завтра?

— Поверишь, никак! Дело срочное.

— Хорошо, — со вздохом согласилась Эшли.

— Ну что, завалимся к тебе?

— Не стоит.

«Рассядется еще, попробуй его выгони!»

— В таком случае заглянем ко мне.

Эшли, немного подумав, неохотно кивнула.

По крайней мере она уйдет, когда захочет. И если даст ему хороший совет, возможно, он переключится на другую и оставит Эшли в покое.

— Ну и ну! — ухмыльнулась Тони. — Она совсем тронулась! Ханжа чертова! Теперь потащится домой к этому ублюдку. Да у нее окончательно крыша поехала! Поверить не могу, что она настолько глупа! Вот уж точно, две извилины в голове!

— Она честно хочет ему помочь. Что тут плохого?

— Брось, Алетт! Когда ты поумнеешь? Давно пора повзрослеть. Этой твари не терпится вставить ей пистон!

— Неужели она настолько наивна?

— Именно! Лучше не скажешь!

Жилье Тиббла походило на берлогу современного вампира: стены увешаны постерами из старых фильмов ужасов, вперемежку с вырезанными из журналов снимками обнаженных моделей и хищных зверей. Столы были заставлены крохотными деревянными скульптурками, изображавшими мужчин, женщин и животных в непристойных позах.

«Настоящая обитель безумца», — подумала Эшли, с отвращением оглядываясь. Ей не терпелось поскорее отсюда выбраться.

— Беби, я чертовски рад, что ты согласилась прийти. Буду у тебя в вечном долгу, если...

— Я ненадолго, Деннис, — перебила Эшли. — Рассказывай поскорее, у меня мало времени. Кто эта женщина?

— Поверь, это что-то! — плотоядно облизнулся Деннис, протягивая ей пачку сигарет. — Хочешь?

— Я не курю.

— Как насчет выпить?

Тиббл щелкнул зажигалкой и глубоко затянулся.

— И не пью.

— Не куришь, не пьешь, — хохотнул Деннис. — Настоящее сокровище. Что же нам остается? Самое интересное? Да, детка?

— Деннис, если ты не перейдешь к делу... — угрожающе начала Эшли.

— Шучу! Шучу!

Деннис умиротворяюще поднял руки, подошел к бару и налил в бокалы вина.

— Может, все-таки попробуешь? Что тебе сделается от одного глоточка?

Он вручил ей бокал. Эшли чуть пригубила.

— Рассказывай о мисс Совершенстве.

Деннис устроился на диване рядом с Эшли.

— Поверишь, в жизни не встречал ничего подобного! Такая же секси, как ты, и в постели...

— Немедленно прекрати, или я ухожу!

— Зайка, нечего спускать на меня собак! Я думал сделать комплимент, а ты... Ладно, короче говоря, она втрескалась в меня по уши, но ее предки слышать ничего не хотят. Понимаешь, отец — важная шишка и запретил мне пудрить мозги его доченьке.

Эшли молча слушала.

— Видишь, в чем штука: если я надавлю, она выскочит за меня, но ее «шнурки» встанут на дыбы. Не видать нам тогда ни цента из папашиных бабок. Значит, когда-нибудь она наверняка свалит всю вину на меня. С другой стороны, как же нам быть? Понятно, в чем беда?

Эшли сделала еще глоток.

— Разумеется. Я...

И тут все застлало пеленой.

Эшли медленно приходила в себя, смутно сознавая, что случилось нечто ужасное. Голова была тяжелая, как свинец. Ее чем-то опоили!

Потребовалось сверхчеловеческое усилие, чтобы открыть глаза. Ухитрившись наконец оглядеть комнату, Эшли оцепенела. Она лежала совершенно голая в неряшливом гостиничном номере.

Хватаясь руками за спинку кровати, она умудрилась встать. Голова кружилась, в висках стучало. Куда это ее занесло? И каким образом она оказалась в этой дыре?

Но тут Эшли увидела валявшееся на тумбочке меню гостиничного ресторана и, превозмогая боль, вгляделась в обложку. «Чикаго Лупотель»?!

Эшли еще раз перечитала слова, аляповато намалеванные красной краской.

Чикаго? Что она делает в Чикаго? В пятницу она согласилась зайти к Деннису Тибблу. Почему же не помнит, как ушла оттуда и что делала потом? Какой сегодня день?

Вне себя от беспокойства, она подняла трубку и набрала номер.

— Чем могу помочь, мисс?

— Какой... какой сегодня день? — едва выговорила, почти не ворочая языком.

— Семнадцатое...

— Нет, я имею в виду, какой день недели?

— Понедельник, а в чем...

Эшли бросила трубку, словно обжегшись. Понедельник! Каким-то образом из жизни выпали два дня и две ночи.

Она рухнула на постель, стараясь припомнить, что случилось. Да... она была в гостях у Тибла, и тот уговорил ее выпить вина, и дальше... Дальше — пустота.

Должно быть, ублюдок подсыпал что-то в вино, какую-то пакость, от которой она лишилась памяти. Газеты постоянно кричали о подобных историях. Мерзкое снадобье называли «наркотиком насилия». Не одна доверчивая дурочка пала жертвой подлецов, подобных Тиблу. И среди них — она, Эшли Паттерсон. Все эти разговоры насчет советов и страстной любви оказались не слишком хитрой западней.

Она совершенно не помнила, как летела в Чикаго вместе с Тибблом и кто снимал этот убогий номер. И хуже всего — не имела ни малейшего представления, что тут произошло.

«Сейчас самое главное — поскорее добраться домой!»

Эшли брезгливо поморщилась. Она сама себе казалась нечистой. Казалось, ее вываляли в грязи, осквернили каждый дюйм тела. Что он сделал с ней?

Уговаривая себя успокоиться, она вошла в крохотную ванную, включила душ и встала под воду. Теплые капли струились по коже, смывая все омерзительные гадости, которые он проделывал с ней. А что, если она забеременеет? При мысли о том, что от этого подонка может родиться ребенок, Эшли затошнило. Рвотные спазмы долго сотрясали ее, но, очевидно, потому, что все это время у нее во рту не было ни крошки, Эшли начало выворачивать желчью. Кое-как оправившись и прополоскав рот, она накинула полотенце и подошла к шкафу. Ее одежда куда-то делась. На вешалках болтались черная кожаная мини-юбка и дешевый топ-«лапша». Внизу стояли туфли-лодочки на высоченных каблуках. В нормальных обстоятельствах Эшли в голову бы не пришло надеть что-то подобное, но сейчас ничего не поделаешь.

Она натянула чужие вещи и посмотрелась в зеркало. Настоящая панельная девка! Хорошо еще, сумочка осталась!

Эшли порылась в кошельке. Всего сорок долларов! Но, слава богу, чековая книжка и кредитная карточка на месте!

Она выглянула в коридор. Никого. Эшли спустилась на лифте в грязноватый вестибюль, подошла к стойке и предъявила пожилому портье кредитную карточку.

— Уже покидаете нас? — ухмыльнулся он. — Жаль! Зато неплохо время провели, верно, лапушка?

Эшли воззрилась на него, гадая, что он имеет в виду, и боясь спросить. Ее так и подмывало узнать, выписался ли Деннис, но, пожалуй, не стоило будить спящую собаку.

Портье сунул ее карточку в POS-терминал*, нахмурился и повторил процедуру.

— Прошу прощения, на вашем счету ничего нет. Вы превысили лимит.

---

* Устройство для проверки платежеспособности кредитных карточек.

Эшли потрясенно открыла рот. Кошмар продолжается.

— Не может быть! Тут какая-то ошибка.

Портье пожал плечами:

— У вас есть еще кредитные карточки?

— Н-нет. Надеюсь, вы берете чеки?

Мужчина с явным неодобрением оглядел ее вызывающий наряд.

— Иногда. Если у вас имеется какое-нибудь удостоверение, конечно.

— Здесь есть откуда позвонить?

— Телефон за углом.

— Мемориальная больница Сан-Франциско.

— Можно попросить доктора Паттерсона?

— Минутку, пожалуйста...

— Кабинет доктора Паттерсона.

— Сара? Это Эшли. Мне нужно срочно поговорить с отцом.

— Прошу прощения, мисс Паттерсон, но он в операционной и...

Эшли судорожно сжала трубку:

— Не знаете, сколько он там пробудет?

— Трудно сказать. На сегодня назначена еще одна операция.

Эшли из последних сил боролась с подступавшей истерикой. Злые слезы жгли глаза, руки дрожали. Еще немного — и она упадет на пол и забьется в припадке.

— Послушайте, Сара, у меня неотложное дело. Пожалуйста, передайте, что я жду его звонка. Я буду ждать здесь, пока он не откликнется.

Она медленно продиктовала медсестре номер телефона и, убедившись, что та записала правильно, повесила трубку.

Эшли просидела в вестибюле больше часа, натянутая, как струна, мысленно умоляя отца поторопиться. Проходившие мимо люди удивленно поглядывали на нее, а некоторые мужчины откровенно глазели и многозначительно подмигивали. Она чувствовала себя выставленной напоказ дешевкой и не знала, куда деваться от их любопытства. Когда наконец раздался пронзительный звонок, девушка вздрогнула от неожиданности и бросилась к телефону:

— Алло?

— Эшли?

— Да, папа, я...

— Что случилось?

— Я в Чикаго и...

— Что ты там делаешь?

— Потом все объясню. Мне нужен билет на самолет до Сан-Франциско. Я осталась без денег. Ты одолжишь мне?

— Разумеется. Не вешай трубку.

На этот раз пришлось ждать всего несколько минут.

— В десять сорок из аэропорта О'Хара вылетает самолет «Американ Эйрлайнз». Рейс четыреста семь. У регистратора будет билет на твое имя. Я встречу тебя в аэропорту Сан-Хосе и...

— Нет! — почти взвизгнула Эшли.

Она не может допустить, чтобы отец узрел ее в таком виде!

— Я... сначала мне нужно поехать домой переодеться.

— Так и быть, встретимся за ужином. Тогда все и расскажешь.

— Спасибо, папа. Огромное спасибо. Не знаю, что я бы делала без тебя.

Всю обратную дорогу Эшли думала о Тиббле и той пакости, что он посмел с ней сделать.

Остается одно — обратиться в полицию. Нельзя, чтобы он вышел сухим из воды. Ему это с рук не сойдет! Сколько еще несчастных попалось в ловушку, устроенную этим подлецом?

Переступив порог своей квартиры, Эшли облегченно вздохнула. Впервые за все это время она почувствовала себя в безопасности. Вот оно, ее убежище от окружающего мира. Теперь остается лишь избавиться от этих отрепьев. Она с отвращением сорвала с себя доспехи проститутки и направилась в ванную. Не мешает еще раз принять душ перед встречей с отцом.

Девушка облегченно вздохнула, но, не дойдя до двери ванной, замерла как вкопанная. На туалетном столике валялся сожженный почти до фильтра сигаретный окурок.

Они сидели за угловым столиком в ресторане «Оукс». Отец, недоуменно хмурясь, разглядывал Эшли:

— Так что ты делала в Чикаго?

— Я... не знаю.

— Не знаешь? — удивился отец.

Эшли закусила губу, пытаясь решить, стоит ли рассказывать ему правду. Возможно, отец сумеет найти выход из этой паутины лжи и предательства.

— Видишь ли, — нехотя начала она, — Деннис Тиббл пригласил меня к себе под тем предлогом, что...

— Деннис Тиббл? Эта гадина?

Как-то Эшли познакомила отца со своими сослуживцами, и он с первого взгляда воспылал неукротимой ненавистью к Тибблу.

— Что у тебя может быть общего с подобным типом?

Эшли мгновенно поняла, какую ошибку сделала. Отец чересчур ревностно относится к ней и всеми силами старается уберечь от мужчин. Если он узнает, что сотворил Тиббл, тому просто не жить.

«Если я когда-нибудь увижу твою рожу... переломаю все кости...»

— Это пустяки, — поспешно заверила девушка.

— Я хочу знать, что случилось, — настаивал Стивен.

Эшли долго сидела не шевелясь, стараясь побороть дурные предчувствия. Что сейчас начнется!

— Понимаешь, я немного выпила и...

По мере продолжения рассказа лицо Стивена все больше мрачнело. Глаза сверкнули бешеной яростью. Эшли заговорила быстрее, стараясь пропускать наиболее неприятные подробности.

— Нет, — повторил отец, — не спеши. Я хочу знать все.

Этой ночью она лежала, глядя в потолок, не в силах заснуть.

«Если вся история выплывет наружу, мне несдобровать. Стану всеобщим посмешищем. Все будут злорадствовать, насмехаться... Но молчать нельзя! Нужно идти в полицию».

Окружающие давно предостерегали Эшли, что Деннис на ней помешался, но она все пропускала мимо ушей. Слепая идиотка! Теперь, оглядываясь назад, она вспоминала, как настораживался Деннис, когда с ней кто-то заговаривал, как постоянно пытался назначать свидания и вечно подслушивал...

Но, по крайней мере, теперь она знает, кто преследовал ее.

В половине девятого, когда Эшли собиралась на работу, зазвонил телефон. Она подняла трубку:

— Алло?

— Эшли, это Шейн. Полиция только что обнаружила тело Денниса Тиббла.

Земля покачнулась под ногами девушки.

— О боже! Что случилось?

— По словам шерифа, кто-то прирезал его, а потом кастрировал.

Глава 6

Помощнику шерифа Сэму Блейку нелегко досталась его должность в полицейском участке Купертино. Для этого ему пришлось жениться на сестре шерифа Серине Даулинг, сварливой ведьме с языком, как бритва, неуживчивой и злобной истеричке, готовой по любому пустяку закатить скандал. Сэм оказался единственным, кто был способен выносить такую стерву, как Серина. Этот добродушный, спокойный, крайне смирный коротышка вполне был достоин причисления к лику святых, уже хотя бы потому, что жил с такой мегерой. Обычно он терпеливо выжидал, пока Серина успокоится, и только тогда пытался что-то объяснить. И, как ни странно, иногда добивался своего.

Блейк стал полицейским, потому что шериф Мэтт Даулинг был его лучшим другом. Они выросли в одном городе, вместе ходили в школу и с детства были неразлучны. Из Блейка получился настоящий полицейский. Он искренне любил свою работу и не мыслил себя в ином качестве. Несмотря на скромную внешность, он обладал пытливым умом и упрямством бульдога. Столь редкое сочетание делало его лучшим детективом в округе.

Этим утром Сэм Блейк и шериф Даулинг, пользуясь временным затишьем, дружно пили кофе.

— Я слышал, вчера моя сестрица опять устроила сцену? Все соседи звонили, жаловались на шум. Говорят, она выла не хуже полицейской сирены. Ну и бой-баба!

— Мне все-таки удалось ее утихомирить, — пожал плечами Сэм.

— Слава Создателю, мне больше не приходится жить с ней в одном доме. Не понимаю, что на нее находит. Истеричка проклятая...

Дружескую беседу прервал патрульный:

— Шериф, только сейчас позвонили по 911. На Саннивейл-авеню произошло убийство.

Шериф вопросительно взглянул на приятеля.

— Иду, — кивнул Сэми.

Четверть часа спустя Блейк входил в квартиру Денниса Тиббла. Второй патрульный, стоя в гостиной, беседовал с управляющим.

— Где тело? — спросил Блейк.

Патрульный кивнул на дверь спальни:

— Там, сэр.

Молодой полицейский был бледен как смерть. Блейк переступил порог и окаменел от неожиданности.

Такое даже в страшных снах не привидится! На кровати был распростерт обнаженный труп, и Сэму показалось, что вся комната утопает в крови. Шагнув к кровати, он увидел, откуда сочится багровый ручеек. Спину жертвы кто-то со зверской жестокостью истыкал горлышком разбитой бутылки, так что в бесчисленных ранах блестели осколки стекла. В довершение всего беднягу еще и оскопили. Рядом валялись истерзанные лохмотья человеческой плоти.

При виде ужасной картины Блейк ощутил острую боль в паху.

— Кто же, черт возьми, способен на такой кошмар? — громко спросил он в пустоту.

Оружия нигде не было видно. Возможно, обнаружится при обыске.

Помощник шерифа отвернулся и вышел в гостиную.

— Вы знали погибшего? — спросил он управляющего.

— Да. Это его квартира.

— Как его зовут?

— Тиббл. Деннис Тиббл.

Блейк записал ответы управляющего.

— Как долго он жил здесь?

— Почти три года.

— Что можете рассказать о нем?

— Не слишком много, сэр. Тиббл был человеком скрытным, почти никого к себе не водил, если не считать женщин, и то нечасто. В основном шлюх. И всегда платил за квартиру вовремя.

— Знаете, где он работал?

— Разумеется. В «Глоубл грэфикс корпорейшн». Один из этих компьютерных психов, которые ничего кругом не видят, кроме своих мониторов.

— Кто нашел тело?

— Одна из горничных, Мария. Вчера был выходной, так что она явилась только утром.

— Я хочу поговорить с ней.

— Да, сэр. Сейчас позову.

Мария оказалась смуглой полной бразильянкой, до смерти перепуганной.

— Вы обнаружили труп, Мария?

— Это не я, не я, клянусь, не я это сделала! — истерически вскрикнула женщина. — Мне нужен адвокат?

— Нет, никаких адвокатов. Просто опишите, что увидели.

— Ничего. То есть... Я пришла убраться, как всегда по утрам. И... и ничего не заметила... Думала, его нет. Он обычно уходит к семи. Я привела в порядок гостиную и...

«Черт!»

— Мария, вы не помните, как выглядела гостиная до уборки?

— Не понимаю.

— Вы что-нибудь передвигали? Уносили?

— Ну да. На полу валялась разбитая бутылка. Вся липкая...

— Что вы с ней сделали? — перебил Блейк.

— Положила в мусороуплотнитель и раздавила.

— А потом?

— Помыла пепельницу и...

— В ней были окурки?

Мария нахмурилась, мучительно стараясь припомнить:

— Один. Я выбросила его в мусорное ведро на кухне.

— Пойдемте посмотрим.

Он последовал за горничной на кухню. Мария вытащила ведро. В нем лежал окурок со следами губной помады. Помощник шерифа осторожно спрятал его в прозрачный пакетик и вместе с Марией вернулся в гостиную.

— Мария, скажите, из квартиры ничего не пропало? Может быть, какие-то ценности?

Женщина осмотрелась:

— Кажется, нет. Мистер Тиббл любил собирать эти маленькие штучки. Тратил на них ужасно много денег. Но, похоже, все на месте.

«Значит, это не ограбление. Но был же у преступника какой-то мотив... Какой именно? Наркотики? Месть? Ревность?»

— Хорошо, Мария, вы стерли здесь пыль, а что потом?

— Пропылесосила, как обычно, и...

Голос женщины дрогнул.

— Вошла в спальню, и тут он... Он... лежит.

Она снова сжалась от страха и умоляюще прошептала:

— Вы не посадите меня в тюрьму? Клянусь, клянусь, это не я. Пожалуйста!

За окнами послышался скрежет тормозов. Прибыли коронер* и его помощник с фургоном и специальным мешком для перевозки трупов.

Часа через три помощник шерифа вернулся в участок.

— Что удалось накопать, Сэм? — осведомился шериф.

— Не слишком много, — развел руками Блейк, тяжело плюхнувшись в потертое кресло. — Деннис Тиббл работал в «Глоубл». Если верить сослуживцам, считался кем-то вроде гения. Волшебник во всем, что касается компьютеров. Человечишка, правда, не очень, но в своем деле король.

— Не такой уж гений, если дал подловить себя врасплох и убить.

— Ошибаешься, Мэтт, он был не просто убит, а зарезан. Как бык на бойне. Повезло тебе, что

---

* Следователь, ведущий дознание в случае насильственной смерти.

не увидел, как его разделали. Должно быть, орудовал настоящий маньяк.

— И никаких улик?

— Пока трудно сказать. Прежде всего еще не определено орудие убийства. Ждем результатов из лаборатории. Вполне возможно, им окажется разбитая винная бутылка. Беда в том, что горничная бросила ее в мусороуплотнитель. Похоже, на одном из осколков, застрявших в ране, сохранился отпечаток пальца. Я потолковал с соседями. Глухо. Никто ничего не видел и не слышал. Очевидно, Тиббл ни с кем не общался. Настоящий рак-отшельник. Правда, кое-что удалось выяснить. Перед смертью Тиббл имел половые сношения с неизвестной женщиной. Мы нашли следы вагинальных выделений, лобковые волосы, пятна спермы и сигаретный окурок со следами губной помады. Проведем тест на ДНК.

— Представляю, какой праздник у папарацци! Должно быть, на ушах стоят! Как же, очередная сенсация! Можно сказать, сплошной «Кошмар на улице Вязов»! Давненько такого не бывало! У них просто слюнки текут, у поганцев этаких! Представляю эти заголовки на полстраницы: «МАНЬЯК НАНОСИТ УДАР! КРЕМНИЕВАЯ ДОЛИНА ПОРАЖЕНА УЖАСОМ!»

Шериф Даулинг досадливо сплюнул:

— Как бы поскорее разделаться с этим дельцем? Иначе нам с тобой каюк. Если не сожрет живьем начальство, достанут вшивые репортеришки.

— Я немедленно еду в «Глоубл».

Эшли долго раздумывала, уместно ли появляться сегодня на работе. Стоит ли давать повод для подозрений? Или выхода так и так нет?

Достаточно лишь взглянуть на нее, и каждый поймет: что-то неладно. Но если она не покажется, босс захочет узнать, что случилось. Наверняка полицейские уже там и всех допрашивают. Она совершенно не умеет лгать. Но если даже скажет правду, кто поверит? Сразу же обвинят в убийстве Тиббла. А если поверят... нет, будет еще хуже. Придется сказать, что она во всем призналась отцу, и тогда его сразу арестуют...

А Джим? Джим Клири? Он умер такой же ужасной смертью. Деннис был грязной сволочью, насильником и мразью, но Джим? В чем вина Джима? Принять такую мученическую смерть — и за что?! А ведь отец все знал и счел за лучшее промолчать. Не хотел ее расстраивать? Или чего-то опасался? Эшли зажмурилась и стиснула ладонями виски. Что делать?! Что ей делать?!

Сэм Блейк поднялся на этаж, где располагались производственные отделы. Здесь царила похоронная атмосфера. Бледные перепуганные служащие, сбившиеся в небольшие группки, опасливо перешептывались: очевидно, все уже знали о случившемся. Эшли с замиранием сердца следила за помощником шерифа, который уверенно, словно уже много раз тут бывал, направился к кабинету Шейна Миллера.

Шейн поднялся ему навстречу:

— Помощник шерифа Блейк?

— Он самый.

Мужчины обменялись рукопожатиями.

— Садитесь, мистер Блейк.

Сэм коротко кивнул:

— Насколько я понимаю, Деннис Тиббл работал у вас?

— Совершенно верно. Один из лучших сотрудников. Какая ужасная трагедия!

— Он прослужил здесь около трех лет?

— Да. Настоящий компьютерный бог. Мы без него как без рук. Просто чудеса творил.

— Вы что-нибудь знаете о его личной жизни? Насчет работы я уже все понял.

— Боюсь, почти ничего, — покачал головой Шейн. — Тиббл был нелюдим. Крайне замкнут. Волк-одиночка, так сказать.

— А как насчет наркотиков? Употреблял?

— Деннис? Вот уж нет! Был просто помешан на здоровом образе жизни. Даже не курил!

— Может, играл? И задолжал уйму денег?

— Мне об этом ничего не известно. Он был одним из самых высокооплачиваемых сотрудников и к тому же довольно прижимист. Так что...

— А женщины? У него была девушка?

— Женщины не слишком баловали его вниманием. Вернее будет сказать, бегали от Тиббла, как от чумы, — заверил Шейн, но, подумав немного, добавил: — Правда, в последнее время он распространялся насчет того, что подумывает жениться.

— Он, случайно, не упоминал имени невесты?

— Нет. Во всяком случае, в разговорах со мной.

— Не возражаете, если я потолкую с вашими коллегами?

— Разумеется, нет. Ради Бога, каждый будет рад рассказать, что знает. Но должен предупредить: они страшно потрясены гибелью Тиббла и, возможно, не сразу соберутся с мыслями.

«Потрясены! Хотел бы я знать, что бы с ними сталось при виде трупа!»

Мужчины вышли в коридор.

— Прошу минуту внимания, — громко объявил Миллер. — Это помощник шерифа Блейк. Он хочет задать вам несколько вопросов.

Присутствующие мгновенно стихли и насторожились.

— Вы, конечно, слышали, что произошло с мистером Тибблом, — начал Блейк. — Нам необходима ваша помощь в расследовании убийства. Возможно, кто-то из вас сумеет вспомнить, были ли у него враги? Кто ненавидел его настолько, чтобы отправить на тот свет?

Последовало гробовое молчание.

— Кстати говоря, он собирался жениться. Имя этой женщины пока неизвестно. Он говорил о ней с кем-нибудь из вас?

Эшли судорожно хватала ртом воздух. Опять она задыхается, в голове звенящая пустота. Почему она молчит? Почему не двигается с места? Ведь сейчас самое время рассказать помощнику шерифа обо всем, что сделал с ней Тиббл.

Но перед глазами встало искаженное яростью лицо отца, узнавшего правду. Его обвинят в преступлении и засадят в тюрьму! Арестуют за то, что не дал в обиду единственную дочь!

Но отец не мог никого убить.

Всемирно известный врач-хирург...

Денниса Тиббла кастрировали...

К реальности ее вернул обрывок фразы:

— ...никто не видел, как он уходил в пятницу?

«Ну что, лицемерка проклятая, доигралась? — ухмыльнулась про себя Тони Прескотт. — Давай признавайся, что ушла вместе с Тибблом! Что, язык проглотила?»

Помощник шерифа устало вздохнул, пытаясь скрыть разочарование:

— Что же, если кто-то припомнит какие-нибудь подробности, буду благодарен за звонок. Мистер Миллер записал номер моего телефона. Всем спасибо.

Толпа молча наблюдала, как Блейк в сопровождении Шейна идет к выходу. Эшли едва не теряла сознание от облегчения.

— Скажите, мистер Миллер, были ли у потерпевшего друзья?

— Нет, я бы не сказал, — задумчиво протянул Шейн. — Деннис не из тех людей, кто испытывает потребность в общении. Правда, он серьезно увлекся одной из наших дизайнеров, но там ему ничего не светило.

Блейк замер как вкопанный:

— Что же вы раньше... Она здесь?

— Да, но...

— Я хотел бы немедленно побеседовать с ней.

— Как угодно. Можете воспользоваться моим кабинетом.

Эшли увидела, как они возвращаются. Мало того, идут прямо к ней.

Предательская краска бросилась в лицо девушке. «Неужели... неужели?»

Она не успела додумать до конца — мужчины были уже рядом.

— Эшли, помощник шерифа Блейк хочет задать тебе несколько вопросов.

«Так он знает! Знает, где она провела вечер пятницы! Нужно быть крайне осторожной, иначе недолго и угодить в западню!»

— Надеюсь, вы не возражаете, мисс Паттерсон? — осведомился Блейк.

— Конечно нет, — выдавила Эшли.

— В таком случае, думаю, нам будет удобнее в кабинете мистера Миллера.

Эшли покорно последовала за Сэмом.

— Прошу садиться, — предложил он. — Насколько я понял, этот Деннис Тиббл был к вам неравнодушен.

— Я... Я полагаю...

«Осторожнее!»

— Кажется, да.

— Вы с ним встречались?

«Всего лишь согласилась зайти к нему домой. Но это совсем не одно и то же, что встречаться».

— Нет.

— Он когда-нибудь рассказывал о женщине, на которой хотел жениться?

«Господи, ее засасывает все глубже, с каждой секундой. А что, если он записывает ее ответы на диктофон? Может, они уже докопались до истины и все знают о ее так называемом визите на квартиру Тиббла? Или нашли ее отпечатки? Да открой же рот, кретинка, расскажи, что сотворил с тобой Тиббл!

Но в таком случае они доберутся до отца и свяжут смерть Тиббла с убийством Джима.

Но кто теперь помнит о преступлении десятилетней давности! И вряд ли власти сочтут нужным уведомить полицию Бедфорда. Или она просто себя успокаивает?! Как выпутаться из сетей, которые сплетает этот человек?»

Помощник шерифа пристально уставился на Эшли, ничем не выказывая нетерпения.

— Мисс Паттерсон, — осторожно напомнил он о своем присутствии, видя, что девушка не расположена к откровенности.

— Что? Ах, извините. Все это так печально. Я совсем голову потеряла.

— Понимаю, мисс Паттерсон. И все-таки, как насчет той таинственной дамы, невесты Тиббла?

— Видите ли, он не называл ее имени.

Это по крайней мере было правдой.

— Вы когда-нибудь бывали в доме Тиббла?

Эшли глубоко вздохнула. Если она скажет «нет», допрос, скорее всего, на этом закончится. Но что, если ее отпечатки обнаружены?

— Да.

— Вы бывали в его квартире?

— Была один раз.

Помощник шерифа подобрался, точно гончая, почуявшая добычу.

— Но вы сказали, что не встречались с ним вне работы.

Мысли Эшли лихорадочно заметались. «Дура! Сама загнала себя в угол! И что теперь делать?»

— Верно... То есть я хочу сказать, он много раз пытался назначить мне свидание, но я отказывалась. В тот раз я завезла бумаги, которые срочно ему потребовались.

— И больше вы никогда туда не ездили?

— Именно.

«Теперь, даже если там и нашли отпечатки ее пальцев, ничего не сумеют доказать».

Помощник шерифа недоверчиво нахмурился, и Эшли неловко поежилась. Зачем она лжет? Не лучше ли было честно признаться во всем? В конце концов, к Деннису мог вломиться какой-нибудь громила... тот самый, что убил беднягу Джима за три тысячи миль отсюда. Да, все возможно. Если верить в совпадения. И в Санта-Клауса. И в добрых фей.

«Будь ты проклят, отец!»

— В округе много лет не случалось убийства, совершенного с такой зверской жестокостью, — тихо заметил Блейк. — И, на первый взгляд, абсолютно бессмысленного. Но за все годы, что я прослужил в полиции, ни разу не встречал безмотивного преступления. Правда, существуют еще и маньяки, и вот их поймать труднее всего.

Он немного помедлил и, не дождавшись ответа, неожиданно резко спросил:

— Деннис Тиббл был наркоманом?

— Уверена, что нет.

— Итак, что мы имеем? Никаких наркотиков. Он не был ограблен. Не имел долгов. Остается старый как мир повод — ревность. Не так ли, мисс Паттерсон? Он кого-то обманул и был за это наказан.

«Да, оскорбленным отцом, пытавшимся защитить свою дочь».

— Я так же сбита с толку, как и вы, помощник.

Блейк чуть прищурился, и Эшли прочитала в его взгляде нечто вроде недоверия.

Однако он не стал продолжать разговор и, поднявшись, протянул Эшли визитную карточку:

— Если что-то вспомните и позвоните мне, буду крайне благодарен, мисс Эшли.

— Не сомневайтесь, мистер Блейк.

— Желаю здравствовать.

Эшли обессиленно обмякла.

«Все обошлось. Они не тронут отца».

Вернувшись домой, Эшли обнаружила на автоответчике странную запись:

«Беби, я тащусь от тебя! У меня все стоит при одном воспоминании о наших игрушках! Такого спарринг-партнера, как ты, еще поискать! Задашь мне сегодня жару, как обещала? То же время, в том же месте».

Эшли не верила собственным ушам.

«Я просто схожу с ума. Все это не имеет ничего общего с отцом. Кто же стоит за всем этим? И что ему нужно от меня? Что?!»

В конце недели Эшли получила отчет из банка, которым была выдана ее кредитная карточка, и окончательно потеряла самообладание. Три пункта сразу привлекли ее внимание.

Счет от магазина одежды «Мод» на четыреста пятьдесят долларов.

Счет из «Секес Клаб» на триста долларов.

Счет из ресторана «Луи» на двести пятьдесят долларов.

Эшли слыхом не слыхала ни о магазине, ни о клубе, ни о ресторане. И понятия не имела, где они находятся. Она в жизни там не бывала.

Невидимка не собирался отпускать свою жертву.

Глава 7

Эшли Паттерсон каждый день покупала газеты, кричавшие о кошмарных подробностях убийства Денниса Тиббла, а по вечерам не отходила от телевизора. Полиция, похоже, зашла в тупик.

Эшли старательно убеждала себя, что волноваться не из-за чего.

«Никто не заподозрит отца. Наша фамилия ни разу не упоминалась. Может, все постепенно затихнет?!»

Однако как-то вечером в ее квартиру позвонил Сэм Блейк. Эшли безмолвно воззрилась на него. Во рту мгновенно пересохло. Зачем он явился?

— Надеюсь, я не слишком побеспокою вас, вежливо начал помощник шерифа. — Завернул по пути домой. Я ненадолго. Не возражаете?

Эшли судорожно сглотнула и поморщилась от боли в горле:

— Ничего страшного. Входите, пожалуйста.

Блейк нерешительно переступил порог и огляделся:

— У вас очень мило.

— Благодарю.

— Готов поклясться, Деннису Тибблу такая обстановка пришлась не по вкусу.

Сердце Эшли глухо заколотилось.

— Трудно сказать. Он никогда здесь не бывал.

— Вот как! А я думал...

— Напрасно думали, мистер Блейк. Я уже говорила, мы не встречались вне работы.

— О, простите, запамятовал. Можно сесть?

— Пожалуйста.

— Видите ли, мисс Паттерсон, в этом деле с самого начала возникли определенные трудности. Проблема в том, что убийство не вписывается ни в одну из возможных в таком случае схем. Мотив для меня по-прежнему остается загадкой. Я беседовал с вашими коллегами и выяснил, что никто не знал Тиббла достаточно хорошо. Он ни с кем близко не общался. Настоящий нелюдим. Ни одного друга.

Эшли напряженно слушала, ожидая неминуемого удара. Нить, на которой подвешен дамоклов меч, становилась все тоньше. Вот сейчас...

— Собственно говоря, выяснилось, что вы единственная, кем он интересовался.

«Неужели действительно вынюхал что-то или берет меня на пушку? Пытается поймать на удочку? Или попросту ловит рыбку в мутной воде?»

— Видите ли, помощник, возможно, он действительно интересовался мной, не отрицаю. Но я была к нему совершенно равнодушна и достаточно ясно давала ему это понять. Он не раз пытался назначить мне свидание, но я всегда отказывалась. И всем это известно. Так что вы обратились не по адресу.

Сэм согласно кивнул:

— Верю. И думаю, с вашей стороны было очень любезно завезти ему те документы.

Эшли едва не спросила, о каких документах идет речь, но вовремя опомнилась:

— Что... что тут такого? Времени я потратила совсем немного. Заехала на пять минут и сразу же вышла.

— Понимаю. Знаете, мисс Паттерсон, тот, кто это сделал, должно быть, здорово ненавидел Тиббла.

Эшли с деланным равнодушием пожала плечами.

— Знаете, чего я не терплю больше всего? — продолжал как ни в чем не бывало Блейк. — Нераскрытые убийства. Просто места себе не нахожу. Понимаете, если преступник остался безнаказанным, это еще не означает, что он так уж изворотлив. Беда в том, что именно полицейские оказались не слишком умны и сообразительны. До сих пор мне везло. Я сумел отправить за решетку всех поганцев, которые посмели встать на моем пути. И на этот раз не намерен сдаваться, — сказал он, поднимаясь. — Что же, мисс Паттерсон, мне пора. Помните о своем обещании позвонить, если узнаете что-то полезное.

— Разумеется, помощник.

Эшли задвинула засов и обессиленно прислонилась к двери.

«Зачем он приходил? Предупредить? Неужели знает больше, чем говорит?!»

Тони все больше времени проводила в путешествиях по Интернету. Больше всего ей нравилось болтать с Жан-Клодом, но и других собеседников она не оставляла без внимания. При каждой возможности она, улучив свободную минутку, садилась за компьютер, и на экране возникали слова, фразы, целые послания.

— Тони! Где тебя носило? Я целую вечность торчу в «чет-рум», дожидаясь тебя.

— Значит, я того стою. Кто ты? Чем занимаешься?

— Работаю в аптеке. Могу кое в чем помочь, если требуется. Ты нюхаешь? Колешься?

— Отвали.

— Это ты, Тони?

— Твоя мечта сбылась, детка. Марк, кажется?

— Кто же еще?

— Давно не трепались.

— Много дел. Хочешь увидеться, Тони?

— А кто ты, Марк?

— Библиотекарь.

— Как волнительно! Книги, торжественная тишина, запах пыли и тому подобное...

— Когда мы сможем встретиться?

— Советую обратиться за ответом к Нострадамусу.

— Привет, Тони. Меня зовут Уэнди.

— Привет, Уэнди.

— Ты вроде своя в доску.

— Просто наслаждаюсь каждой прожитой минутой.

— Хочешь, покажу, как наслаждаться на полную катушку?

— Ты это о чем?

— Ну... надеюсь, ты не из тех узколобых ханжей, которые боятся чужого мнения, опасаются попробовать что-нибудь новенькое и возбуждающее? Нужно все испытать, не находишь? Мы могли бы классно проводить время.

— Спасибо, Уэнди, но боюсь, у тебя нет тех причиндалов, которые мне требуются.

В один из таких вечеров снова дал о себе знать Жан-Клод Паран:

— Bonsoir*. Как поживаешь, Тони?

— Прекрасно. А ты?

— Скучал по тебе. Умираю от желания поскорее увидеться.

— Я тоже. Спасибо за фото. Неплохо выглядишь!

— А ты прелестна. По-моему, нам как можно скорее следует побольше узнать друг о друге. Твоя компания посылает сотрудников в Квебек на компьютерную конференцию?

— Конференцию? Впервые слышу! Когда начало?

— Через три недели. Сюда съедутся компьютерные специалисты со всего света. Надеюсь, ты будешь там?

— Возможно.

— Встретимся в «чет-рум» завтра в это же время?

— Конечно. До завтра.

— До завтра, дорогая.

На следующее утро Шейн Миллер зашел к Эшли.

— Дорогая, надеюсь, ты слышала о компьютерной конференции в Квебеке? — осведомился он.

— Естественно, — кивнула девушка. — Звучит заманчиво.

---

* Добрый вечер *(фр.)*.

— Мы только что обсуждали, стоит ли посылать своих представителей.

— Что тут обсуждать? — пожала плечами Эшли. — Чуть ли не весь мир участвует, а мы должны остаться в стороне? Все известные компании там будут: «Семантек», «Майкрософт», «Эппл». Квебек устраивает для всех участников большой праздник. Такая поездка все равно что подарок к Рождеству.

Шейн Миллер улыбнулся ее воодушевлению:

— Ладно, поговорю с начальством.

Назавтра он вызвал Эшли к себе:

— Ну как, хочешь провести Рождество в Квебеке?

— Едем?! — обрадовалась Эшли. — Вот здорово!

До сих пор она проводила рождественские праздники с отцом, но теперь боялась и не хотела его видеть.

— Советую взять с собой вещи потеплее.

— Не волнуйся, возьму. Ну и повезло же нам! Неужели это не сон?!

Тони уселась перед компьютером. Пальцы быстро забегали по клавишам.

— Жан-Клод! Мы тоже скоро будем в Квебеке! Решено послать нас на конференцию!

— Formidable! Потрясающе! Я так рад! Когда прилетаешь?

— Через две недели. И вместе со мной еще четырнадцать человек.

— Превосходно. У меня такое предчувствие, что вот-вот случится нечто очень важное.

— И у меня.

«Нечто очень важное...»

Эшли все вечера проводила перед телевизором, но, казалось, все уже забыли об убийстве Тиббла. Никаких новостей. Репортеры постепенно занялись новыми скандалами, и никому больше не было дела до маньяка, терзавшего свои жертвы. Девушка начала успокаиваться. Если полиция не докопалась до ее отношений с Тибблом, отца уж точно оставят в покое. Девушка не раз пыталась набраться мужества для откровенного разговора с отцом, но в последний момент обычно отступала, и все оставалось по-прежнему. И потом, какое она имеет право подозревать единственного родного человека в подобных гнусностях? Что, если он невиновен? Сможет ли отец простить ей брошенные в лицо ужасные обвинения?

А если он и виновен, она ничего не желает знать. Просто не перенесет такого. Что ни говори, а отец в любом случае пытался заступиться за нее. Что бы там ни было, а он по-своему прав. По крайней мере ей не придется проводить с ним Рождество.

Наконец Эшли скрепя сердце позвонила отцу в Сан-Франциско и, не тратя времени на предисловия, коротко бросила:

— В этом году я не смогу быть с тобой на Рождество, отец. Компания посылает меня в Канаду.

Последовало долгое молчание.

— Как не вовремя, Эшли. Мы всегда праздновали Рождество вместе.

— Ничего не поделаешь, отец.

— Кроме тебя, у меня никого нет, и ты это знаешь.

— Да, папа... И у меня тоже.

— По-моему, важнее этого нет ничего на свете.

«Настолько важно, чтобы убить?»

— Где состоится съезд?

— В Квебеке. Это...

— Вот как! Прекрасное место. Я не был там уже много лет. Вот что, дорогая. Сейчас у меня нет никакой срочной работы. Я вылечу в Квебек, и мы устроим рождественский ужин.

— Не думаю, что это хорошая... — поспешно начала Эшли.

— Забронируй мне номер в том отеле, где остановишься. Не стоит нарушать традицию, верно?

Чуть замявшись, Эшли нерешительно пробормотала:

— Конечно, отец.

«Как мне взглянуть ему в глаза?!»

Алетт была вне себя от радостного волнения и не находила себе места. «Когда же? Когда?!»

— Поверишь, ни разу не была в Квебеке! Там много музеев?

— Наверное, — безразлично пожала плечами Тони. — Как во всех больших городах. Зато можно вдоволь покататься! Лыжи, коньки...

Алетт зябко передернула плечами:

— Ненавижу холод. И никаких лыж! Пальцы даже в перчатках немеют! Пожалуй, обойдусь музеями. И что тебе неймется? Б-р-р!

Двадцать первого декабря представители «Глоубл компьютер грэфикс корпорейшн» прибыли в международный аэропорт Жан-Лесаж в Сен-Фой, а оттуда направились автобусами в легендарный квебекский отель «Шато Фронтенак». Улицы и здания были окутаны ослепительно белым снежным покрывалом. Крохотные кристаллики снега сверкали бесчисленными бриллиантами в лучах зимнего закатного солнца.

Жан-Клод Паран оставил Тони номер своего телефона. Устроившись и развесив вещи, Тони немедленно подняла трубку:

— Надеюсь, я звоню не слишком поздно?

— Конечно нет! Просто поверить не могу, что ты здесь! Когда мы увидимся?

— Завтра придется сидеть на конференции, но я обязательно ускользну, чтобы пообедать с тобой.

— Воп! Прекрасно! На Гранд-Алле-Эст находится чудесный ресторанчик — «Ле Пари-Брест». Сумеешь приехать к часу дня?

— Конечно.

Квебекский Центр конгрессов на бульваре Рене Левек — большое просторное четырехэтажное здание современной архитектуры из стекла и стали — сегодня был заполнен до отказа. Уже с девяти часов в просторных помещениях толпились компьютерные специалисты со всего мира. Молодые и не очень, самого вызывающего вида и одетые в строгие деловые костюмы, они тем не менее находили общий язык, обменивались информацией по последним разработкам в области компьютерных технологий и новых программ. В выставочных залах, видео- и мультимедийных центрах яблоку негде было упасть. Сегодня здесь проводилось с полдюжины семинаров одновременно. Вскоре все это смертельно надоело Тони. Сплошная трепотня, а дела ни на грош!

Без четверти час она потихоньку вышла из Центра и, взяв такси, отправилась в ресторан. Жан-Клод уже ждал ее. Они сразу узнали друг друга и остались довольны увиденным.

Глаза Жан-Клода излучали тепло, и на душе у Тони отчего-то стало легко и хорошо.

— Тони, — негромко сказал он, сжимая ее руку, — я так рад, что ты смогла приехать.

— И я тоже.

— Попытаюсь сделать все для того, чтобы тебе здесь понравилось, — пообещал француз. — Здесь столько всего интересного!

Тони кивнула и улыбнулась:

— Поскорее бы все увидеть!

— Я бы хотел все эти дни провести с тобой.

— Но ведь ты человек занятой. Неужели сумеешь освободиться? Как насчет твоего магазинчика?

— Служащим придется обойтись без меня, — улыбнулся Жан-Клод.

Некстати появившийся официант принес меню.

— Хочешь попробовать блюда французской Канады? — предложил Паран.

— Еще бы!

— В таком случае позволь мне сделать заказ.

И, обратившись к официанту, он попросил:

— Принесите le Brome Lake Duckling.

Тот с поклоном удалился. Жан-Клод чуть виновато объяснил:

— Прости, что не перевел сразу. Это местное блюдо — утка в кальвадосе, начиненная яблоками.

— М-м-м, восхитительно! У меня уже слюнки текут.

Ожидания Тони полностью оправдались. Ничего вкуснее она в жизни не ела. За обедом они рассказывали друг другу о себе. О своей жизни. О прошлом.

— Значит, ты ни разу не был женат? — полюбопытствовала Тони.

— Нет. А ты? Неужели так и не выходила замуж?

— Представь себе, нет.

— Должно быть, просто не встретила еще своего единственного.

«О Боже, если бы все было так просто! Лучшего и желать бы нечего!»

— Видимо, ты прав.

— Кстати, чем займемся после обеда? Ты катаешься на лыжах?

— И не только. На коньках тоже.

— Прекрасно. Можно взять напрокат снегокаты. Здесь полно катков, купим коньки, а лыжи у меня есть. А перед здешними магазинами ты не сможешь устоять. Я готов положить к твоим ногам весь город!..

В его энтузиазме было нечто заразительно-мальчишеское. Как же ей повезло! Наверное, единственный раз в жизни. Ни с кем ей не было так хорошо и спокойно. Иногда она даже ненадолго забывается И становится прежней. Именно с ним.

Шейн Миллер объявил, что представители «Глоубл» должны посещать утренние заседания и семинары. Таким образом все остальное время они могут быть свободны.

— Просто не знаю, как убить время, — жаловалась Алетт Тони. — Как они живут в таком холоде? На улицу носа не высунешь! А ты? Что собираешься делать?

— Все! — выдохнула Тони с многозначительной ухмылкой.

— Лучше поздно, чем никогда, — завистливо фыркнула Алетт.

Но Тони не обратила внимания. Приятельнице просто не повезло, что поделаешь! Зато она, Тони... Каждый день они с Жан-Клодом обедали, а потом отправлялись на поиски приключений. Квебек не был похож ни на один город мира. Как странно — обнаружить в Северной Америке живописную французскую деревню начала века. Древние улочки носили красочные названия, такие как Брейк Нек-Стейрз, Билоузе-Форт и Сейлорз-Лип* . Настоящий пряничный городок, совсем как знаменитая стеклянная новогодняя игрушка, которую стоит лишь тряхнуть, чтобы пошел снег, засыпающий старинные здания, готические церкви, пешеходов в национальных французских костюмах.

Они побывали в Ла-Ситадель, крепости, стены которой некогда защищали Квебек от набегов индейцев, и Жан-Клод наконец смог показать Тони замечательное зрелище — смену караула у ворот форта. Часами бродили по узким улочкам с множеством маленьких лавчонок и дорогих магазинов, гуляли по Картье-Пти-Шамплен.

— Это самый старый торговый квартал во всей Северной Америке, — пояснил Жан-Клод.

Тони восхищенно захлопала в ладоши. Праздничная атмосфера закружила ее, захватила, заставила забыть о мрачной тайне. Повсюду, где бы они ни появились, стояли празднично украшенные елки, в витринах красовались фарфоровые изображения Богоматери, крошечные ясли с младенцем Христом в окружении волхвов, а зевак развлекали маленькие оркестрики.

Жан-Клод выполнил обещание и взял напрокат два снегоката. Они долго катались по заснеженным горным склонам, соревнуясь в ловкости и умении управлять верткими машинками.

— Тебе хорошо? — весело окликнул Жан-Клод.

---

* Букв. лестница «сломай шею», «под Фортом», «прыжок матроса».

Тони отчего-то поняла, что это не пустой вопрос, и, вмиг став серьезной, тихо ответила:
— Очень.

Неверная подруга покинула Алетт, но та не унывала. Все свободное время она проводила в музеях. С замирающим сердцем обошла базилику Нотр-Дам, церковь Доброго Пастыря и музей Огюстин, но сам город ничуть ее не заинтересовал. И хотя здесь было множество изысканных ресторанов, способных удовлетворить вкус любого гурмана, дискотек и театров, она обычно обедала в ресторане «Ле Комменсал» или вегетарианском кафетерии.

Время от времени она вспоминала о Ричарде Мелтоне — своем друге, оставшемся в Сан-Франциско. Интересно, что он сейчас делает и помнит ли свою Алетт?

Эшли с тоской и ужасом думала о приближавшемся Рождестве и встрече с отцом. Рука сама тянулась к трубке. Нужно позвонить ему, попытаться объяснить, почему она не желает его приезда.

«Объяснить?! Что именно? Сказать в лицо, что он убийца? Садист? И что отныне она не хочет его видеть?»

А Рождество вот-вот настанет. И выхода нет.

Только Тони и Жан-Клод веселились беспечно, как дети. Каждый день превращался в бесконечную череду развлечений. Жан-Клод был щедр и не жалел денег. Как-то он предложил Тони посмотреть его ювелирный магазин. Та с готовностью согласилась.

«Паран Джуелерз» находился в самом сердце Квебека, на рю Нотр-Дам. Подойдя поближе,

Тони настороженно замерла. Такого она не ожидала. При первом разговоре Жан-Клод обмолвился, что владеет маленькой ювелирной лавчонкой. Однако сейчас она увидела огромное, со вкусом отделанное здание. Внутри все сверкало хрусталем и зеркальным стеклом. С полдюжины продавцов почтительно обслуживали покупателей. Выбор тоже оказался весьма разнообразным. По всему было видно, что ассортимент рассчитан на богатых клиентов с достаточно высокими запросами.

Тони ошеломленно огляделась.

— Это... просто потрясающе, — пролепетала она.

— Рад слышать, — улыбнулся Жан-Клод. — Кстати, я хотел бы сделать тебе cadeau... рождественский подарок.

— Нет... Зачем? Это совершенно необязательно. Я вовсе не имела в виду...

— Пожалуйста, не лишай меня этого маленького удовольствия, — упрямо возразил Жан-Клод, подводя ее к горке, в которой были разложены кольца. — Только скажи, что тебе нравится.

Но Тони решительно покачала головой:

— Все они слишком дороги. Я не могу разорять тебя. И зачем это? Мы и так друзья.

— Пожалуйста.

Тони пристально посмотрела ему в глаза и кивнула:

— Будь по-твоему.

Она снова повернулась к горке. В самом центре на черном бархате сверкал гигантский изумруд в обрамлении бриллиантов. Жан-Клод проследил за ее взглядом:

— Тебе нравится этот изумрудный перстень?

— Изумителен, но чересчур...

— Он твой.

Француз вынул из кармана крошечный ключик, открыл горку и осторожно взял кольцо.

— Не нужно, Жан-Клод...

— Pour moi*.

Он взял руку Тони и надел кольцо на палец. Оно пришлось как раз впору. Словно на заказ сделано!

— Видишь! Это добрый знак.

Тони благодарно стиснула его ладонь:

— Не знаю... Не знаю, что и сказать.

— И не нужно, крошка. Не представляешь, сколько удовольствия ты мне доставила. Послушай, мы еще не побывали в самом лучшем здешнем ресторане «Павильон». Давай поужинаем там сегодня?

— Как скажешь, мой рыцарь. Я на все согласна.

— Заеду за тобой в восемь.

В шесть часов вечера Эшли позвонил отец:

— Боюсь, придется разочаровать тебя. У моего постоянного пациента из Южной Америки случился удар. Сегодня я вылетаю в Аргентину.

— Мне... мне очень жаль, отец, — пролепетала Эшли, стараясь не выдать охватившего ее облегчения. Какое счастье! Господи, она избавлена от кошмара наяву, пусть и ненадолго!

— Ничего, мы еще успеем наверстать, не так ли, дорогая?

— Разумеется, папа. Желаю благополучно долететь.

Тони сгорала от нетерпения. Скорей бы наступил вечер! Самый счастливый вечер в ее жизни!

---

* Ради меня *(фр.)*.

Одеваясь, она едва слышно напевала:

Туда-сюда по городу,
Где веселится мир,
Туда-сюда по улице
И шнырь — в трактир.
Грош туда и грош сюда,
И в кармане пустота.
Прыг да скок — удрал хорек.

«Павильон» располагался в гулком, похожем на пещеру Гар дю Пале, бывшем железнодорожном вокзале Квебека. Теперь тут разместили большой современный ресторан со стойкой бара у самого входа и длинными рядами столиков. Каждую ночь ровно в одиннадцать с дюжину столиков сдвигали в сторону, появлялся диск-жокей и заводил музыку на все вкусы — от регги до классического джаза и блюза, а на освободившемся пространстве танцевали влюбленные пары.

Тони и Жан-Клод прибыли к девяти. Гостей приветливо встретил у входа сам владелец:

— Мсье Паран! Как приятно вновь видеть вас в нашем ресторане!

— Спасибо, Андре. Познакомьтесь с мисс Тони Прескотт. Тони, это мсье Андре Николя.

— Очень рад, мисс Прескотт. Ваш столик готов.

— Здесь превосходно кормят, — шепнул Жан-Клод, усаживая Тони. — Пожалуй, начнем с шампанского.

Они заказали телячье филе с грибами, жареного ската, салат и бутылку «вальполичеллы». Тони снова и снова любовалась рассыпавшим зеленые огни изумрудом.

— Просто глаз не отведешь, — твердила она.

Жан-Клод перегнулся через столик.

— А ты еще прекраснее, — шепнул он. — Не могу передать, как я рад нашей встрече.

— И я, — обронила Тони.

В наступившее молчание ворвались звуки музыки.

— Хочешь потанцевать? — оживился Жан-Клод.

— Ужасно хочу.

Танцы были настоящей страстью Тони, и стоило ей оказаться в кругу танцующих, как она забывала обо всем на свете.

И снова превращалась в маленькую девочку, радостно скачущую рядом с отцом. «До чего же неуклюж этот ребенок», — обычно не упускала заметить мать.

«Неуклюж». Странно, кроме нее, никто этого не замечал.

Жан-Клод прижал Тони к себе:

— Ты настоящая балерина!

— Спасибо.

«Ну, что ты теперь скажешь, мама?! Все переменилось, и я хочу одного: чтобы это продолжалось вечно».

На обратном пути Жан-Клод нерешительно спросил:

— Дорогая, может, зайдешь ко мне на чашечку кофе? Или я слишком рано заговорил об этом?

Тони чуть поколебалась:

— Пожалуй, не сегодня, Жан-Клод.

— В таком случае завтра?

Тони благодарно сжала его руку:

— Завтра.

В три часа ночи полицейский Рене Пикар, объезжая на патрульной машине квартал Монкалм, заметил распахнутую настежь входную дверь кирпичного двухэтажного особнячка на Гран-Алле. Рене остановил автомобиль у обочины, подошел поближе и окликнул:

— Добрый вечер! Есть кто дома?

Не получив ответа, он ступил в прихожую и направился к большой гостиной:

— Полиция! Кто тут?

Тишина. Какая-то неестественная тишина. Почуяв неладное, Пикар расстегнул кобуру и принялся методично обходить комнату за комнатой. Нигде никого. Только это давящее на нервы молчание. Наконец Пикар вернулся в переднюю. Изящно изогнутая лестница вела на второй этаж. Полицейский стал подниматься по ступенькам. На этот раз он держал револьвер наготове. Вскоре Пикар очутился в длинном коридоре со множеством дверей. Все захлопнуты, кроме одной. Пикар подошел, заглянул в спальню и побелел как полотно.

— Mon Dieu!* — охнул он, сгибаясь в приступе рвоты.

Несмотря на раннее утро, в здании полицейского управления на бульваре Стори собрались хмурые, невыспавшиеся люди. Было всего пять часов, многих подняли с кровати и, не дав опомниться, привезли в мрачный, серый с желтым особняк.

— Ну, так что тут у нас? — осведомился инспектор Поль Кайе.

— Имя жертвы — Жан-Клод Паран, — доложил дежурный полицейский Гай Фонтейн. — Многочисленные ножевые ранения. Кроме того, труп оскоплен. Коронер утверждает, что убийство произошло три-четыре часа назад. Мы нашли в кармане смокинга счет из ресторана «Павильон». Доказано, что вечером Паран там ужинал. Пришлось поднять с постели хозяина ресторана.

---

* Бог мой! *(фр.)*.

— И что же?

— Мсье Паран был в «Павильоне» с женщиной. Некая Тони Прескотт. Брюнетка, весьма привлекательная, говорит с английским акцентом. Управляющий ювелирным магазином мсье Парана заявил, что днем владелец приводил женщину, отвечающую полученному описанию, и представил ее служащим как Тони Прескотт. Он подарил ей дорогое кольцо с изумрудом. Кроме того, эксперт считает, что мсье Паран перед смертью вступал в половое сношение с женщиной, а орудием убийства послужил нож для разрезания бумаг со стальным лезвием. На нем обнаружены отпечатки пальцев. Мы отправили нож на экспертизу в нашу лабораторию и ФБР. Ждем результатов.

— Надеюсь, вы задержали Тони Прескотт?

— Non.

— Почему?

— Не смогли найти. Проверили все городские отели, подняли наши досье и досье ФБР. Ни свидетельства о рождении, ни номера полиса социального страхования, ни водительских прав.

— Невероятно! Могла она за это время скрыться из города?

— Вряд ли, инспектор, — покачал головой Гай Фонтейн. — Аэропорт закрывается в полночь. Последний поезд отбыл вчера, в пять тридцать пять вечера. Мы разослали приметы женщины на автовокзал, в две таксофирмы и в компанию, которая сдает напрокат лимузины.

— Черт возьми, что тут творится? У нас ее имя, приметы и отпечатки пальцев! Не могла же она попросту раствориться в воздухе?!

Оказалось, могла. Вопреки всем надеждам и заверениям, Тони Прескотт так и не удалось разыскать. Мало того, ФБР подтвердило, что в их картотеке не значатся ни такое имя, ни отпечатки пальцев. Убийце, если она действительно была убийцей, удалось скрыться.

Глава 8

Дней через пять после возвращения из Квебека Эшли позвонил отец:

— Я только что прилетел, детка. Даже душ принять не успел.

— Прилетел? — недоуменно повторила Эшли. — Ах да, твой аргентинский пациент. Ну как он?

— Жить будет.

— Я рада.

— Все это пустяки, крошка, самое главное: у тебя есть время, чтобы завтра приехать в Сан-Франциско? Поужинаем вместе.

Эшли тоскливо поморщилась. При одной мысли о том, что придется что-то объяснять отцу, на душе становилось тревожно. Но что тут поделать?

— Хорошо, — вздохнула она.

— Увидимся в восемь, в ресторане «Лулу»!

Эшли, со свойственной ей пунктуальностью, вошла в ресторан ровно в назначенное время. Она уже сидела за столиком, когда в дверях появился отец. Заметив восхищенные взгляды посетителей, девушка чуть поежилась. «Он словно впитывает чужое поклонение, без этого, наверное, вмиг состарился бы! Богат, красив, знаменит...

Неужели пошел бы на такой риск лишь ради того...»

— Ну вот и я, родная. Прости, что немного запоздал. Жаль, что наш рождественский ужин не состоялся.

— Мне тоже, отец, — обронила Эшли и, чтобы занять чем-нибудь руки, взяла со стола меню и уставилась на ровные строчки, ничего не видя, пытаясь собраться с мыслями.

— Что будешь заказывать?

— Я... я не слишком голодна.

— Нужно побольше есть, дорогая. Ты слишком худа. Так и заболеть недолго.

— Я возьму цыпленка.

Отец подозвал официанта, а Эшли затравленно смотрела на них обоих, не зная, как лучше заговорить о том, что так ее мучило.

— Понравился тебе Квебек?

— Очень! Прекрасный город. Даже не знала, что на свете может быть такое чудное местечко.

— Как-нибудь слетаем туда вдвоем.

И тут Эшли неожиданно решилась. Она сделает это! Сделает во что бы то ни стало!

Стараясь говорить как можно небрежнее, она бросила:

— Кстати, отец, в июне я побывала в Бедфорде на встрече выпускников.

— Прекрасно. Надеюсь, ты немного отдохнула. Хорошо провела время?

— Нет.

Она заговорила медленнее, тщательно выбирая слова:

— Я... я узнала, что на следующий день после нашего отъезда в Лондон родители Джима Клири нашли его тело. Джима зарезали и... кастрировали.

Она напряженно застыла, ожидая реакции отца. Доктор Паттерсон недоуменно нахмурился:

— Клири? Ах да! Тот мальчишка, у которого при виде тебя слюнки текли. Омерзительный тип! Я еще едва спас тебя от него, верно?

«На что он намекает? Признается в преступлении? Хочет сказать, что спас меня, расправившись с Джимом?»

Эшли набрала в грудь побольше воздуха и выпалила:

— Деннис Тиббл убит точно так же. Несколько раз ударили ножом и оскопили!

Отец преспокойно взял булочку и тщательно намазал маслом.

— Знаешь, Эшли, меня это ничуть не удивляет. Дурные люди обычно плохо кончают. Если не обидишься, я позволил бы себе сказать: «Собаке — собачья смерть».

«И это доктор, человек, призвание которого — спасать людей! Она никогда, никогда не поймет этого. И не желает понимать!»

Эшли сделала еще несколько попыток разговорить отца, но к тому времени, как закончился обед, ни на шаг не приблизилась к правде.

— Знаешь, Алетт, я никогда не забуду Квебек! Потрясающий городок! Хотелось бы мне когда-нибудь вернуться туда. А ты? Целыми днями сидела в гостинице? — усмехнулась Тони.

— Конечно нет! Там такие музеи! — застенчиво улыбнулась Алетт.

— Ты уже звонила своему дружку в Сан-Франциско?

— Он вовсе не мой дружок.

— Готова прозакладывать все свои деньги, тебе не терпится, чтобы он им стал!

— Forse. Возможно.

— В таком случае что же ты медлишь? Позвони!

— По-моему, не слишком прилично...

— Позвони ему. И не дури!

Они договорились встретиться в музее Де Янга.

— Знаешь, я ужасно по тебе скучал, — признался Ричард Мелтон. — Ну как Квебек?

— Va bene. Прекрасно.

— Жаль, что меня с тобой не было.

«Когда-нибудь... — подумала с надеждой Алетт. — Когда-нибудь...»

— А твои дела? — спросила она вслух.

— Неплохо. Знаешь, только вчера продал одну из картин известному коллекционеру. И за хорошие деньги.

— Фантастика! — радостно воскликнула она, но назойливые мысли неотвязно копошились в мозгу, не давая покоя: «С ним у меня все по-другому. Будь на его месте кто-то еще, я наверняка бы подумала: «Должно быть, у бедняги коллекционера совершенно нет вкуса». Или посоветовала бы Ричарду продолжать подрабатывать на жизнь каким-нибудь другим способом. Нет, у меня просто язык не поворачивается. Ни за что не хотела бы его обидеть».

Ричард пригласил Алетт пообедать в кафе музея.

— Что тебе взять? — спросил он. — Здесь готовят потрясающий ростбиф.

— Спасибо, я вегетарианка. Салата вполне достаточно.

К столику подошла молодая привлекательная официантка:

— Привет, Ричард.

— А, Бернис! Вот и ты! Все о'кей?

— Как всегда.

Алетт неожиданно ощутила укол ревности и удивилась столь несвойственному ей взрыву эмоций. На нее это не похоже.

— Что заказываете?

— Салат для мисс Питерс и сандвич с ростбифом для меня.

Официантка исподтишка изучала Алетт. Неужели тоже ревнует?

После ухода Бернис девушка, залившись краской, пробормотала:

— Она довольно приятная. Ты хорошо ее знаешь?

«Зачем она это сказала? Неужели не могла придержать язык?! Только выдала себя! Недаром Тони над ней подсмеивается! Дурочка несчастная!»

— Я часто прихожу сюда, — улыбнулся Ричард. — Когда явился впервые, в карманах было негусто, и Бернис вечно старалась меня подкормить. Приносила два сандвича вместо одного, а иногда и салат. Она настоящий друг.

— Ты прав, — задумчиво согласилась Алетт.

«У нее жирные ляжки и ноги кривые. Неужели он не замечает?»

За едой они увлеченно говорили о художниках.

— Когда-нибудь я обязательно поеду в Живерни, — сказала Алетт, — туда, где последние годы жил Моне.

— Ты знаешь, что Моне начинал как карикатурист?

— Не может быть!

— Истинная правда. Потом он встретил Бодена, ставшего его учителем. Это Боден посоветовал ему попробовать силы в пейзажной живописи. Существует даже нечто вроде легенды, будто Моне был так помешан на пейзажах, что, когда решил нарисовать женщину в саду на холсте вышиной больше восьми футов, велел выкопать канаву, чтобы поднимать или опускать мольберт с помощью специальных блоков. Картина сейчас висит в музее Орсе, в Париже.

Время пролетело быстро и незаметно.

После обеда Алетт и Ричард долго бродили по музейным залам, где было собрано более сорока тысяч экспонатов, от предметов древнеегипетской культуры до шедевров современной американской живописи.

Алетт была на седьмом небе. Чем больше она узнавала Ричарда, тем горячее благодарила судьбу за встречу. Он избавил ее от вечного мрака. Разве это не счастье?

— Добрый день, Ричард, — поздоровался подошедший охранник.

— Привет, Брайан! Сегодня у тебя дежурство? Познакомься, это мой друг Алетт Питерс. Алетт, это Брайан Хилл, очень хороший парень.

— Как вам наш музей, Алетт? — осведомился Брайан.

— Кажется, я никогда не устану сюда приходить. Восхитительно!

— Ричард учит меня рисовать, — сообщил Брайан.

— Правда? — удивилась Алетт.

— О, просто показываю кое-что, — смущенно отнекивался Ричард.

— Неправда, мисс, он скромничает! Я всегда мечтал быть художником, поэтому и устроился в музей. Хотелось быть поближе к искусству. Но так или иначе, а Ричард чуть не каждый день приходит сюда писать маслом. Увидев его работы, я сказал себе, что обязательно стану таким, как он. Поэтому и попросил быть моим наставником и ни на секунду не пожалел об этом. Вы видели его картины?

— Видела, — улыбнулась Алетт. — И вы правы. Когда-нибудь о Ричарде узнает весь мир.

Когда Брайан отошел, Алетт шепнула:

— Какое великодушие, Ричард! Не ожидала!

— Так уж воспитан, — пожал плечами Ричард, не сводя взгляда с Алетт. — Мне нравится помогать людям.

Прощаясь с девушкой у входа в музей, он нерешительно заметил:

— Моего товарища по квартире сегодня пригласили на вечеринку. Почему бы тебе не посмотреть, как я живу? Увидишь мои новые картины.

Алетт стиснула его руку и покачала головой:

— Слишком рано, Ричард. Не сегодня.

— Как скажешь. Тогда до следующего уикэнда?

— Согласна.

«Он и понятия не имеет, как она ждет этого свидания».

Ричард проводил Алетт до стоянки, где была припаркована ее машина, помахал на прощанье, и девушка уехала.

Вечером, ложась в постель, Алетт в который раз подумала: «Это настоящее чудо! Ричард освободил меня!»

Она заснула, перебирая в памяти каждое сказанное им слово.

В два часа ночи Гэри, деливший с Ричардом квартиру, вернулся домой из гостей. Праздновали день рождения его приятельницы, поэтому Гэри слегка пошатывался. В доме было темно. Гэри включил свет в гостиной:

— Ричард?!

Подвыпивший парень, удивленно пожав плечами, шагнул к спальне. Дверь была чуть приоткрыта. Он взялся за ручку, снова щелкнул выключателем и, захлебнувшись, обессиленно сполз на пол.

— Успокойся, сынок, теперь уже ничего не поделаешь, — посоветовал детектив Уиттер, сочувственно разглядывая дрожащую, съежившуюся в кресле фигуру. — Давай повторим все сначала и не будем торопиться. Припомни, может, у него были враги? Возможно, кто-то был настолько зол на него, что не задумался сотворить подобное?

Гэри с трудом сглотнул слюну:

— Нет. Никаких врагов. Все... все любили Ричарда.

— Очевидно, ты ошибаешься. Кто-то явно питал к нему неприязнь. Правда, это слишком слабо сказано! Сколько времени вы с Ричардом жили вместе?

— Два года.

— И были при этом любовниками?

— Какой вздор! — негодующе воскликнул Гэри. — Тот, кто это утверждает, — наглый лжец! Мы просто дружили. И решили снять одну квартиру на двоих исключительно из экономии. Видите ли, у нас не слишком много денег.

Детектив Уиттер оглядел крохотную комнатушку, гордо именуемую гостиной, и понимающе кивнул:

— По всей видимости, это не грабеж со взломом. Здесь нечего красть. У вашего друга была девушка? Он встречался с кем-нибудь?

— Нет... то есть да. Несколько месяцев назад Ричард познакомился с одной малышкой... И мне кажется, сильно ею увлекся.

— Знаете ее имя?

— Да. Алетт. Алетт Питерс. Красивая брюнетка. По-моему, работает и живет в Купертино.

Детективы Уиттер и Рейнолдс ошеломленно переглянулись.

— Иисусе! — охнул Рейнолдс.

Уиттер безнадежно покачал головой и, схватившись за трубку, набрал номер полицейского участка Купертино.

— Шериф Даулинг? Детектив Уиттер, полиция Сан-Франциско. Мне кажется, вам будет небезынтересно меня послушать. Дело в том, что у нас совершено убийство с теми же отягчающими обстоятельствами, что и в вашем городке. Картина абсолютно одинакова: множественные ножевые ранения и оскопленный мертвец.

— Господи боже!

— Я успел связаться с ФБР. В их компьютерной картотеке имеются сведения о еще трех преступлениях подобного рода. О Тиббле вы уже знаете, а самое первое было совершено в Бедфорде, штат Пенсильвания, лет десять тому назад. Третья жертва жила в Квебеке.

— Странно. Это не имеет никакого смысла. Вроде бы убийства совершенно бессмысленные. Пенсильвания... Купертино... Квебек... Сан-Франциско... Существует ли какая-то связь?

— Именно это мы и пытаемся обнаружить. В Квебеке при въезде в отель или для того, чтобы снять квартиру, требуются паспорта. Сейчас ФБР проверяет, не мог ли находиться один и тот же человек в Квебеке и в других городах приблизительно в то самое время, когда были совершены остальные убийства.

Едва репортеры пронюхали, что происходит, разразился настоящий скандал. С газетных страниц кричали жирные заголовки едва ли не на всех языках мира: английском, французском, испанском, немецком, итальянском...

«СЕРИЙНЫЙ МАНЬЯК ВЫШЕЛ НА ОХОТУ...»

«ЧЕТЫРЕ ТРУПА! ЖЕРТВЫ БЕСЧЕЛОВЕЧНО ЗАРЕЗАНЫ И ОСКОПЛЕНЫ».

«ТЕЛА УБИТЫХ БЕЗЖАЛОСТНО ИЗРЕЗАНЫ И КАСТРИРОВАНЫ».

«МАНЬЯК-УБИЙЦА ИЩЕТ НОВУЮ ЖЕРТВУ».

С телеэкранов громко вещали самодовольные психологи, пытавшиеся анализировать мотивы преступника:

— Поскольку все погибшие — мужчины, убитые таким зверским образом, это доказывает, что преступление совершено на почве гомосексуальных разборок...

— Если полиция обнаружит наличие знакомства или дружбы между погибшими, наверняка можно доказать, что это месть отвергнутой любовницы...

— Можно с уверенностью утверждать, что это ничем не связанные, бессмысленные преступления, совершенные человеком, мать которого была чересчур властной, не терпящей возражений женщиной...

В субботу утром детектив Уиттер позвонил из Сан-Франциско помощнику шерифа Блейку:

— Помощник, у меня для вас кое-какие новости.

— Говорите.

— Мне только что позвонили из ФБР. Выяснилось, что одна американка, жительница Купертино, была в Квебеке в ночь убийства Парана.

— Вот как? И кто же она?

— Некая Эшли Паттерсон.

Ровно в шесть вечера Сэм Блейк позвонил в дверь квартиры Эшли Паттерсон.

— Кто там? — настороженно окликнула она.

— Помощник шерифа Блейк. Мне нужно поговорить с вами, мисс Паттерсон.

После долгого молчания дверь наконец распахнулась.

На пороге стояла Эшли, с подозрением оглядывая Блейка.

— Можно войти?

— Разумеется, — буркнула Эшли.

«Неужели отец чем-то выдал себя? Придется действовать осмотрительно».

— Заходите, мистер Блейк, садитесь. Чем могу помочь?

— Надеюсь, вы согласитесь ответить на несколько вопросов.

Эшли невольно поежилась:

— Я... не знаю. Меня в чем-то подозревают?

— Ну что вы! — ободряюще улыбнулся Блейк. — Ничего подобного. Обычная практика. Таков установленный порядок. Дело в том, что мы расследуем убийства, совершенные при весьма странных обстоятельствах.

— Я ничего не знаю ни о каких убийствах, — поспешно заверила она.

— Вы, кажется, недавно побывали в Квебеке, не так ли?

— Да, и что из того?

— Знакомы ли вы с неким Жан-Клодом Параном?

— Жан-Клод Паран?

Девушка на секунду задумалась:

— Нет. Никогда о нем не слышала. Кто это?

— Владелец ювелирного магазина в Квебеке.

Эшли решительно покачала головой:

— Я не покупала никаких драгоценностей в Квебеке.

— Вы работали с Деннисом Тибблом?

Страх с новой силой стиснул сердце. Все-таки Блейк явился из-за отца.

— Я не работала с ним, — сдержанно ответила она. — Мы служили в одной компании.

— Разумеется, мисс Паттерсон, разумеется. Вы иногда бываете в Сан-Франциско, не так ли?

«Интересно, к чему он клонит? И какое ему дело до ее визитов в Сан-Франциско? Осторожнее. Он не так прост, каким хочет казаться».

— Время от времени, как и всякий житель Купертино.

— И встречали там художника Ричарда Мелтона?

— Ничего подобного. Никогда.

Помощник шерифа раздраженно вздохнул:

— Мисс Паттерсон, вам придется проехать со мной в участок и подвергнуться испытанию на детекторе лжи. Надеюсь, вы согласны? Если да, можете вызвать своего адвоката и...

— Мне не нужен адвокат. И я согласна, хотя не вижу в этом особой необходимости.

Оператора полиграфа, называемого в обиходе детектором лжи, звали Кейт Россон. Он был одним из лучших специалистов в своей области. Ему пришлось отказаться от приглашения на званый ужин, но Кейт был хорошим товарищем, всегда готовым прийти на помощь Сэму.

Эшли усадили в кресло и прикрепили к рукам электроды. Перед этим Россон долго беседовал с ней, пытаясь добыть дополнительную информацию и оценить эмоциональное состояние испытуемой. Наконец он приветливо улыбнулся:

— Вам удобно?

— Да.

— Прекрасно. Давайте начнем.

Он нажал кнопку:

— Ваше имя?

— Эшли Паттерсон.

Глаза Россона перебегали с Эшли на распечатку полиграфа.

— Сколько вам лет, мисс Паттерсон?

— Двадцать восемь.

— Где вы живете?

— В Купертино. Виа-Кэмино-Корт, номер сто девять, квартира шестьдесят четыре.

— Работаете?

— Да.

— Любите классическую музыку?

— Да.

— Знакомы с Ричардом Мелтоном?

— Нет.

Ни малейшего всплеска на графике.

— Где работаете?

— В «Глоубл компьютер грэфикс корпорейшн».

— Любите свою работу?

— Да.

— Заняты пять дней в неделю?

— Да.

— Когда-нибудь встречались с Жан-Клодом Параном?

— Нет.

Линия по-прежнему прямая.

— Завтракали сегодня утром?

— Да.

— Это вы убили Денниса Тиббла?

— Нет.

Допрос продолжался еще полчаса. Одни и те же вопросы задавались три раза в различном порядке.

Пожав плечами, Кейт Россон выключил прибор, отправился в кабинет Сэма Блейка и вручил ему результаты теста:

— Невинна, как только что родившийся младенец. Девяносто девять и девять десятых процента за то, что она не лжет. Ты сделал стойку не на ту дичь, Сэм. Ищи другую.

Эшли на подгибающихся ногах вышла из здания участка, почти пьяная от облегчения. Слава богу, все кончено! Она смертельно боялась, что полицейские упомянут об отце, но этого не случилось. Неужели можно надеяться, что на этот раз его окончательно оставят в покое?

Девушка завела машину в гараж, поднялась к себе и, войдя в квартиру, поспешила запереться на все замки. Она чувствовала себя опустошенной, но почти счастливой. Кажется, все обошлось. Она победила. Теперь не помешают горячая ванна и крепкий сон. Забыть, забыть обо всем хотя бы на несколько часов!

Эшли вошла в ванную и тут же отпрянула, смертельно побледнев. На зеркале краснели размашистые буквы, выведенные губной помадой: «ТЫ УМРЕШЬ!»

Глава 9

Она пыталась бороться с волной истерики, угрожавшей вот-вот ее поглотить. Пальцы дрожали так сильно, что пришлось несколько раз набирать номер. Эшли прерывисто вздохнула, пытаясь успокоиться, и снова принялась нажимать на кнопки. Два... девять... девять... два... один... ноль... один... Наконец-то!

Она крепко стиснула трубку, прислушиваясь к длинным гудкам.

— Полиция.

— Помощника шерифа Блейка, пожалуйста.

— Помощник шерифа уехал домой. Возможно, кто-то другой...

— Нет! Я... Пожалуйста, попросите его связаться со мной! Это Эшли Паттерсон. Мне нужно немедленно с ним поговорить.

А в это время Сэм Блейк подвергался ежедневному испытанию нервов и терпения: не теряя присущей ему выдержки, спокойно выслушивал ежевечернюю тираду дражайшей половины. Сегодня Серина разошлась не на шутку, орала, размахивая для убедительности кулаками:

— Мой братец сделал из тебя вьючную лошадь, а ты и рад, идиот этакий! Пашешь с утра до вечера за сущие гроши, а этот сукин сын и не подумает повысить тебе жалованье! В таком случае почему ты сам не попросишь прибавки? Почему, я тебя спрашиваю?

Сцена происходила, как всегда, за ужином, и Сэм, невозмутимо протягивая тарелку, попросил:

— Передай мне картофель, дорогая.

Серина, не прерывая чересчур пылкой речи, сунула мужу под нос блюдо с картофелем:

— Ты, олух несчастный! Неужели не понимаешь, что тебя никто не ценит!

— Ты совершенно права, дорогая. Можно мне немного подливы?

— Ты что, не слушаешь меня? — пронзительно взвизгнула Серина.

— Как можно, дорогая? Слушаю, и очень внимательно. Все очень вкусно. Ты великолепная повариха!

— Какой интерес ругаться с тобой, ублюдок паршивый, если ты даже не думаешь мне отвечать!

— Только потому, что люблю тебя, родная, — пояснил Сэм, отрезая кусочек телячьей отбивной.

В этот момент раздался телефонный звонок.

— Извини, потом договорим, — пообещал Сэм, потянувшись к трубке.

— Привет... Да... Соедините ее... Мисс Паттерсон? — В ответ раздались громкие рыдания.

— Случилось... Случилось нечто ужасное. Вы должны немедленно приехать.

— Уже еду.

Серина с негодующим видом загородила ему дорогу:

— Что?! Куда это тебя несет! Посреди ужина?!

— Срочное дело, дорогая. Неприятности, — уговаривал Сэм. — Вернусь, как только смогу.

Серина удивленно замолчала, наблюдая, как муж пристегивает кобуру с револьвером. Прежде чем уйти, Сэм наклонился и поцеловал жену:

— Чудесный ужин. Спасибо, дорогая.

Не успел Сэм притронуться к кнопке звонка, как дверь распахнулась. На пороге стояла Эшли, с лицом, залитым слезами. Девушка тряслась как осиновый лист. Сэм шагнул в прихожую, настороженно оглядываясь.

— Здесь есть кто-нибудь, кроме вас?

— Нет, — выдохнула девушка, стараясь прийти в себя. — Посмотрите.

Она схватила его за руку и потянула в ванную. Заметив кровавую надпись на зеркале, Сэм отшатнулся.

— «Ты умрешь», — медленно прочел он вслух. — Вам известен человек, написавший это? Или подозреваете кого-то?

— Нет, — выдавила Эшли. — Это моя квартира. Ключи только у меня. Но я точно знаю, что в мое отсутствие здесь кто-то бывает. Последнее время меня преследуют. Те или тот, кто замышляет убить...

Она снова разразилась слезами:

— Б-больше мне этого не вынести!

Девушка громко всхлипывала, утирая кулачками слезы. Совсем как обиженный ребенок. Сочувственно покачав головой, Сэм обнял Эшли за плечи и погладил по руке:

— Ну, не стоит так переживать. Все обойдется. Мы позаботимся о вашей защите и обязательно разоблачим негодяя.

Эшли глубоко, прерывисто вздохнула:

— Простите. Не стоило так распускаться. Не знаю, что на меня нашло. Должно быть, эта мерзость оказалась последней каплей. Просто умираю от ужаса.

— Давайте поговорим, — предложил Блейк.

Эшли ухитрилась растянуть губы в улыбке:

— Хорошо.

— Как насчет чашечки крепкого чая?

Эшли заварила чай, и они долго сидели в кухне за наспех накрытым столом.

— Когда все это началось, мисс Паттерсон?

— Почти... да, почти полгода назад. Я почувствовала слежку. Сначала было просто ощущение неловкости, словно кто-то сверлит тебе спину взглядом. Потом я поняла, в чем дело. И хотя сознавала, что нахожусь под постоянным контролем, как ни старалась, никого не замечала. Однажды, включив компьютер, я обнаружила, что кто-то нарисовал картинку, словно в фильмах ужасов, — мое изображение и чья-то рука с ножом, который вот-вот вонзится мне в грудь.

— И по-прежнему никаких следов?

— Нет.

— Вы упомянули, что неизвестный и прежде вламывался в вашу квартиру.

— Да. Как-то, придя домой, я обнаружила, что все лампы включены. В другой раз нашла сигаретный окурок на туалетном столике. Сама я не курю. И еще. Кто-то открыл ящик комода и рылся в моем... моем белье. А вот теперь это!

— Возможно, проделки оскорбленного или отвергнутого любовника?

— У меня никого нет.

— Может, неудачная сделка, в результате которой кто-нибудь потерял деньги? По вашей вине?

— Я не заключаю никаких сделок. Я компьютерный дизайнер.

— Вам угрожали?

— До сегодняшнего дня — нет.

Она совсем было решилась рассказать о том, что с ней сделал Тиббл, и о совершенно выпавшем из памяти уик-энде в Чикаго, но передумала. Придется так или иначе упомянуть имя отца. Не стоит его впутывать.

— Я боюсь ночевать здесь одна, — пробормотала Эшли.

— Хорошо. Немедленно звоню в участок и прошу прислать дежурного.

— Нет! Ни за что! Я никому не верю! Не согласились бы вы остаться со мной, всего лишь до утра? А там я что-нибудь придумаю.

— Вряд ли мне стоит...

— Пожалуйста! — вырвалось у Эшли. — Пожалуйста.

Она нервно ломала руки. Сэм посмотрел ей в глаза и невольно поежился. В них плескался откровенный ужас.

— Может, вам стоит погостить у друзей или знакомых? Разве у вас совсем никого нет?

— А что, если именно один из моих друзей хочет от меня избавиться?

— Верно, — кивнул Сэм. — Так и быть, остаюсь. Утром мы дадим вам круглосуточную охрану.

— Спасибо, мистер Блейк, — облегченно пролепетала Эшли.

Сэм ободряюще похлопал девушку по руке:

— И не волнуйтесь, я обещаю, что мы докопаемся, кто за этим стоит. Сейчас я позвоню шерифу Даулингу и объясню, что происходит.

После пятиминутной беседы он повесил трубку и озабоченно заметил:

— Предупрежу жену, чтобы не беспокоилась.

— Разумеется, мистер Блейк.

Сэм снова поднял трубку:

— Алло, дорогая, это я. Меня сегодня не будет дома, так что почему бы тебе не посмотреть теле...

— Не будет? И ты смеешь мне это говорить? Где ты шляешься? Опять по дешевым подзаборным девкам?

Она так вопила, что Эшли было слышно каждое слово.

— Серина...

— Ты меня не одурачишь!

— Серина...

— Конечно, что еще нужно мужикам — хорошенькая давалка, и к тому же с полицейских денег не берут, верно?

— Серина...

— Ну так вот, больше я этого не потерплю!

— Серина...

— Такова благодарность за то, что была тебе хорошей женой и отдала молодость?!

Односторонний разговор продолжался в таком духе еще долго. Сэму так и не удалось утихомирить жену. Положив трубку, он смущенно извинился:

— Простите ее. Она не такая, какой хочет казаться.

— Понимаю, — кивнула Эшли.

— Нет, это в самом деле так. Серина не виновата. Она просто боится.

— Боится? — с любопытством переспросила Эшли.

Сэм неловко промолчал, но, очевидно, тоже почувствовал потребность исповедаться.

— Видите ли, Серина умирает. У нее рак. Правда, одно время ей было получше. Ремиссия продолжалась довольно долго. Все началось лет семь назад. Мы женаты уже пять.

— Значит, вы знали обо всем, когда...

— Да, но это не важно. Я люблю ее.

Он долго молчал, и Эшли не смела ни о чем расспрашивать. Наконец Сэм снова заговорил:

— Она безумно боится смерти и думает, что я в любой момент ее брошу. Вопит и ругается, чтобы скрыть страх, только и всего.

— Я... мне очень жаль.

— Она чудесный человек. Добрая, благородная, готова все отдать ради меня. Поверьте, мне лучше знать. Окружающие видят совсем другую Серину.

— Простите, если доставила вам... — начала Эшли.

— Ничего страшного. Это моя обязанность.

— У меня только одна спальня. Ляжете там, а я — в гостиной, на диване.

— Ничего подобного. Я здесь прекрасно устроюсь, — запротестовал Блейк.

— Не могу выразить, как я вам благодарна, — вздохнула Эшли, вынимая из бельевого шкафа простыни и одеяла.

— Все в порядке, мисс Паттерсон, — заверил Сэм.

Эшли принялась стелить постель.

— Надеюсь, вы...

— Все чудесно. Лучше ничего быть не может. Все равно, я вряд ли усну.

Он проверил, заперты ли окна, и задвинул все дверные засовы:

— Вот так. Теперь можно не беспокоиться.

И, кладя револьвер на журнальный столик, посоветовал:

— Вам неплохо бы принять снотворное и уснуть покрепче. А утром мы все устроим.

Эшли подошла к нему и поцеловала в щеку:

— Спасибо и спокойной ночи.

Дождавшись, пока она войдет в спальню и закроет дверь, Сэм снова проверил окна. Не мешает лишний раз убедиться, что все закрыто, тем более что ночь обещает быть долгой.

А в это время в Вашингтоне еще не все спали. В главном управлении ФБР до сих пор светились окна. Агент по специальным поручениям Рамирес докладывал начальнику своего отдела Роланду Кинтсли:

— Мы сделали анализы отпечатков пальцев и ДНК, обнаруженных на местах преступлений в Бедфорде, Купертино, Квебеке и Сан-Франциско. И только что получили сводный отчет.

Все отпечатки и следы ДНК принадлежат одному человеку.

— Значит, все-таки серийный маньяк-убийца, — расстроенно вздохнул Кингели.

— Несомненно.

— Нужно как можно скорее остановить ублюдка.

В шесть часов утра жена управляющего домом, где жила Эшли, обнаружила в узенькой аллее позади здания обнаженный обесчещенный труп помощника шерифа Сэма Блейка.

Несчастного несколько раз ударили ножом и оскопили.

Глава 10

Их было пятеро. Пятеро мужчин окружили истерически рыдавшую Эшли. На это раз шериф Даулинг явился самолично, в сопровождении двух детективов в штатском и двух полисменов.

— Вы единственная, кто может нам помочь, мисс Паттерсон, — выговорил он наконец.

Эшли жалостно шмыгнула носом и кивнула:

— Я... я попытаюсь.

— Давайте с самого начала. Помощник шерифа Блейк провел здесь ночь?

— Д-да. Я просила его об этом. Не представляете, как ужасно я испугалась вчера.

— В квартире одна спальня?

— Совершенно верно.

— В таком случае, где спал помощник Блейк?

Эшли показала на диван со смятыми одеялом и подушкой:

— Здесь.

— Когда вы легли?

Эшли немного подумала:

— Должно быть, около полуночи. Я сильно нервничала. Мы выпили чая, поговорили, и я немного успокоилась. Принесла ему белье и ушла к себе.

— Больше вы его не видели?

— Нет.

— Когда вы заснули?

— Не сразу. Пришлось все-таки принять снотворное. И я как будто провалилась в обморок. Очнулась только от женских криков.

— Считаете, что кто-то проник в квартиру и убил мистера Блейка?

— Н-не могу сказать, — в отчаянии выпалила Эшли. — Во всяком случае, в мое отсутствие неизвестный или неизвестные бывали здесь, и не раз. Вчера я нашла угрожающее послание, написанное помадой на зеркале.

— Блейк упоминал об этом по телефону.

— Должно быть, мистер Блейк услышал что-то и вышел на улицу проверить, все ли в порядке, — предположила Эшли.

Но шериф тяжело вздохнул:

— Вряд ли он выскочил бы из дома голым.

— Не знаю! Не знаю! — вскрикнула Эшли и закрыла глаза руками.

— Видите ли, я должен обыскать квартиру, — извиняющимся тоном заметил шериф. — Возможно, удастся что-нибудь понять. Вам потребуется ордер?

— Разумеется, нет. Прошу вас, не стесняйтесь.

Шериф кивнул детективам. Один направился на кухню. Другой зашел в спальню.

— О чем вы беседовали с помощником шерифа?

Эшли попыталась было заговорить, но задохнулась от волнения:

— Погодите... сейчас пройдет. Я рассказала ему обо всех странностях, случившихся за последнее время. Он был таким...

Она осеклась и беспомощно уставилась на шерифа:

— Почему его убили? Такого человека! Почему?!

— Не знаю, мисс Паттерсон. Это нам только предстоит обнаружить.

В дверях кухни появился лейтенант Элтон:

— Можно вас на минуту, шериф?

— Извините, мисс Паттерсон, — пробормотал Даулинг, поднимаясь. — Ну что там, лейтенант?

— Я нашел это в кухонной раковине.

Он осторожно, двумя пальцами поднял за лезвие окровавленный нож для резки мяса.

— Даже не вымыт. Тут наверняка сохранились отпечатки.

В кухне появился Костофф, второй детектив, державший на ладони кольцо с большим изумрудом в обрамлении бриллиантов.

— Это лежало в шкатулке для драгоценностей. Соответствует описанию перстня, подаренного Тони Прескотт Жан-Клодом Параном.

Мужчины переглянулись.

— Совершенная бессмыслица, — бросил наконец шериф, но все же, захватив улики, вернулся в гостиную.

— Мисс Паттерсон, это ваш нож?

Эшли сосредоточенно нахмурилась:

— Это... да, возможно. А что? Что-то случилось?

— А перстень? Вы его когда-нибудь видели?

Эшли недоуменно покачала головой:

— Нет. Сегодня впервые.

— Однако перстень находился в вашей шкатулке для драгоценностей.

Детективы пристально всматривались в лицо подозреваемой. Ничего, кроме искреннего удивления.

— Должно быть... Должно быть, кто-то подложил его туда.

— Но кому это выгодно?

Девушка побледнела.

— Не знаю.

— Шериф! — окликнул вошедший в квартиру полицейский.

— Что еще, Бейкер? Что-то новое?

— Найдены пятна крови на ковровой дорожке в коридоре и в лифте. Похоже, труп подтащили на простыне к лифту, спустили вниз и бросили в аллее.

— Черт побери!

Шериф повернулся и шагнул к Эшли:

— Мисс Паттерсон, вы арестованы. Сейчас я зачитаю ваши права. Вы имеете полное право молчать и помните: любое сказанное слово может быть использовано судом против вас. Вам полагается адвокат. Если у вас нет денег, чтобы оплатить его гонорар, суд назначит вам защитника.

Эшли ввели в здание полицейского участка.

— Снимите отпечатки пальцев и зарегистрируйте подозреваемую, — велел шериф Даулинг. — Мисс Паттерсон, вам разрешено сделать один телефонный звонок.

Эшли подняла голову и глухо ответила:

— Мне некому звонить.

Она не может впутывать в это отца.

Эшли отвели в камеру предварительного заключения. Шериф Даулинг ошеломленно смотрел вслед девушке.

— Будь я проклят, если что-то понимаю. Видели результаты теста на полиграфе? Я готов был голову прозакладывать, что она совершенно невиновна.

В кабинет почти вбежал озабоченный детектив Костофф:

— Шериф, эксперт утверждает, что Сэм с кем-то переспал перед смертью. В ультрафиолетовых лучах на простыне, в которую было завернуто тело, и на трупе ясно видны следы спермы и вагинальных выделений. Мы...

— Постой, — простонал Даулинг, пытаясь оттянуть ужасный момент, когда придется сообщить сестре правду.

Но ничего не поделаешь, придется ехать.

Он с тяжелым вздохом направился к двери и, не оборачиваясь, бросил:

— Скоро вернусь.

Полчаса спустя он входил в дом шурина.

— Вот неожиданная радость, — ехидно пропела Серина. — А Сэм с тобой?

— Нет, сестра. Мне нужно кое о чем тебя спросить.

Это оказалось куда тяжелее, чем он ожидал. Сестра с любопытством уставилась на него:

— Ну?

— Скажи, ты... ты и Сэм занимались любовью в течение последних двадцати четырех часов?

Женщина недоуменно подняла брови:

— Что? Мы... Нет. А почему ты?.. Значит, Сэм не приедет?

— Мне трудно говорить тебе это, но...

— Он бросил меня из-за нее, верно? Я знала, что так и будет. И ни в чем его не виню. Я была ему плохой женой. Я...

— Серина, Сэм мертв.

— ...вечно орала на него. Я не хотела, правда не хотела. Помню, как-то раз...

Даулинг стиснул руки сестры:

— Серина, Сэм погиб.

— Однажды мы пошли на море и...

— Серина! — вскрикнул шериф, с силой встряхнув женщину. — Послушай меня! Сэм убит.

— ...хотели устроить пикник.

Шериф понял, что сестра его не слышит. И, вероятно, не услышит.

— Мы сидели на песке, и тут подходит какой-то мужик и требует денег. А Сэм и говорит: «Покажи-ка сначала пистолет, сынок, а там и поговорим».

Шериф смирился с неизбежным. Серина совершенно невменяема. Должно быть, шок. Она сама не знает, что говорит.

— Сэм, он только с виду такой, а на самом деле ужасно храбрый. Расскажи о женщине, с которой он уехал. Хорошенькая? Сэм все время твердил, какая я красавица, но мне-то лучше знать. Он старался успокоить меня, потому что любит. И никогда не бросит. Он вернется, вот увидишь. Сэм меня любит.

Она ни на секунду не закрывала рта. Слова лились бессвязным потоком, и Мэтт понял, что это никогда не кончится. Набрав номер «Скорой помощи», он попросил прислать сиделку, а сам обнял сестру и принялся укачивать, как ребенка:

— Все будет хорошо, милая.

— Я рассказывала тебе, как мы с Сэмом...

За окнами послышался рев сирены. Прибыла машина с медсестрой.

— Пожалуйста, позаботьтесь о ней, — попросил шериф.

Вскоре он, мрачный, но спокойный уже проводил совещание в своем кабинете.

— Вам звонят, — передала секретарь. — Первая линия.

— Да?

— Шериф, это Рамирес, агент ФБР по специальным поручениям. Звонят из Вашингтона. У нас появилась новая информация относительно серийного убийцы. В наших досье не было отпечатков пальцев Эшли Паттерсон, поскольку она не имела ни приводов, ни судимостей, а до 1998 года для получения водительских прав в Сан-Франциско не требовалось отпечатка большого пальца.

— Продолжайте.

— Вначале нам показалось, что это сбой в компьютере, но при проверке оказалось...

Следующие несколько минут лицо шерифа все больше вытягивалось.

— Уверены, что это не ошибка? — наконец спросил он. — Что-то не похоже... Все, говорите? Понимаю. Большое спасибо. — Шериф положил трубку и долго молча смотрел куда-то в пространство.

Наконец он поднял голову:

— Звонили из ФБР. Они обнаружили, кому принадлежат отпечатки пальцев убийцы. Жан-Клод Паран встречался с некоей англичанкой, Тони Прескотт.

— Верно.

— Ричард Мелтон дружил с Алетт Питерс, долго жившей в Италии.

Собравшиеся закивали.

— Прошлую ночь Сэм Блейк провел в доме Эшли Паттерсон.

— Точно.

Шериф Даулинг стиснул ладонями виски.

— Ну так вот, Эшли Паттерсон, Тони Прескотт и Алетт Питерс — одно и то же лицо. Одна и та же чертова, проклятая, гребаная баба!

Книга 2

Глава 11

Роберт Краудер, маклер по торговле недвижимым имуществом от компании «Брайант и Краудер», торжественно распахнул дверь и провозгласил:

— Вот здесь терраса. Отсюда можно любоваться Койт-Тауэр.

И с умилением наблюдал, как молодые супруги приближаются к балюстраде. Отсюда открывался великолепный вид. Внизу расстилалась живописная панорама Сан-Франциско. Заметив, как муж с женой тайком обмениваются восхищенными взглядами и улыбками, Краудер ухмыльнулся. Все они одинаковы. Во что бы то ни стало стараются скрыть свои чувства. Всегда одно и то же. Потенциальные покупатели уверены, что если не притворятся равнодушными и выкажут слишком горячий энтузиазм, цена мгновенно взлетит.

Глупцы! За этот пентхаус-дуплекс* и так просят немало! Беда совсем в другом — такое роскошное жилье может оказаться не по карману этим двоим. Муж, кажется, адвокат, а начинающие адвокаты далеко не богачи.

---

* Пентхаус, комнаты которого расположены в двух уровнях *(фр.)*.

Зато парочка весьма привлекательная, и молодые люди, по всему видать, влюблены друг в друга. Дэвиду Сингеру не больше тридцати трех. Блондин-красавчик, до сих пор ухитрившийся сохранить в лице нечто неотразимо мальчишеское. Его жена Сандра просто прелестна. И глаза лучатся добротой. Настоящая леди.

Заметив округлившийся живот женщины, Роберт Краудер поспешно добавил:

— Вторую спальню для гостей можно легко переделать в детскую. В квартале отсюда игровая площадка, а по соседству две школы.

Супруги снова обменялись легкими улыбками.

Наверху помещались хозяйская спальня, ванная и комната для гостей. Внизу располагались просторная гостиная, библиотека, кухня, вторая спальня для гостей и две ванные. Почти все окна имели вид на город.

Чета Сингеров отошла в уголок и принялась шептаться.

— Я просто влюблена в него, — призналась Сандра Дэвиду. — И малышу здесь будет хорошо. Но, дорогой, сможем ли мы позволить себе такие расходы? Шестьсот тысяч долларов!

— Плюс ремонт, горячая вода, электричество и телефон, — добавил Дэвид. — И ты права: сегодня мы не имеем права потратить такую сумму. Повторяю: сегодня. Зато в четверг из бутылки выскочит джинн, и наша жизнь мгновенно изменится. Тогда мы можем поселиться хоть во дворце.

— Знаю, — со счастливым видом кивнула Сандра. — Ну не чудесно ли?

— Значит, покупаем?

Сандра на мгновение задумалась и кивнула:

— Вперед, дорогой.

Дэвид расплылся в улыбке, махнул рукой и объявил:

— Добро пожаловать в родной дом, миссис Сингер!

Супруги рука об руку подошли к терпеливо ожидавшему Роберту Краудеру.

— Мы покупаем, — сообщил Дэвид.

— Поздравляю! — воскликнул Роберт. — Это одна из лучших квартир во всем городе. Вы не пожалеете.

— Надеюсь.

— Поверьте, вам повезло. Должен сказать, что на этот пентхаус немало претендентов.

— Какова стоимость залога?

— Десять тысяч, вполне приемлемая сумма. Я прикажу составить договор о продаже. Как только все будет подписано, вам придется выплатить еще шестьдесят тысяч. Ну а потом ваш банк будет перечислять ежемесячные платежи с рассрочкой на двадцать—тридцать лет, как пожелаете.

Дэвид взглянул на Сандру и кивнул:

— Заметано.

— Значит, готовим договор.

— Нельзя ли нам немного осмотреться? — умоляюще прошептала Сандра.

Краудер снисходительно усмехнулся:

— Сколько угодно, миссис Сингер. Теперь это все принадлежит вам.

— О, Дэвид, я словно во сне. Поверить не могу, что все это на самом деле наше.

— А ты поверь, — посоветовал Дэвид, обнимая жену. — Я хочу быть тем добрым волшебником, который исполняет все твои мечты.

— Ты и есть мой волшебник.

До сих пор они жили в маленькой квартирке с двумя спальнями в квартале Марина, но сообразили, что с появлением малыша им будет слишком тесно. Правда, пентхаус-дуплекс на Ноб-Хилл был для них недосягаем, но в четверг... Четверг был знаменательным днем в фирме международного права «Кинкейд, Тернер, Роуз и Рипли», где работал Дэвид. Днем, когда из двадцати пяти кандидатов предстояло избрать шестерых младших партнеров уважаемой и древней адвокатской компании. Ни у кого не было сомнений, что Дэвид окажется в числе этих счастливчиков. «Кинкейд, Тернер, Роуз и Рипли» имела отделения в Сан-Франциско, Нью-Йорке, Лондоне, Париже, Токио и считалась одной из самых престижных в мире. Недаром выпускники лучших юридических факультетов едва ли не дрались за право оказаться в ее рядах. К молодым сотрудникам обычно применялся веками проверенный метод кнута и пряника. Старшие партнеры безжалостно эксплуатировали новичков, заставляя трудиться по четырнадцать часов в сутки и нагружая неблагодарной и черной работой, которой гнушались сами. При этом над беднягами, словно дамоклов меч, постоянно висела угроза увольнения. Все вышесказанное относилось к понятию «кнут». «Пряником» же можно было считать обещание партнерства в фирме. Партнеры получали большое жалованье, часть сладкого пирога в виде ежегодных прибылей, просторный кабинет с видом на город, личный туалет с душем, заграничные командировки и еще много чего «вкусненького».

Дэвид служил в фирме вот уже шесть лет и ко многому привык. Приходилось торчать на работе допоздна и находиться в постоянном напряжении, но Дэвид, исполненный решимости добиться своего, не жаловался и, по мнению всех коллег, блестяще выполнял свои обязанности. Желанная награда была совсем близка.

Распрощавшись с маклером, Дэвид и Сандра отправились за покупками и после долгих раздумий приобрели колыбельку, высокий стул, прогулочную коляску, манежик и груду одежды для будущего малыша, которому уже дали имя Джеффри.

— Давай заодно подберем и игрушки, — предложил Дэвид.

— Ну, для этого время еще будет! — рассмеялась Сандра.

Они вышли из магазина и медленно побрели по улицам, наслаждаясь неспешной прогулкой вдоль берега по Жирарделли-сквер, миновали Кеннери, направились к Фишермен-Уоф и весело пообедали в «Американ бистро». Сегодня, в субботу, можно никуда не торопиться и спокойно наслаждаться едой и обществом друг друга. Такое выпадало не слишком часто в их недолгой семейной жизни. Счастливой семейной жизни.

Дэвид и Сандра встретились три года назад на немноголюдной вечеринке. Дэвид пришел на ужин в компании дочери одного из клиентов фирмы. Сандра оказалась недавней выпускницей юридического факультета, работающей в конкурирующей компании. За ужином между молодыми людьми разгорелся спор относительно правомерности решения, вынесенного Верховным судом по какому-то политическому процессу. Под изумленными взглядами присутствующих беседа мгновенно превратилась в настоящую словесную баталию, участники которой были поистине неистощимы во все новых аргументах и с каждой минутой все больше горячились. Наконец у обоих хватило ума понять, что эта битва — не столько поединок умов, сколько желание выказать себя в лучшем свете перед оппонентом. Оба рассмеялись, и вечер пошел своим чередом.

Назавтра Дэвид позвонил Сандре.

— Мне хотелось бы достойно закончить нашу дискуссию, — промямлил он, не найдя более подходящего предлога. — Не согласитесь встретиться?

— С удовольствием, — обрадовалась Сандра.

— Как насчет того, чтобы вместе поужинать сегодня?

Сандра замялась. Ее уже пригласили на ужин.

— Согласна, — выпалила она. — Заедете за мной?

Вот так все и началось. С того самого вечера они были неразлучны и ровно через год поженились. Джозеф Кинкейд, старший партнер фирмы, великодушно дал Дэвиду свободный уик-энд.

Дэвид получал сорок пять тысяч долларов в год, так что жалованье Сандры приходилось весьма кстати. Но теперь, с появлением ребенка, их расходы должны были значительно возрасти.

— Еще несколько месяцев, и мне придется оставить работу, дорогой, — как-то заметила она. — Не хочу никаких нянек для нашего сыночка. У него должна быть мать.

Ультразвук показал, что родится мальчик.

— Ничего, как-нибудь перебьемся, — заверил Дэвид.

Долгожданное партнерство в фирме превратит их жизнь в сказку!

Отныне Дэвид трудился за двоих. Он не мог позволить себе роскошь хоть немного побездельничать. Нужно быть на сто процентов уверенным, что усилия заметят и оценят. В названии фирмы обязательно появится фамилия «Сингер»!

В четверг утром, одеваясь, Дэвид рассеянно посматривал в сторону включенного телевизора. Передавали последние новости.

— Весьма неприятное, хотя и сенсационное известие! — с придыханием выпалил диктор. — Эшли Паттерсон, дочь известного кардиохирурга доктора Стивена Паттерсона, арестована по подозрению в серийных убийствах. Последнее время полиция совместно с ФБР была занята поисками таинственного преступника, зверски расправлявшегося с мужчинами...

Дэвид почти рухнул на стул. Руки застыли на недовязанном узле галстука.

— ...вчера вечером шериф округа Санта-Клара Мэтт Даулинг взял под арест Эшли Паттерсон по обвинению в ряде убийств с последующей кастрацией трупов. Шериф Даулинг заявил представителям прессы следующее: «Нет никакого сомнения, что таинственный кровавый маньяк наконец обезврежен. Улики, полученные нами, неопровержимы».

«Доктор Стивен Паттерсон...»

Тяжелые воспоминания нахлынули на Дэвида. Он рассеянно потер лоб, возвращаясь мыслями к прошлому.

Тогда ему был двадцать один год. Позади вступительные экзамены на юридический факультет. Как-то, вернувшись с занятий, Дэвид обнаружил мать на полу без сознания. Он набрал 911, и «скорая» отвезла мать в Мемориальную больницу Сан-Франциско. Дэвид долго ждал в комнате для посетителей, пока наконец не появился доктор.

— Мама... Она выздоровеет?

Доктор неопределенно пожал плечами:

— Мы вызвали кардиолога. Похоже, какое-то нарушение функций митрального клапана.

— Что это означает? — испугался Дэвид.

— Вряд ли стоит вдаваться в подробности, но боюсь, мы мало что можем сделать для нее. Она слишком слаба, чтобы выдержать пересадку клапана, а мини-хирургия сердца — метод новый и довольно рискованный.

На лбу Дэвида выступили крупные капли пота.

— И сколько... сколько ей еще осталось?

— Четыре-пять дней, возможно, неделя. Мне очень жаль, сынок.

Дэвида затрясло. Мама... Его мама умрет? Этого не может быть!

— Неужели нет никого, кто мог бы ей помочь?

— Что поделать... Единственный, кому я доверился бы, — доктор Стивен Паттерсон, только...

— Кто этот Паттерсон?

— Доктор Паттерсон изобрел новый метод мини-кардиохирургии. Но он крайне занят, и операционный график заполнен на много месяцев вперед, так что никаких шансов...

Но Дэвид уже исчез.

Он позвонил доктору Паттерсону из телефона-автомата в больничном коридоре. Ответила секретарь.

— Я бы хотел встретиться с доктором Паттерсоном. Это по поводу моей матери. Она...

— Простите, но мы пока не берем пациентов. Придется подождать не меньше чем полгода.

— Но у нее нет этих шести месяцев! — завопил Дэвид.

— Извините, но все остальное не в моих силах. Могу направить вас...

Дэвид бросил трубку. На следующее утро он явился в приемную доктора Паттерсона. Тут уже было полно народу. Дэвид подошел к секретарю:

— Я хотел бы поговорить с доктором Паттерсоном. Моя мать очень больна и...

Женщина подняла глаза:

— Ведь это вы вчера звонили, верно?

— Да.

— Я уже все сказала. Доктор не берет новых пациентов, пока не будут прооперированы те, кто стоит на очереди.

— Я все-таки подожду, — упрямо пробормотал Дэвид.

— Не стоит, молодой человек. Доктор слишком занят.

Вместо ответа Дэвид сел. Секретарь выкликала фамилии, и люди один за другим исчезали за дверями. Наконец, кроме него, никого не осталось. В шесть часов вечера женщина развела руками:

— Молодой человек, вы напрасно здесь сидите. Доктор Паттерсон уже ушел.

Дэвид в отчаянии направился в реанимационное отделение, где лежала мать.

— Только на минуту, не больше, — предупредила сестра. — Она очень слаба.

Дэвид переступил порог и при виде матери едва не расплакался. От носа и рук отходят пластиковые трубочки, рядом стоит капельница. Лицо белее простыни. Глаза закрыты.

— Это я, ма, — прошептал Дэвид, подходя ближе. — Не бойся, я не допущу, чтобы с тобой случилось что-то. Ты поправишься, обязательно поправишься.

Слезы покатились по его щекам.

— Ты слышишь меня? Нельзя сдаваться! Мы непобедимы, пока сражаемся вместе, плечо к плечу. Я найду тебе лучшего доктора в мире. Продержись еще немного, а завтра я вернусь.

Он наклонился и нежно поцеловал ее в щеку.

«Дотянет ли она до завтра?»

На этот раз Дэвид, поняв, что так просто к доктору Паттерсону не прорвешься, выработал незамысловатый план. Спустившись в подземный гараж больницы, он с независимым видом подошел к дежурному.

— Чем могу помочь? — спросил тот.

— Я жду жену, — солгал Дэвид. — Она сейчас у доктора Паттерсона.

— Потрясный мужик, ничего не скажешь, — сочувственно улыбнулся дежурный.

— Он как-то рассказывал, что увлекается автомобилями и недавно купил себе новый, ужасно дорогой. — Дэвид сделал вид, что не может припомнить. — По-моему, «кадиллак».

— Да нет, — попался на удочку дежурный, — не «кадиллак», а вон та игрушечка.

Он показал на стоявший в углу «роллс-ройс».

— Точно, — обрадовался Дэвид. — Ну и болван же я. Правда, по-моему, он вроде говорил, что имеет и «кадиллак».

— Ничего удивительного, — кивнул дежурный и бросился навстречу въезжавшему автомобилю.

Дэвид небрежной походкой направился к «роллсу» и, убедившись, что никто не обращает на него внимания, скользнул на заднее сиденье и сполз на пол. Вскоре все тело затекло, ноги надсадно ныли, но Дэвид не шевелился, мысленно приказывая доктору Паттерсону поскорее прийти.

В шесть пятнадцать «роллс» слегка покачнулся. Кто-то сел за руль. Послышался рокот мотора, и машина двинулась к выходу.

— Спокойной ночи, доктор Паттерсон.

— Спокойной ночи, Марко.

Автомобиль выехал на улицу и свернул за угол. Выждав еще минуты две, Дэвид глубоко вздохнул и пошевелился. Стивен увидел незнакомца в зеркальце заднего обзора и невозмутимо заметил:

— Если это ограбление, вы ошиблись, молодой человек. У меня нет наличных.

— Давайте на боковую улочку и остановитесь у обочины, — велел Дэвид.

Доктор безмолвно повиновался. Дэвид настороженно наблюдал за его действиями.

— Я отдам вам часы и ту мелочь, которая у меня есть, — предложил Паттерсон. — Кроме того, можете взять машину. Нет нужды прибегать к насилию. Если...

Дэвид неловко, морщась от боли в занемевших мышцах, перебрался на переднее сиденье.

— Это не ограбление. И мне не нужна ваша машина.

— В таком случае, что же вы хотели? — раздраженно буркнул доктор.

— Меня зовут Сингер. Моя мать умирает. Я прошу вас спасти ее.

Искорки облегчения в глазах доктора мгновенно сменились вспышкой гнева.

— Какого черта! Запишитесь у...

— У меня нет времени! — вырвалось у Дэвида. — Да поймите же, мама умирает, и я не имею права этого допустить.

Сжав кулаки так, что ногти впились в ладони, он, уже спокойнее, попросил:

— Пожалуйста. Врачи утверждают, что вы — наша единственная надежда.

Доктор Паттерсон все еще не пришел в себя, но профессионал взял верх над рассерженным человеком.

— Что с вашей матерью?

— Митральный клапан... Не знаю точно. Доктора боятся оперировать. Говорят, что случай безнадежный и только вы можете взяться за это.

Доктор покачал головой:

— Мой график...

— Да плевать мне на ваш график! Это моя мама! Ей плохо! Кроме нее, у меня никого нет!

Последовало долгое молчание. Дэвид зажмурился, боясь, что вновь расплачется. Наконец раздался невозмутимый голос Стивена:

— Я ничего не обещаю, но посмотрю ее. Где она лежит?

— В реанимации Мемориальной больницы Сан-Франциско, — выдохнул Дэвид.

— Будьте там завтра ровно в восемь утра.

— Не знаю, как благодарить... — еле выдавил Сингер.

— Какая там благодарность! Повторяю: ничего не могу обещать. И ненавижу, когда на меня набрасываются из-за спины, молодой человек. В следующий раз звоните, как все цивилизованные люди.

Дэвид, закусив губу, умоляюще воззрился на доктора.

— Ну, что вам еще? Кажется, уже обо всем договорились, — вновь начал терять терпение Паттерсон.

— Видите ли... Еще одна проблема.

— Да неужели?

— У меня... совсем нет денег. Я студент юридического, и приходится работать, чтобы платить за учебу.

Доктор Паттерсон поднял брови.

— Клянусь, — горячо воскликнул Дэвид, — что найду способ заплатить вам, даже если на это уйдет вся моя жизнь! Я слыхал, что операция очень дорогая...

— Вы и представления не имеете насколько, сынок.

— Мне больше не к кому обратиться. Я... умоляю вас, не отказывайтесь.

Доктор нахмурился:

— Сколько вам еще осталось учиться?

— Я на первом курсе.

— И все-таки утверждаете, что соберете деньги?

— Даю слово.

— Проваливайте ко всем чертям, да побыстрее. Там посмотрим.

Добравшись до дому, Дэвид весь вечер не находил себе места в полной уверенности, что сейчас нагрянет полиция и арестует его за попытку киднэппинга, угрозу нанесения телесных повреждений и бог знает, за что еще. Но опасения оказались напрасны. Все, кроме одного. Покажется ли завтра в больнице доктор Паттерсон?

Войдя в палату, Дэвид застыл на пороге. Над матерью склонился доктор Паттерсон. Рядом с почтительным видом стояли врачи и медсестры отделения. Значит, все-таки пришел!

Дэвид с тревогой уставился на Паттерсона. Что он скажет?

Паттерсон выпрямился и, ни к кому конкретно не обращаясь, сухо приказал:

— Немедленно в операционную! Каждая минута дорога!

Когда подбежавшие санитары принялись перекладывать больную на каталку, Дэвид хрипло спросил:

— Она не...

— Посмотрим.

Операция продолжалась шесть часов. Все это время Дэвид прождал в комнате для посетителей. Наконец к нему вышел доктор Паттерсон. Дэвид немедленно вскочил:

— Она не...

Он не договорил. Боялся.

— Все прекрасно! Ваша матушка — сильная женщина. Она выживет.

Дэвид разом обмяк, словно с плеч свалилась свинцовая ноша.

Какое облегчение!

«Спасибо, Господи, за то, что смилостивился над мамой!»

— Послушайте, — неожиданно заметил доктор Паттерсон, — я даже не знаю, как вас зовут.

— Дэвид, сэр.

— Итак, Дэвид-сэр, знаете ли вы, почему я согласился оперировать?

— Нет...

— По двум причинам. Состояние вашей матери было крайне тяжелым. Сама смерть бросила мне вызов, и я его принял. Люблю натягивать нос старухе с косой. А вторая причина — вы.

— Не... не понимаю, сэр.

— Когда я был моложе, вечно выкидывал что-то подобное. И если бы моя мать была в опасности, поступил бы точно так же, как вы. Весьма изобретательно, молодой человек. Ну а теперь скажите, вы серьезно собирались найти способ заплатить мне?

Сердце Дэвида упало.

— Разумеется, сэр, когда-нибудь...

— Почему не сейчас?

Дэвид с трудом проглотил слюну:

— Но как?!

— Предлагаю сделку. У вас есть водительские права?

— Да, сэр.

— Прекрасно. Мне надоело самому водить этот драндулет. Станете доставлять меня на работу каждое утро и заезжать в шесть-семь часов вечера, чтобы отвозить домой. Через год будем считать, что вы отдали долг.

Они ударили по рукам. За весь год Дэвид ни разу не опоздал и не пропустил ни единого дня. Он всеми силами старался отблагодарить доктора за вновь обретенное здоровье матери. Чем больше он узнавал Паттерсона, тем сильнее уважал. Несмотря на вспыльчивость и взрывной темперамент, Стивен был самым бескорыстным человеком на свете, делал много добра, с размахом занимался благотворительностью и посвящал свободное время пациентам бесплатных лечебниц. По пути на работу и домой Дэвид и Стивен оживленно беседовали. Паттерсон искренне не понимал, почему Дэвид специализируется в уголовном праве.

— Зачем это вам, Дэвид? Собираетесь помогать всякой сволочи выходить сухими из воды?

— Нет, сэр. Бывает, что и порядочные люди становятся жертвами обстоятельств. Я постараюсь им помочь.

Через год Паттерсон крепко пожал Дэвиду руку на прощанье и заверил, что теперь они квиты. Они не виделись много лет, но Дэвид постоянно читал в газетах и слышал по телевизору о докторе Паттерсоне:

«Доктор Стивен Паттерсон основал бесплатную клинику для детей, больных СПИДом»...

«Доктор Стивен Паттерсон сегодня прибыл в Кению на открытие Медицинского центра Паттерсона»...

«Сегодня заложен первый камень Паттерсоновского приюта для...»

Казалось, Паттерсон ухитрялся быть одновременно в десяти местах, отдавая свое искусство и деньги нуждавшимся в помощи, больным и несчастным.

Голос Сандры вывел Дэвида из задумчивости:

— Дэвид! Что с тобой?

Он поспешно отвернулся от телевизора:

— Только что арестовали дочь Стивена Паттерсона по обвинению в серийных убийствах.

— Какое потрясение для отца! Ужасно!

— Он подарил маме семь лет спокойной жизни. Как несправедливо, что подобное случается с людьми, подобными Стивену. Он прекрасный человек, Сандра, и не заслужил такого удара. Судя по словам шерифа округа Санта-Клара, его дочь — настоящее чудовище.

Он взглянул на часы и спохватился:

— Черт! Я опаздываю!

— Но ты не позавтракал!

— Не до еды тут! Я слишком расстроен. Подумать только... И сегодня четверг...

— Ты станешь партнером, в этом нет ни малейшего сомнения.

— Место для сомнения всегда остается, родная. Каждый год один из тех, кто мечтает взлететь на самый верх, кончает на помойке и с обломанными крылышками.

Сандра обняла мужа:

— Да им чертовски повезло, что заполучили такого адвоката!

Дэвид нагнулся и поцеловал Сандру:

— Спасибо, крошка. Не знаю, что бы я делал без тебя.

— Не волнуйся, ты в жизни от меня не избавишься! И позвони, как только узнаешь новости, не забудешь?

— Конечно нет! Сегодня мы обязательно закатимся куда-нибудь отпраздновать мой успех.

Полузабытые слова острым кинжалом пронзили мозг.

Много лет назад он вот так же бросил другой женщине:

— Сегодня мы обязательно закатимся куда-нибудь отпраздновать наш успех.

А вместо этого он убил ее.

Офисы фирмы «Кинкейд, Тернер, Роуз и Рипли» занимали три этажа небоскреба «Транс-Америка Пиремид» в деловой части города. Сослуживцы встретили Дэвида Сингера понимающими улыбками. Даже обычные приветствия сегодня звучали как-то иначе. Все сознавали, что перед ними — будущий партнер фирмы.

По пути в свою маленькую клетушку Дэвид остановился перед заново отделанным кабинетом, предназначавшимся для одного из новых партнеров. Он не устоял перед искушением заглянуть внутрь. Просторная комната с дорогой мебелью и личным туалетом. Из окон открывается изумительный вид на залив. Дэвид постоял несколько минут, упиваясь чудесной панорамой.

Не успел он войти в свой офис, как секретарь вскочила.

— Доброе утро, мистер Сингер, — мелодично пропела она.

— Доброе утро, Холли.

— Мистер Кинкейд передал, что хочет видеть вас у себя в пять часов, — широко улыбнулась секретарь.

«Значит, мы победили! Ура!»

— Прекрасно.

Холли подошла ближе и прошептала:

— Должна сказать вам, что утром пила кофе с Дороти, секретаршей босса. Она уверяла, что вы стоите первым в списке.

— Спасибо, Холли, — кивнул Дэвид, расплывшись в улыбке.

— Хотите кофе?

— С удовольствием.

— Покрепче и погорячее?

Дэвид кивнул и направился к столу, заваленному папками, контрактами и отчетами.

Сегодня все решится. Наконец-то!

«Мистер Кинкейд передал, что хочет видеть вас у себя в пять часов. Вы стоите первым в списке...»

Дэвида так и подмывало позвонить Сандре и все рассказать, но что-то его удержало. Лучше подождать, пока все не станет ясно.

Следующие два часа он трудился, не поднимая головы, и разбирал текущие материалы. В одиннадцать вошла Холли:

— В приемной доктор Паттерсон. Просит разрешения поговорить с вами. Но ему не назначено...

— Доктор Паттерсон? — удивился Дэвид.

— Да, но...

Дэвид медленно поднялся:

— Просите.

При виде осунувшегося лица доктора Дэвид изо всех сил попытался скрыть, насколько он потрясен. Паттерсон за одну ночь превратился в изможденного старика.

— Здравствуйте, Дэвид.

— Доктор Паттерсон! Садитесь, пожалуйста!

Доктор с трудом опустился в кресло.

— Сегодня утром я видел тот выпуск новостей, где показывали... Не могу передать, как огорчен случившимся.

Паттерсон устало кивнул:

— Да, такого удара я не ожидал. Теперь мне нужна ваша помощь.

— Сделаю все, что могу, — горячо заверил Дэвид. — Все на свете.

— Я прошу вас защищать Эшли.

Только через несколько секунд до Дэвида дошел смысл его просьбы.

— Я... Это невозможно! Я не занимаюсь уголовным правом.

Доктор Паттерсон посмотрел в глаза молодому адвокату:

— Эшли не преступница.

— Но вы не поняли, доктор Паттерсон. Я много лет веду гражданские процессы. И могу рекомендовать превосходного...

— Мне уже звонили лучшие защитники в стране. Все добиваются чести защищать Эшли.

Он неожиданно подался вперед и схватил Дэвида за руку:

— Но их интересует не моя дочь, а известность, которую получит процесс. Все они добиваются только денег и славы, а на Эшли им плевать. Но мне не все равно. Кроме Эшли, у меня никого нет.

«Спасите мою маму... Кроме нее, у меня никого нет...»

— Я действительно хочу помочь вам, и потому...

— После окончания университета вы работали в фирме, специализирующейся по уголовному праву...

Сердце Дэвида сжалось.

— Это верно, но...

— Несколько лет вы защищали преступников.

— Верно, но потом, честно говоря, сдался и перешел в другую фирму. Это было давно и...

— Не так уж давно. И вы не раз упоминали, как вам нравится эта работа. Почему вы стали заниматься гражданским правом?

— Это не важно, — после долгого молчания пробормотал Дэвид.

Доктор Паттерсон вынул написанное от руки письмо и протянул Дэвиду. Тот не развернул листок. Он и без того знал, что в нем содержится.

«Дорогой доктор Паттерсон!

Нет слов, которыми можно было бы выразить, чем я обязан вам и как ценю ваше великодушие. Если когда-нибудь вам понадобится моя поддержка, уверяю, что не придется долго меня просить».

Дэвид тяжело вздохнул.

— Вы поговорите с Эшли?

Адвокат нехотя кивнул:

— Разумеется, поговорю. Только вряд ли из этого что-нибудь выйдет.

Доктор Паттерсон поднялся:

— Благодарю вас.

Дэвид проводил его взглядом и долго смотрел на закрывшуюся дверь.

«Почему вы уволились и занялись гражданским правом?»

Потому что совершил ошибку и погубил невинную женщину, которую любил. Потому что поклялся никогда больше не играть ничьей жизнью. Никогда.

Я не могу защищать Эшли Паттерсон».

Дэвид нажал кнопку переговорного устройства:

— Холли, позвоните мистеру Кинкейду и спросите, не сможет ли он принять меня сейчас.

— Будет сделано, сэр.

Мистер Кинкейд милостиво согласился поговорить с Дэвидом, и уже через несколько минут тот входил в роскошный кабинет босса. Кинкейду было лет шестьдесят. Характером, складом ума и внешностью он вернее всего напоминал унылый серый монохромный отпечаток дешевой газетной фотографии.

— Оказывается, — приветствовал он Дэвида, — вы весьма нетерпеливый юноша, не так ли? По-моему, наша встреча должна была состояться не раньше пяти.

— Знаю, Джозеф. Я пришел совсем по другому вопросу.

В самом начале своей карьеры Дэвид сделал почти непоправимую ошибку, обратившись к шефу как к «Джо», и старика едва не хватил удар. «Никогда не смейте называть меня Джо!» — вопил он.

— Садитесь, Дэвид.

Дэвид придвинул к столу кресло.

— Сигару? Настоящие кубинские.

— Нет, спасибо.

— Что же привело вас сюда?

— Только сейчас у меня был доктор Паттерсон.

Кинкейд нахмурился:

— А, тот самый, о ком сегодня кричали все телестудии. Какой позор! Бедняга! И что же ему понадобилось?

— Просил меня защищать его дочь.

— Что?! Но вы не занимаетесь уголовными делами.

— Я так ему и сказал.

— Что же, в таком случае...

Кинкейд немного подумал.

— Знаете, совсем неплохо иметь такого клиента, как доктор Паттерсон. Он человек очень влиятельный, и мы могли бы вести все его дела. Он связан со многими медицинскими организациями, которые...

— Дело не в этом.

— А в чем же? — удивился Кинкейд.

— Я обещал, что поговорю с его дочерью.

— Понятно. Что же, думаю, ничего плохого в этом нет. Побеседуйте с ней, а потом мы найдем самого лучшего защитника.

— Так я и намеревался.

— Вот и прекрасно. Значит, договорились. Повидаете мисс Паттерсон, и потом решим, как быть дальше. Встретимся в пять часов.

— Хорошо. И спасибо, Джозеф.

Возвращаясь к себе, Дэвид недоуменно хмурился.

Почему, спрашивается, доктор Паттерсон настаивает на том, чтобы именно он защищал Эшли?

Глава 12

А в это время в крохотной камере-одиночке тюрьмы округа Санта-Клара задыхалась Эшли, оцепеневшая от свалившегося на нее несчастья. Она даже не пыталась понять, каким образом здесь оказалась, но временами неистовая радость заливала ее: тюремные решетки, по крайней мере, надежно отгородили ее от тех, кто сотворил с ней *это*.

Она отгородилась стенами камеры, словно заключила себя в кокон, стараясь отвратить неизбежное, защититься от непередаваемого ужаса, который стал неотъемлемой частью ее существования. Сама жизнь превратилась в кошмар наяву. Кошмар, от которого нельзя ни избавиться, ни проснуться. Кто же он, ее невидимый враг? Тот, по вине которого весь мир считает ее подлой убийцей?

Она вновь и вновь восстанавливала в памяти цепочку странных, таинственных событий, с которых все началось: кто-то проникает в квартиру, роется в ящиках комода... она просыпается в грязном гостиничном номере и обнаруживает, что неизвестно как очутилась в Чикаго... кровавые буквы на зеркале... и вот теперь обвинения в зверских преступлениях, о которых она понятия не имеет. Должно быть, против нее плетется смертельный заговор, только неизвестно, кто за ним стоит.

Сегодня утром в камеру зашел охранник.

— К вам посетитель, — объявил он и отвел Эшли в комнату для свиданий, где уже ожидал отец. Потухшие глаза Стивена были полны боли.

— Милая... не знаю, что и сказать.

— Я не делала тех мерзостей, в которых меня обвиняют, — прошептала Эшли.

— Знаю, детка. Это трагическая ошибка, но мы все исправим. Можешь не сомневаться.

Эшли благодарно смотрела на отца, не в силах понять, как могла когда-то посчитать его преступником.

— Не волнуйся, — продолжал Стивен. — Все будет хорошо, вот увидишь. Я уже поговорил с адвокатом. Есть такой Дэвид Сингер, один из самых способных и порядочных людей, которых мне доводилось встречать. Он скоро повидается с тобой. Прошу, расскажи ему все без утайки. Это очень важно.

Эшли беспомощно пожала плечами.

— Папа... но я не знаю, что сказать, — заплакала она. — Никак не пойму, что происходит.

— Ничего, мы докопаемся до истины, девочка. Я никому не позволю тебя обидеть. Никому и никогда! Ты слишком много значишь для меня, малышка. Мы с тобой одни на свете.

— Да, папа. Больше у меня никого не осталось, — прошептала Эшли.

Отец просидел с ней едва ли не полдня, и после его ухода мир Эшли снова сузился до маленькой каморки, в которую ее заперли. Она легла на койку, вынуждая себя отрешиться от беспощадной реальности.

«Скоро все кончится, и я пойму, что это был всего лишь сон... Только сон... только сон...» Эшли закрыла глаза и провалилась в темную пропасть.

Разбудил ее голос надзирательницы:

— К вам посетитель.

Ее снова отвели в комнату для свиданий, где неловко переминался с ноги на ногу Шейн Миллер.

— Эшли, — пробормотал он, со страхом воззрившись на девушку.

Сердце Эшли забилось сильнее.

— О, Шейн!

Никому в жизни она не была так рада, как Шейну, доброму и верному другу. В глубине души почему-то крепла уверенность в том, что он найдет способ освободить ее, упросит власти отпустить Эшли на свободу.

— О, Шейн, как хорошо, что ты пришел!

— Неплохо выглядишь, Эшли, — смущенно пробормотал Шейн, почти брезгливо оглядывая убогую обстановку. — Правду говоря, не ожидал встретиться с тобой при таких обстоятельствах. Когда я услышал новости... просто поверить не мог... Ты согласна объяснить, что случилось? Что заставило тебя пойти на это, Эшли?

Краска медленно отлила от лица девушки.

— Что заставило меня... Так ты думаешь, что я...

— Неважно, — поспешно перебил Шейн. — Забудь. И я не желаю ничего слышать. Ты не должна говорить ни с кем, кроме своего адвоката.

Эшли потеряла дар речи. Он считает ее виновной!

— Почему ты пришел?

— Поверь... мне вовсе не хочется приносить дурные вести... и я тут ни при чем... это компания... попросили сообщить, что ты уволена. То есть... разумеется, мы не имеем права допускать, чтобы доброе имя фирмы... Достаточно и того, что газеты уже упомянули, где ты работаешь. Надеюсь, ты понимаешь? Я ничего против тебя не имею и не желал бы, чтобы ты считала, будто... Никаких личных мотивов...

Но Эшли уже отвернулась и попросила увести ее.

По дороге в Сан-Хосе Дэвид Сингер старательно репетировал все, что нужно сказать Эшли Паттерсон. Он вытянет из нее все, что сумеет, а затем поделится информацией с Джессом Куиллером, одним из лучших адвокатов в стране. Если кто-то и сумеет помочь Эшли, так это Джесс.

Наконец он у цели. Припарковав автомобиль, Дэвид направился в здание полицейского участка. Секретарь приветливо кивнула, приглашая его пройти в кабинет шерифа. Дэвид представился и протянул Даулингу визитную карточку:

— Я адвокат. Приехал, чтобы увидеться с Эшли Паттерсон.

— Она ждет вас.

— Меня? — удивился Дэвид.

— Конечно, кого же еще!

Шериф обернулся к новому помощнику и кивнул.

— Сюда, пожалуйста. — Помощник повел Дэвида в комнату для свиданий.

Через несколько минут надзирательница привела Эшли. Дэвид потрясенно взирал на нее. Он видел Эшли лишь однажды, несколько лет назад, когда исполнял обязанности водителя у доктора Паттерсона. В то время она показалась ему привлекательной девушкой и не лишенной ума. Теперь же она превратилась в настоящую красавицу. Вот только глаза... бездонные озера, полные застывшего страха. Она молча подвинула стул и села напротив Дэвида.

— Здравствуйте, Эшли. Меня зовут Дэвид Сингер.

— Отец предупредил, что вы приедете, — нерешительно пролепетала она.

— Я хотел бы задать вам несколько вопросов.

Эшли кивнула.

— Но прежде чем начать, хочу заверить вас: все, о чем вы скажете, останется между нами. Но мне необходимо знать правду.

Дэвид нерешительно огляделся. Он не хотел заходить слишком далеко, но, чтобы убедить Джесса взяться за дело, следует разузнать как можно больше и по возможности добиться правды.

— Вы действительно убили этих людей?

— Нет! — возмущенно вскинулась Эшли. — Я ни в чем не виновата!

Дэвид вынул из кармана блокнот и, пролистав, нашел нужную страничку:

— Вы знали Джима Клири?

— Да. Мы собирались пожениться. У меня не было причин расправляться с ним. Я любила Джима. И он меня тоже.

Дэвид внимательно присмотрелся к Эшли и снова обратился к блокноту:

— Как насчет Денниса Тиббла?

— Мы с Деннисом работали в одной компании. Я действительно видела его в ночь убийства, но, клянусь, не имею никакого отношения к тому, что случилось. В это время я была в Чикаго.

Дэвид чуть поднял брови.

— Вы должны мне верить! Между мной и Тибблом не было ничего общего.

— Пока оставим это. В каких отношениях вы были с Жан-Клодом Параном?

— Полиция уже допрашивала меня. Я в жизни о нем не слыхала. Как я могла зарезать человека, которого даже не видела? Господи, неужели не понимаете? — едва не заплакала Эшли. — Они арестовали меня, а настоящий преступник на свободе! Я никого не убивала. — Она горько всхлипнула.

— А как насчет Ричарда Мелтона?

— Я с ним незнакома, — срывающимся голосом пробормотала Эшли.

— И последнее. Не станете же вы отрицать, что знали помощника шерифа Блейка?

— Конечно нет. Я сама попросила его провести ночь в моей квартире, потому что боялась. Кто-то преследовал меня и угрожал. Я легла в спальне, а он — в гостиной, на диване. Утром... утром в переулке обнаружили его тело. Но зачем мне убивать человека, который согласился помочь?

Губы ее снова задрожали. Дэвид окончательно растерялся: «Что-то здесь не так! Либо она говорит чистую правду, либо чертовски хорошая актриса!»

Дэвид встал:

— Я еще не ухожу. Мне нужно поговорить с шерифом.

Он вышел в коридор и быстро направился к кабинету Даулинга.

— Ну что, говорили с ней? — спросил тот.

— Да. И по моему мнению, вы натворили дел, шериф.

— Что вы имеете в виду, мистер Сингер?

— Слишком торопились найти и арестовать виновного. Эшли Паттерсон даже незнакома с некоторыми из своих предполагаемых жертв.

Легкая улыбка коснулась губ шерифа Даулинга.

— Так она и вас обвела вокруг пальца? Нас, во всяком случае, девчонка успела одурачить.

— То есть как?

— Сейчас поймете, мистер.

Он открыл папку и вынул несколько листочков бумаги.

— Это копии докладов коронера, ФБР, Интерпола, заключения по поводу отпечатков пальцев и анализов на ДНК, полученных с мест преступлений. Пятеро мужчин были убиты и оскоплены, и каждый — *каждый*! — имел перед смертью половые сношения с женщиной. Кроме того, удалось сделать соскобы вагинальных выделений. Полиция занималась розыском трех различных женщин. Но когда сотрудники ФБР свели все отчеты в один, оказалось, что и отпечатки, и ДНК принадлежат одной-единственной, а именно — Эшли Паттерсон. Свидетельства и улики неопровержимы, уж поверьте мне. Сами знаете, не бывает на свете двух людей с одинаковыми отпечатками пальцев и формулой ДНК.

— Ч-что? — потрясенно пролепетал Дэвид. — Вы уверены?

— Зачем бы я стал вас обманывать? Разве только Интерпол, ФБР и пятеро коронеров со всех концов страны сговорились подставить вашу клиентку! Кстати, один из убитых — муж моей сестры. Эшли Паттерсон будут судить за предумышленные убийства и, конечно, осудят. У вас что-нибудь еще?

— Да, — выдохнул Дэвид. — Мне необходимо еще раз увидеться с Эшли Паттерсон.

Его вновь отвели в комнату для свиданий. Едва дождавшись, пока Эшли переступит порог, Дэвид гневно выкрикнул:

— Почему вы солгали мне?

— Что? Ничего не понимаю. Я вовсе вам не лгала.

— Да имеющихся против вас улик достаточно, чтобы вынести вам смертный приговор без суда и следствия! Я же сказал, что хочу услышать правду!

Эшли гордо выпрямилась:

— Это и есть правда. Больше мне нечего сказать, — спокойно объявила она.

Дэвид сокрушенно покачал головой: «Она в

самом деле верит тому, что говорит! Неужели классический случай безумия? Просто спятила и принялась резать мужчин, с которыми спала. Как же мне все объяснить Джессу Куиллеру?!»

— Вы согласны побеседовать с психиатром?

— Я не... Да. Если вы так считаете.

— Я обо всем договорюсь.

Выруливая на шоссе, Дэвид облегченно вздохнул. В конце концов он выполнил обещание, повидался с Эшли. Если она действительно уверена в собственной невиновности, значит, попросту спятила. Нужно передать ее Джессу. Тот сошлется в суде на душевную болезнь, предъявит необходимые документы, и на этом все будет кончено.

Сердце его сжалось при мысли о Стивене Паттерсоне.

А Стивену в это время приходилось нелегко. То и дело к нему подходили коллеги, пытавшиеся выразить соболезнования:

— Какой ужас, Стивен! Уж вы-то ничего подобного не заслужили.

— Какой ужасный удар! Если чем-нибудь смогу помочь вам, стоит...

— Ну и современная молодежь! Просто не знаю, что временами находит на этих деток! Эшли всегда казалась такой тихой, послушной...

И под всеми фальшивыми фразами и лицемерными утешениями подразумевалось лишь одно: «Слава богу, что это не мой ребенок!»

Вернувшись на работу, Дэвид поспешил в кабинет мистера Кинкейда. Тот соизволил поднять голову и кивнул:

— Ну... правда, уже начало седьмого, Дэвид, но я ждал вас. Виделись с дочерью доктора Паттерсона?

— Да, Джозеф.

— И нашли ей защитника?

Дэвид развел руками:

— Пока еще нет, Джозеф. Прежде всего ей необходима консультация психиатра. Утром я снова еду в тюрьму.

Джозеф Кинкейд недоуменно поднял брови:

— Вот как? Откровенно говоря, удивлен, что вы рискнули впутаться в это дело. Мы, естественно, не можем допустить, чтобы наша адвокатская контора была замешана в такой мерзости, как этот процесс.

— Я еще ни во что не впутался, Джозеф. Просто многим обязан ее отцу. Когда-то я дал ему обещание.

— Надеюсь, не в письменном виде?

— Нет.

— Значит, так называемые моральные обязательства?

Дэвид вскинул голову, хотел сказать что-то, но тут же осекся:

— Совершенно верно. Именно моральные обязательства.

— Что же, когда вы окончательно отделаетесь от мисс Паттерсон, приходите, и мы поговорим.

Ни слова насчет партнерства.

Дэвид открыл дверь и встревоженно нахмурился. В квартире темно и тихо. Где жена?!

— Сандра?

Молчание.

Дэвид уже потянулся было к выключателю, как Сандра появилась на пороге кухни. В руках торт с зажженными свечками.

— Сюрприз! Праздновать так...

Но, увидев хмурое лицо Дэвида, остановилась:

— Что-то не так, дорогой? Не удалось? Взяли кого-то другого?

— Нет-нет, — ободряюще пробормотал он, — все в порядке.

Сандра поставила торт и подошла ближе:

— И не пытайся меня обмануть. Какой уж тут порядок?

— Просто... просто небольшая задержка.

— Кинкейд не захотел с тобой говорить?

— Дело не в этом. Садись, детка. Мне нужно кое-что тебе сказать.

Они устроились на диване, и Дэвид обнял жену:

— Случилось кое-что неожиданное. Ко мне приезжал Стивен Паттерсон.

— Паттерсон? Зачем?

— Просил защищать его дочь на суде.

— Но, Дэвид, ведь ты не... — изумленно возразила Сандра.

— Именно, — перебил Дэвид. — Но когда-то занимался уголовным правом.

— Это было давно. Ты объяснил ему, что скоро станешь младшим партнером фирмы?

— Нет. Он был крайне настойчив. Почему-то уверен в том, что только я могу помочь Эшли. Конечно, это совершенный вздор. Я пытался предложить кого-то вроде Джесса Куиллера, но Паттерсон и слушать не желает.

— Значит, ему придется нанять другого адвоката.

— Разумеется. Я пообещал поговорить с мисс Паттерсон и сделал это.

Но Дэвиду, очевидно, не удалось успокоить Сандру.

— Мистер Кинкейд знает об этом? — взволновалась она.

— Еще бы! Я ничего от него не скрыл. Должен признаться, он не в восторге. «Мы, естественно, не можем допустить, чтобы наша фирма была замешана в такой мерзости, как этот процесс!» — передразнил он.

— Значит, ты видел дочь доктора Паттерсона? И какая она?

— С медицинской точки зрения, совершенно безумна. Очевидно, свихнулась на сексуальной почве и окончательно спятила.

— Я не доктор, — пожала плечами Сандра. — Что все это значит?

— Видишь ли, она искренне уверена в своей невиновности.

— И что тут странного?

— Видишь ли, шериф Купертино показал мне результаты анализов. Она умудрилась оставить отпечатки пальцев, где только возможно, особенно на ножах и бутылках, которыми приканчивала бедняг. Да и анализы ДНК совпадают. Никогда не думал, что серийный убийца способен так наследить!

— Что ты собираешься делать?

— Я позвонил Ройсу Сейлему. Это психиатр, которому Джесс безоговорочно доверяет. Сейлем работает на его контору. Я попрошу его обследовать Эшли и передать заключение отцу. Доктор Паттерсон, если захочет, может собрать консилиум или передать заключение защитнику, который возьмет на себя это дело.

— Понятно, — вздохнула Сандра, вглядываясь в расстроенное лицо мужа. — Кстати, Дэвид, мистер Кинкейд упоминал о партнерстве?

— Нет, — покачал головой Дэвид.

— Ничего! — утешила жена. — Еще не вечер!

Доктор Ройс Сейлем оказался высоким худым мужчиной с бородкой а-ля Зигмунд Фрейд.

«Может, это просто совпадение и он вовсе не намеренно пытается походить на Фрейда?» — уговаривал себя Дэвид.

— Джесс часто о вас говорит, — кивнул доктор Сейлем. — Он к вам искренне привязан.

— И я к нему.

— Случай Паттерсон кажется весьма интересным. Очевидно, все эти убийства дело рук психопата. Собираетесь сослаться в суде на душевную болезнь?

— Собственно говоря, — признался Дэвид, — не я веду дело. Просто, прежде чем найти защитника, я обязан получить заключение психиатра. Уж очень грязная история.

Дэвид коротко рассказал об основных фактах.

— Она заявляет, что невиновна, но все улики указывают на нее как на преступницу.

— Что же, попробуем проникнуть в душу леди, а там будет видно.

Сеанс гипноза должен был состояться в окружной тюрьме, в комнате для допросов. Обстановка здесь была самая простая — прямоугольный деревянный стол и четыре жестких стула.

Эшли, заметно побледневшую и осунувшуюся, привела надзирательница.

— Я подожду за дверью, — сказала она и тактично удалилась.

— Эшли, это доктор Сейлем, — представил Дэвид. — А это Эшли Паттерсон.

— Хэлло, Эшли, — жизнерадостно отозвался психиатр.

Эшли, не отвечая, нервно оглядывалась. Дэвиду показалось, что она вот-вот метнется к выходу.

— Мистер Сингер передал мне, что вы не возражаете против допроса под гипнозом.

Тишина.

— Вы позволите загипнотизировать себя, мисс Паттерсон? — настаивал доктор.

— Да, — кивнула Эшли, закрыв глаза.

— Почему бы нам не начать прямо сейчас?

— Ну что же, мне пора, — вставил Дэвид. — Если...

— Минутку, — перебил доктор Сейлем. — Я попросил бы вас остаться.

Дэвид раздраженно поморщился. Кинкейд прав — он слишком далеко зашел. Пора положить этому конец. Он останется, но больше не желает иметь со всем этим ничего общего!

— Так и быть, — неохотно согласился он. «Скорее бы покончить со всем этим и вернуться к себе».

Сейчас у него на уме была лишь предстоящая беседа с Джозефом.

— Вам лучше сесть, — обратился психиатр к Эшли.

Та послушно опустилась на стул.

— Скажите, вас когда-нибудь гипнотизировали?

— Н-нет, — нерешительно отозвалась девушка.

— Тут нет ничего страшного. Главное — успокоиться и внимательно меня слушать. Вам нечего волноваться. Постарайтесь расслабиться. Вот так. Чувствуете, как тяжелеют ваши веки? Вам много пришлось вынести. Вы устали, очень устали. И хотите только спать, спать и ничего больше.

Закройте глаза... глубоко вдохните... спать... спать...

Через десять минут доктор выпрямился и шагнул к обвиняемой:

— Эшли, вы знаете, где находитесь?

— Да, в тюрьме, — глухо, словно издалека, донесся голос девушки.

— И знаете, почему оказались в тюрьме?

— Люди считают, что я совершила что-то нехорошее.

— Это правда? Вы действительно сделали что-то плохое?

— Нет.

— Эшли, вам когда-нибудь приходилось убивать?

— Никогда.

Дэвид не знал, что и думать. Разве можно лгать под гипнозом?

— Возможно, вы знаете, кто совершил все эти преступления?

Лицо Эшли внезапно исказилось, дыхание стало частым и прерывистым. Потрясенные, мужчины молча наблюдали, как внешность девушки на глазах стала меняться. Губы сжались, рот превратился в тонкую ниточку, черты лица словно растеклись. Перед ними был другой человек! Эшли села прямее и подняла ресницы. Глаза сверкали злобой. Метаморфоза оказалась поистине потрясающей. Неожиданно она начала петь низким чувственным голосом с английским акцентом:

Из полфунта риса
Кашка хороша.
Еще полфунта патоки —
И веселись, душа.
Теперь получше все смешать,
Тарелочки на стол подать,
И — прыг да скок — удрал хорек!

Дэвид не верил собственным ушам.

«Кого это она хочет надуть? Нагло притворяется кем-то другим!»

— Я хотел бы задать вам еще несколько вопросов, Эшли.

Девушка надменно вскинула голову:

— Я не Эшли!

Сейлем обменялся многозначительным взглядом с Дэвидом и вновь обратился к девушке:

— Кто же вы в таком случае, если не Эшли?

— Тони. Тони Прескотт.

«Подумать только, даже глазом не моргнет! Долго еще она собирается разыгрывать этот дурацкий спектакль? Зря тратит время!» Дэвид, во всяком случае, уже все понял.

— Эшли, — окликнул Сейлем.

— Я же сказала: не Эшли, а Тони!

«Она еще и упорствует!»

— Хорошо, Тони. Я хотел бы...

— Меня не интересует, что хотите вы! А я вот желаю выбраться из этой чертовой дыры. Можете вытащить нас отсюда?

— Как сказать, — задумчиво пробормотал доктор Сейлем. — Что вы знаете о...

— О тех убийствах, за которые сцапали мисс Лицемерку? Я могла бы вам кое-что порассказать, да только...

И снова странная, необъяснимая перемена. Эшли, казалось, усохла, а лицо смягчилось, стало почти неузнаваемым. Совершенно другой человек!

— Тони, — пропела она с мелодичным итальянским выговором, — успокойся и помолчи.

Дэвид, окончательно сбитый с толку, беспомощно уставился на девушку.

— Тони, — начал было доктор Сейлем.

— Простите, что вмешалась, доктор, — мягко ответила она.

— Кто вы?

— Алетт, Алетт Питерс.

«Господи, да все это происходит на самом деле! Не сон и не игра!»

Он дернул доктора за рукав.

— Это «заместители», так называемые чужеродные «я», — тихо пояснил тот.

— Что?! — в полном недоумении пролепетал Дэвид.

— Позже объясню, — отмахнулся Ройс и вновь повернулся к Эшли: — Эшли... то есть Алетт, сколько вас здесь?

— Только Тони и я. Кроме Эшли, разумеется.

— У вас итальянский акцент.

— Совершенно верно. Я родилась в Риме. Вы когда-нибудь бывали в Риме?

— Нет, никогда.

«Просто поверить невозможно, что все это наяву. Уж не сошел ли и я с ума?» — Дэвид тряхнул головой, чтобы избавиться от наваждения.

— È molto bello*.

— Уверен, что так и есть. А вы знаете Тони?

— Si, naturalmente. Естественно.

— У нее английский акцент.

— Тони родилась в Лондоне.

— Я так и подумал, Алетт, мне хотелось бы больше узнать об убийствах. Можете сказать, кто...

Под взглядами мужчин лицо Алетт словно растаяло, превратившись в другое, жесткое и недоброе. Они поняли, что вернулась Тони.

— Ты зря тратишь на нее время, котик.

«Опять английское произношение!»

— Алетт ни черта не знает! Будь со мной подобрее, может, я и расколюсь!

---

* Там очень красиво *(ит.)*.

— Хорошо, Тони, я постараюсь. У меня всего несколько вопросов...

— Да что ты? Мне надоело тебя слушать. И вообще, я устала. Мисс Тощий Зад всю ночь не давала спать, — демонстративно зевнула Тони. — Я хочу отдохнуть.

— Но, Тони, послушайте, вам придется нам помочь.

— С чего бы это? — ухмыльнулась девушка. — Что хорошего сделала леди Сучка для меня и Алетт? Вечно мешает развлекаться, стоит только расслабиться на всю катушку, она тут как тут! Осточертело мне все это, и она тоже! Ясно, красавчик? — взвизгнула Тони, презрительно кривя губы.

— Пора будить ее, — решил доктор.

— Да. Поскорее, — выдохнул Дэвид, вытирая пот со лба.

Сейлем наклонился к девушке:

— Эшли, Эшли... Все в порядке. Закройте глаза. Веки снова тяжелеют... Вы полностью расслабились. Вам хорошо и тепло... Вы в полной безопасности... Ни о чем не думаете... Просыпайтесь на счет «пять». Один... два...

Эшли пошевелилась. По лицу пробежала легкая судорога. Очередное превращение?!

— Три...

Эшли приподнялась.

— Четыре...

Возвращение души в тело было словно бы физически ощутимым, и впечатления оказались не слишком приятными.

— Пять!

Эшли распахнула глаза и встревоженно огляделась:

— Я чувствую... Кажется, я уснула?

Дэвид, окончательно потерявший дар речи, тупо уставился на нее.

— Да, мисс Паттерсон. Именно спали, — согласился доктор Сейлем.

— Я говорила что-нибудь, мистер Сингер? То есть... что-то удалось выяснить?

«Господи, — охнул про себя Дэвид, — она не знает! В самом деле не знает!»

— У вас все получилось, Эшли, — заверил он вслух. — А теперь мне хотелось бы поговорить с доктором Сейлемом наедине.

— Хорошо.

— Еще увидимся, Эшли.

Мужчины не произнесли ни слова, пока надзирательница не увела арестованную. Дэвид рухнул на стул:

— Что... Какого черта вы тут творили?

Доктор тяжело вздохнул:

— За все годы работы никогда не сталкивался с более ярко выраженным случаем.

— Случаем чего?

— Вы когда-нибудь слышали о расщеплении сознания или деперсонализации?

— Что это?

— Состояние, при котором в одном теле могут уживаться несколько совершенно разных личностей. В американской психиатрии эта болезнь известна еще как диссоциативное расстройство личности. Подобные случаи впервые описаны еще два столетия назад. Обычно все начинается в результате перенесенной в детстве психической травмы. Больной старается отсечь неприятные воспоминания и отгораживается от них, придумав себе другое «я». Иногда таких «я» бывает великое множество.

— И все они знают друг друга?

— Иногда. А бывает, что и нет. Тони и Алетт, очевидно, знакомы. Эшли явно не подозревает об их существовании. «Заместители» появляются потому, что свое «я» не в силах вынести моральные терзания и душевную боль. Это своеобразный способ укрыться от действительности. Каждый раз, когда больной переносит очередной шок или потрясение, может родиться на свет новая личность. Такие «я» могут разительно отличаться друг от друга. Некоторые глупы, другие обладают блестящим умом. Они даже говорят на разных языках и имеют разнообразные вкусы.

— И... и часто такое бывает?

— Некоторые исследователи утверждают, что один процент населения страдает расщеплением сознания, а в психиатрических лечебницах таких пациентов примерно процентов двадцать.

— Но Эшли казалась совершенно нормальной, — возразил Дэвид.

— Такие люди действительно вполне нормальны, пока на сцену не выходит очередное чужеродное «я». Они работают, воспитывают детей, женятся, выходят замуж — словом, ведут совершенно обычную жизнь, но подмена может совершиться в любую минуту. Чужеродное «я» становится хозяином организма на час, день или даже несколько недель, и тогда человек может на время потерять память, ощущение времени, совершать странные поступки, до которых в жизни не додумался бы в нормальном состоянии.

— Поэтому Эшли и не подозревает, что творят ее «заместители»?

— Совершенно верно.

Дэвид ошеломленно покачал головой.

— Наиболее известный случай расщепления сознания, описанный во всех учебниках, — это

Брайди Мерфи. Именно этот пациент впервые привлек внимание широкой общественности к почти неизвестному заболеванию. Подобных историй случалось немало, но ни одна не стала такой убедительной или общеизвестной.

— Это кажется просто невероятным.

— Этот предмет занимает меня довольно давно. Существует определенный набор постоянных симптомов, которые почти никогда не меняются. Например, чужеродные «я» обычно используют те же инициалы, что и у личности-«хозяина»: Эшли Паттерсон, Алетт Питерс, Тони Прескотт*.

— Тони? — удивился Дэвид, но тут же понял. — Антуанетт!

— Верно. Вы же слышали выражение второе «я».

— Разумеется.

— В каком-то смысле у нас у всех есть эти вторые «я». Иногда добрый человек способен совершить жестокий поступок и наоборот. Нет пределов широчайшему диапазону человеческих эмоций. «Доктор Джекил и мистер Хайд»** всего лишь выдумка автора, но основана на факте.

Дэвид окончательно растерялся:

— И если Эшли совершила убийства...

— Она ничего о них не знает. Все это творили ее чужеродные «я».

— Господи! Как мне объяснить это суду?!

Доктор Сейлем с любопытством воззрился на Дэвида:

— Мне показалось, что вы сказали, будто подыщете ей защитника.

---

* В английском языке все эти имена начинаются с буквы «А».

** Новелла Р.Стивенсона, в которой добрый и благородный доктор Джекил имеет свойство превращаться в гнусного подлеца Хайда.

— Да, но теперь я уже ничего не понимаю. Кажется, и у меня начинается расщепление личности. Послушайте, доктор, это излечимо?

— В большинстве случаев.

— И что происходит потом?

Доктор болезненно поморщился:

— Процент самоубийств достаточно высок.

— Но Эшли, конечно, ничего об этом не знает?

— Конечно.

— Вы... вы собираетесь ей рассказать?

— Естественно.

— Нет! — дико завопила Эшли и прижалась к стене, закрыв руками лицо. — Этого не может быть! Вы лжете!

— Успокойтесь, Эшли, все так и есть, — уговаривал доктор. — Придется смириться с реальностью. Я уже объяснял: в том, что произошло, нет вашей вины. Я...

— Не подходите!

— Никто не причинит вам зла.

— Я хочу умереть! Дайте мне яда! Не могу больше жить! — расплакалась девушка.

— Немедленно дайте ей успокаивающее, — велел доктор надзирательнице, — и поставьте за дверью круглосуточную охрану. Как бы она не покончила с собой!

Прямо из тюрьмы Дэвид позвонил доктору Паттерсону.

— Мне нужно поговорить с вами, — выпалил он, не потрудившись поздороваться.

— Я ждал вашего звонка, Дэвид. Вы видели Эшли?

— К сожалению. Где мы можем встретиться?

— Я буду у себя. Приезжайте.

По дороге к клинике Дэвид каким-то чудом не попал в аварию, потому что думал лишь о том, как развязаться со всей этой историей. Ни в коем случае нельзя браться за дело Паттерсон — слишком многое поставлено на карту. Придется все-таки найти ей хорошего защитника и раз и навсегда покончить с этим.

Не успел Дэвид переступить порог кабинета доктора Паттерсона, как тот бросился навстречу:

— Что с Эшли?

— Ничего особенного.

— Вы скрываете что-то?

Как ответить на подобный вопрос?!

Дэвид судорожно втянул в легкие воздух:

— Вы слышали когда-нибудь о расщеплении сознания? Так называемой деперсонализации?

— Смутно припоминаю... — нахмурился Паттерсон.

— Несколько личностей или чужеродные «я» сосуществуют в теле одного человека, и время от времени одна из них берет верх над остальными, причем сам больной чаще всего об этом не подозревает. У вашей дочери именно такой случай.

Доктор Паттерсон отшатнулся:

— Что?! Невозможно! Откуда вы знаете?

— Я привез психиатра и сам присутствовал при сеансе гипноза. Доктор Сейлем выявил, что у Эшли есть два чужеродных «я» и время от времени какой-то из «заместителей» превалирует над остальными. Кроме того, шериф познакомил меня с уликами против вашей дочери, — поспешно продолжал Дэвид, словно боясь, что ему не дадут договорить. — Они неопровержимы. Поверьте, нет никакого сомнения в том, что ваша дочь — убийца.

— О боже, — простонал Паттерсон. — Так она действительно виновна?!

— Нет, Эшли не сознавала, что творит. Она делала это под влиянием одной из своих «заместительниц». У самой Эшли не было причин совершать эти преступления. Никакого мотива. Она собой не владела. Думаю, обвинителям будет весьма сложно доказать факт преднамеренного убийства.

— Значит, ваша защита будет построена на...

— Я не собираюсь защищать вашу дочь, мистер Паттерсон, — резко оборвал его Дэвид. — Дело будет передано Джессу Куиллеру. Он блестящий адвокат. Я когда-то работал с ним и могу заверить...

— Нет, — упрямо загремел Паттерсон. — Вы и никто другой будете защитником Эшли.

— Вы не поняли, — терпеливо объяснил Дэвид. — Я только все испорчу. Ей нужен...

— Я же сказал: кроме вас, не доверяю никому. Моя дочь — самое дорогое, что есть у меня, Дэвид. Никто, кроме вас, не сумеет спасти ей жизнь.

— Только не я. Никакой практики вот уже много лет...

— Но вы специализировались по уголовному праву?

— Да, но...

— Не желаю слышать ни о ком другом, — процедил Стивен.

По всему было видно, что еще минута — и разразится гроза. Все так, но как теперь быть?! Дэвид сделал последнюю отчаянную попытку:

— Но Куиллер лучший...

Доктор Паттерсон, побагровев, вскочил:

— Дэвид, вспомните, как много значила для вас ваша матушка! Может, тогда поймете, что такое для меня Эшли. Когда-то вы попросили меня о помощи и отдали в мои руки жизнь матери. Теперь моя очередь. Поймите, если Эшли приговорят к смерти, кровь ее будет на вас! Я хочу, чтобы вы защищали мою дочь. Пришло время платить долги.

«Он ничего не желает слушать! Неужели до него никак не достучаться?»

Дэвид в отчаянии воздел руки к небу. Сотни доводов и отговорок теснились в мозгу, но все бледнели и терялись перед простым фактом: пришло время платить долги.

— Доктор Паттерсон, — умоляюще пробормотал Дэвид.

— Да или нет, Дэвид?

Глава 13

Дома Дэвида встретила Сандра.

— Добрый вечер, дорогая. — Он нежно обнял жену.

«Боже, до чего она прекрасна! Какой кретин сказал, что беременные женщины уродливы?»

— Малыш сегодня снова толкался, — взволнованно сообщила Сандра и, взяв руку мужа, положила себе на живот. — Чувствуешь, какой озорник?!

— Нет, — разочарованно отозвался Дэвид, подождав несколько секунд. — Не озорник. Упрямый дьяволенок. Не хочет поздороваться с папочкой.

— Кстати, звонил мистер Краудер.

— Краудер?

— Маклер. Он приготовил все документы. Осталось только подписать.

У Дэвида неприятно защемило сердце.

— Вот как...

— Сейчас покажу тебе кое-что, — оживилась Сандра. — Не уходи.

Дэвид тоскливо смотрел вслед жене. Как ей сказать? Больше медлить нельзя — пора принимать решение.

Сандра выбежала из спальни с ворохом образцов обоев в голубых тонах.

— Детская будет синей, гостиная — голубой и белой. Твои любимые цвета. Какой оттенок предпочитаешь: посветлее или потемнее?

Дэвид вынудил себя сосредоточиться.

— По-моему, светлые лучше.

— Мне тоже нравится. Проблема в том, что ковер темно-синий. Как по-твоему, они будут сочетаться?

«Я не могу отказаться от партнерства. Слишком многим пожертвовал ради него. Временем, здоровьем... Сколько бессонных ночей! И теперь выбросить все на ветер?!»

— Дэвид! Ты что, не слышишь? Они будут сочетаться?

Дэвид рассеянно уставился на жену:

— Что? Ах да. Как захочешь, дорогая.

— Я просто места не нахожу от нетерпения. Вот увидишь, у нас будет настоящий дворец!

«За который мы никак не сможем платить, если Кинкейд не сделает меня партнером».

Сандра оглядела гостиную.

— Нужно взять кое-что из старой мебели, но, боюсь, нам понадобится много новых вещей. Мы можем себе это позволить, дорогой? — спросила она, с тревогой глядя на мужа. — Я не хочу тебя разорять.

— Наверное, — с отсутствующим видом пробормотал Дэвид.

Сандра прижалась к его плечу:

— Отныне у нас начнется настоящая жизнь, верно? Все сразу: и малыш, и партнерство, и новый дом. Я проходила сегодня мимо. Хотела получше рассмотреть детскую площадку и школу. Площадка просто восхитительна! Горки, качели и всякие тренажеры! Пойдем туда в субботу и еще раз все проверим! Джеффри будет в восторге, вот увидишь!

«Может, я сумею убедить Кинкейда, что фирме выгоден этот процесс! Неплохая реклама и тому подобное».

— А школа — просто чудо! Всего в двух кварталах от дома и не слишком большая. По-моему, это то, что нужно.

Дэвид на секунду прикрыл глаза.

«Я не могу подвести ее. Разбить мечты. Утром скажу Кинкейду, что не берусь за дело Паттерсон. Пусть Стивен найдет кого-нибудь другого».

— Пора одеваться, дорогой. В восемь мы должны быть у Куиллеров.

Вот он, момент истины! Дэвид сжал кулаки:

— Нам нужно потолковать кое о чем.

— Что-то...

— Сегодня я снова ездил к Эшли Паттерсон.

— Вот как? Расскажи! Она в самом деле прикончила пятерых? И все эти несчастные — ее жертвы?

— И да, и нет.

— Слышу речи истинного адвоката. Что это означает?

— Она совершила убийства, хотя и не подозревает об этом.

— Дэвид!

— Эшли больна. В психиатрии это считается расщеплением сознания. В ней живет еще несколько личностей, и она не ответственна за свои поступки.

— Какой ужас! — передернулась Сандра.

— Я сам слышал этих других.

— Слышал?!

— Да. Они вполне реальны. Эшли не притворяется.

— И действительно не имеет представления...

— Ни малейшего.

— Но в таком случае объясни: она невиновна или виновна?

— Это решать суду. Ее отец не желает ничего слышать о Джессе Куиллере, так что придется найти другого адвоката.

— Но лучше Джесса просто не найти! Почему Паттерсон упрямится?

— Хочет, чтобы я взял это дело, — помявшись, нерешительно признался Дэвид.

— Ты, разумеется, отказался?

— Разумеется.

— И что же?

— Он стоит на своем.

— Что он сказал, Дэвид?

— Неважно, — покачал головой муж.

— Что он сказал?

— Говорит, если я доверился ему настолько, чтобы рискнуть жизнью матери, то и он безоговорочно верит, что я спасу Эшли.

— Как по-твоему, сумеешь? — прошептала Сандра, не сводя глаз с мужа.

— Не знаю. Кинкейд запретил мне вмешиваться. Если я соглашусь, могу проститься с партнерством.

— Даже так?!

Последовало долгое молчание.

— Выход всегда есть, — выговорил наконец Дэвид. — Можно отказать Паттерсону и стать партнером фирмы или согласиться уйти в неоплачиваемый отпуск и каждую минуту ждать увольнения.

Сандра молча слушала.

— Есть много людей умнее и способнее и гораздо более подходящих для роли защитника Эшли, но по какой-то идиотской причине Паттерсон отказывает всем желающим. Не пойму, почему он так уперся, но это факт. Если идти у него на поводу, прощай, новая квартира и все планы на будущее.

— Помнишь, когда мы еще только встречались, ты рассказывал мне о Паттерсоне? Я до сих пор помню, как ты им восхищался, — мягко заметила Сандра. — Он был страшно занят, его одолевали просьбами, однако он нашел время помочь одинокому юноше без гроша в кармане. Тогда Паттерсон был твоим героем, Дэвид. Ты сказал, что если у нас когда-нибудь родится сын, хорошо бы он хоть немного походил на Стивена.

Дэвид кивнул.

— И что ты решил?

— Завтра первым делом повидаю Кинкейда.

Сандра сжала руку мужа:

— Тебе вовсе не нужно так долго думать. Паттерсон спас твою маму. Ты спасешь его дочь.

И, отшвырнув забытые образцы обоев, улыбнулась:

— Так или иначе, мы всегда можем отделать эту квартиру белым с голубым.

Джесс Куиллер считался одним из лучших адвокатов-защитников в стране. Высокий, нескладный, с простоватым лицом, он импонировал присяжным именно своим деревенским видом. Они считали его своим, таким же, как они, и обычно горячо сочувствовали и ему, и тем, кого он защищал. Это была главная из причин, по которым он крайне редко проигрывал процессы. Кроме того, природа наградила Джесса идеальной зрительной памятью и острым умом.

Летом, вместо того чтобы ехать в отпуск и наслаждаться морем и солнцем, Куиллер предпочитал преподавать право, и Дэвид был когда-то одним из его учеников. После окончания университета Куиллер пригласил его в свою юридическую контору, и два года спустя Дэвид стал его партнером. Ему прочили такое же блестящее будущее, как Джессу. Он старался не брать гонорара с тех, кто не мог заплатить. По крайней мере, десять процентов дел фирмы были бесплатными. Но три года спустя Дэвид неожиданно уволился и перешел в «Кинкейд, Тернер, Роуз и Рипли».

Однако с Джессом они оставались хорошими друзьями и раз в неделю непременно ужинали вчетвером. Джессу всегда нравились высокие, грациозные, утонченные блондинки, но получилось так, что он безумно влюбился в Эмили, рано поседевшую пухленькую коротышку, уроженку фермы в штате Айова, настоящую крестьянку, истинное олицетворение матери-земли и полную противоположность тем женщинам, с которыми обычно встречался Куиллер. Парочка получилась довольно забавной, поскольку вместе они смотрелись странновато, но брак оказался на удивление прочным, потому что оба горячо любили друг друга.

Каждый вторник, после совместного ужина, Сингеры и Куиллеры играли в довольно сложную карточную игру под названием «Ливерпуль».

Куиллеры жили в прелестном особнячке на Хейз-стрит. Гостей встретил у порога сам хозяин и, стиснув Сандру в медвежьих объятиях, провозгласил:

— Почему так долго? Заходите скорее! Шампанское стынет! Отпразднуем великий день! Сразу и пентхаус, и партнерство в фирме! Такое нечасто бывает! Или сначала пентхаус, а потом партнерство.

Дэвид и Сандра переглянулись.

— Эмили в кухне, готовит что-то ужасно вкусное, — продолжал Джесс. — Думаю, вам понравится, если... — И, внезапно осекшись, внимательно пригляделся к супружеской чете: — Что-то неладно? Я слишком поспешил? Или полез не в свое дело?

— Нет, Джесс, — покачал головой Дэвид. — Просто... просто небольшая проблема.

— Ну же, не стойте в прихожей. Пойдем в гостиную. Выпьешь что-нибудь, Сандра?

— Нет. Не хочу, чтобы у малыша появились дурные привычки.

— Повезло парню на родителей, — искренне восхитился Джесс. — А ты, Дэвид? Что тебе налить?

— Что хочешь, — рассеянно отозвался Дэвид.

Сандра тактично отступила к кухне:

— Пойду спрошу Эмили, не требуется ли помощь.

— Садись, Дэвид. Вижу, что-то стряслось.

— Я совершенно запутался, — признался Дэвид.

— Постой, сейчас угадаю. Что под угрозой: пентхаус или партнерство?

— И то и другое.

— И то и другое?!

— Да. Надеюсь, ты слышал о деле Паттерсон?

— Эшли Паттерсон? Еще бы! Но какое отношение имеешь к этому...

Джесс внезапно осекся.

— Погоди! Ты рассказывал о каком-то Стивене Паттерсоне, который спас жизнь твоей матери!

— Да. И теперь он требует, чтобы я защищал его дочь. Я пытался порекомендовать тебя, но он не хочет признавать никого, кроме меня.

Куиллер нахмурился:

— Разве он не знает, что ты давно занимаешься гражданским правом?

— Знает, в том-то и загвоздка. На свете есть десятки защитников, которым я в подметки не гожусь!

— Но он знает, что когда-то ты был криминалистом?

— Конечно.

— Как он относится к своей дочери? — осторожно осведомился Куиллер.

— Что за странный вопрос! Она для него дороже всего на свете.

— Прекрасно. Предположим, ты соглашаешься. Беда в том...

— Беда в том, что Кинкейд не желает моего участия в этом, как он выражается, «мерзком» процессе. И если я пойду наперекор, не видать мне партнерства как своих ушей.

— Понятно. А при чем тут пентхаус?

— Заодно я могу попрощаться со всем своим будущим! — взорвался Дэвид. — Откуда у меня деньги на такие хоромы? Я буду последним идиотом, если возьмусь за это. Да что там, настоящим ослом!

— А почему ты злишься?

Дэвид тряхнул головой, чтобы немного прийти в себя.

— Потому что я собираюсь защищать Эшли Паттерсон.

— Интересно, отчего меня это ничуть не удивляет? — усмехнулся Куиллер.

Дэвид раздраженно провел рукой по волосам:

— Если я отвернусь от Паттерсона, а его дочь осудят и казнят, одно сознание, что я мог, но отказался помочь, не даст мне жить спокойно. Тогда хоть в петлю.

— Понятно. А Сандра что говорит?

Дэвид выдавил кривую улыбку:

— Ты ведь знаешь ее.

— Да уж. Она хочет, чтобы ты поступил по совести.

— Как ты догадался?

— Что же, дружище, можешь положиться на меня.

Дэвид вздохнул:

— Нет. В том-то все и дело. Паттерсон поставил условие — я должен справиться сам.

— Не понимаю, что за чепуха? — удивился Куиллер.

— Думаешь, я понимаю? Поверь, я пытался, как мог, объяснить все это Паттерсону, но он не дает слова сказать.

— А Кинкейд знает?

— Завтра поговорю с ним.

— И что из всего этого выйдет?

— Увы, кому знать, как не мне? Он посоветует не браться за дело, а если я буду настаивать, попросит взять отпуск без сохранения содержания.

— Давай завтра пообедаем вместе. «Рубикон», час дня.

— Заметано, — кивнул Дэвид.

В эту минуту из кухни вышла Эмили, вытирая руки о передник. Дэвид и Куиллер поднялись.

— Привет, Дэвид, — весело прощебетала Эмили, подставляя щеку для поцелуя. — Надеюсь, вы проголодались. Ужин почти готов. Сандра помогает мне делать салат. Она у тебя просто чудо!

Эмили подхватила поднос и просеменила на кухню.

— Ты так много значишь для нас с Эмили, — тихо сказал Джесс. — Поэтому и хочу дать тебе совет. Гони призраки прошлого.

Дэвид молча опустил голову.

— Это было и прошло, Дэвид. Все кончено. И ты ни в чем не виноват. Такое могло случиться с кем угодно.

— Но случилось со мной, Джесс. Я прикончил ее собственными руками. Исподтишка.

И снова нахлынули воспоминания. Они приходили опять и опять, неотвязные, назойливые. Очередной приступ дежа-вю. Дэвид на мгновение перенесся в другое место и другое время. И застыл, морщась от боли.

Тогда он выпросил у Куиллера это дело. Эффектное и выигрышное. Сулившее оглушительный успех.

Хелен Вудмен, молодую красивую девушку, обвинили в убийстве богатой мачехи. Все знали о том, что эти двое ненавидели друг друга, не раз затевали прилюдные скандалы и едва не дрались, но все улики против Хелен были косвенными. Ни одного прямого доказательства. Дэвид отправился в тюрьму и, поговорив с девушкой, преисполнился уверенности в том, что она невиновна.

С каждой встречей Хелен нравилась ему все больше, и в конце концов Дэвид нарушил непреложное правило: никогда не влюбляться в клиенток.

Процесс шел, как и предполагалось, довольно гладко. Дэвид методично разбивал все доводы обвинения и легко перетянул многих присяжных на свою сторону. Но тут неожиданно грянул гром. Алиби Хелен основывалось на том, что в ночь убийства она была в театре с подругой. Ту вызвали в суд для дачи показаний, и девушка призналась, что Хелен попросила ее выгородить. К тому же объявился свидетель, видевший обвиняемую у дома мачехи приблизительно в то время, когда было совершено преступление. Общественное мнение и симпатии присяжных склонились на сторону обвинения. Хелен обвинили в предумышленном убийстве и приговорили к смертной казни. Дэвид был вне себя от отчаяния.

— Как вы могли сделать это, Хелен? — упрямо допытывался он. — Почему солгали мне?

— Я никого не убивала, Дэвид. В ту ночь, войдя в дом, я обнаружила тело мачехи на полу. И побоялась... побоялась, что вы не поверите мне. Вот и сочинила, что была в театре.

Дэвид цинично усмехнулся и тряхнул головой.

— Я говорю правду, Дэвид!

— Неужели?

Он повернулся и, взбешенный, вылетел из камеры.

Этой же ночью Хелен покончила с собой.

Неделю спустя вор-рецидивист, пойманный с поличным в доме, который пытался ограбить, признался в убийстве мачехи Хелен.

На следующий день Дэвид ушел от Джесса. Куиллер пытался разубедить друга, уверяя, что он ни в чем не виноват, что Хелен солгала ему...

— В этом все дело, — твердил Дэвид. — Я позволил ей обмануть меня, не попытался удостовериться, все ли в ее показаниях правда, и стал ее палачом. Если бы я взял на себя труд получше во всем разобраться, Хелен была бы сейчас жива и на свободе.

Две недели спустя Дэвид нашел место в новой фирме.

— Никогда больше не посмею возложить на себя ответственность за чью-то жизнь, — поклялся он.

И вот теперь взялся защищать Эшли Паттерсон.

Глава 14

Едва появившись на работе, Дэвид немедленно отправился к Джозефу Кинкейду. Тот неохотно оторвался от кипы документов и недовольно посмотрел на вошедшего:

— А, это вы? Садитесь. Я сейчас закончу.

Дэвиду ничего не оставалось делать, кроме как набраться терпения. Наконец Кинкейд отложил в сторону последнюю бумагу и холодно улыбнулся:

— Ну? Кажется, у вас неплохие новости?

«Неплохие? Откуда и для кого?!»

— Вас ждет прекрасное будущее, Дэвид, и вы, несомненно, не пожелаете, чтобы какая-то глупая случайность все испортила. У нашей фирмы большие планы на вас, и мы надеемся, что вы нас не подведете.

Дэвид молчал, отчаянно пытаясь найти нужные слова. Но как убедить эту ледяную статую, человека, которому при рождении Бог забыл вложить душу?

— Итак, вы уже сообщили Паттерсону, что нашли ему другого адвоката? — допытывался Кинкейд.

— Нет. Я собираюсь защищать мисс Паттерсон.

Крокодилья улыбка Кинкейда несколько поблекла.

— Надеюсь, вы понимаете, на что идете, Дэвид? Она маньячка, гнусная тварь, которой не место среди порядочных людей. Всякого, кто возьмется защищать ее, заклеймят позором.

— Я поступаю так не из прихоти, Джозеф. Просто многим обязан доктору Паттерсону, и это единственный способ отблагодарить его за все, на что он решился ради меня.

Кинкейд озадаченно нахмурился и после долгих раздумий наконец вынес вердикт:

— Что же, поскольку вы уже все решили, будет только справедливым, если возьмете на время отпуск. Неоплачиваемый, разумеется.

«Прощай партнерство!»

— Когда процесс завершится, вы, естественно, вернетесь к нам, и поверьте, мы будем счастливы видеть вас нашим партнером.

— Благодарю, — кивнул Дэвид.

— Передайте текущие дела Коллинзу. Вам следует хорошенько изучить материалы по обвинению Паттерсон и подготовиться к защите.

Дождавшись ухода Дэвида, Кинкейд немедленно собрал совещание. Вскоре в его кабинете собралась «большая четверка».

— Мы не можем позволить, чтобы контора оказалась замешанной в бульварный скандал! — рявкнул Генри Тернер, возбужденно размахивая руками.

— Но мы пока еще ни в чем не замешаны, — возразил Кинкейд. — Я попросил мальчишку взять отпуск.

— А по-моему, его следует просто уволить, — вмешался более сдержанный Алберт Роуз.

— Не стоит предпринимать поспешных шагов, Алберт. Эта мера преждевременна. Подумайте сами, доктор Паттерсон может стать для нас настоящей дойной коровой. Он в медицине человек влиятельный, обладает прекрасными связями и, конечно, будет благодарен нам за то, что позволили Дэвиду вести дело. Поверьте, независимо от того, чем кончится суд, мы все равно останемся в выигрыше. Если девушку оправдают, доктор станет нашим клиентом, а Сингер — партнером. Если же Сингер не сумеет выкрутиться, мы его вышвырнем и все-таки попробуем заполучить наше медицинское светило. Так что мы в любом случае на коне.

После минутного молчания Джон Рипли, восторженно ухмыльнувшись, объявил:

— Вы просто гений, Джозеф.

Передав дела, Дэвид немедленно позвонил Паттерсону. Его сразу же соединили.

— Мистер Паттерсон, я хотел бы увидеться с вами.

— Буду ждать.

Верный своему слову, Стивен встретил адвоката в дверях офиса:

— Ну, что скажете, Дэвид?

«Неужели он не сознает, как разительно переменится моя жизнь с этой минуты? И переменится далеко не к лучшему».

— Я берусь защищать вашу дочь, доктор Паттерсон, — выпалил он, с отчаянием человека, которому нечего больше терять.

Стивен облегченно вздохнул:

— Я так и знал. Готов был голову дать на отсечение! Теперь от вас зависит, останется ли Эшли в живых.

— Мне предоставили отпуск. Один из лучших адвокатов-криминалистов согласился мне помочь...

Доктор Паттерсон повелительно поднял руку:

— Дэвид, по-моему, я достаточно ясно выразился: не желаю больше никого вмешивать. Эшли — в ваших и только в ваших руках.

— Понимаю, — торопливо пробормотал Дэвид, — но Джесс Куиллер — мой друг.

Паттерсон порывисто вскочил:

— Не нужен мне ни Джесс Куиллер, ни кто-то иной. Слишком хорошо я знаю наших адвокатов, Дэвид. Их интересуют исключительно деньги и слава. Мне же дорога Эшли. И думаю я лишь о ней.

Дэвид попытался было что-то возразить, но осекся. Да и что тут скажешь? Паттерсон либо помешанный, либо упрям как осел. Кроме того, что возьмешь с убитого горем отца?

«Он совершенно спятил, если не понимает, как мне нужны советы Джесса! Весь свой небольшой опыт я давно растерял, и обвинители меня просто сотрут в порошок. Почему он так упорствует?»

— Я достаточно ясно выразился?

— Совершенно, — кивнул Дэвид.

— Я, разумеется, позабочусь о вашем гонораре и текущих расходах.

— Нет! И цента не возьму!

Доктор испытующе посмотрел ему в глаза и развел руками:

— Qui pro quo?*

— Qui pro quo, — со вздохом согласился Дэвид. — Кстати, у вас есть водительские права? Может, возьметесь возить меня на работу и с работы?

— Но, Дэвид, если вас отправили в отпуск, значит, будете сидеть без гроша! Нужно же вам

---

* Услуга за услугу *(лат.)*.

на что-то жить! Иначе просто не продержитесь. Я настаиваю.

— Как хотите, — покорно согласился Дэвид. По крайней мере, будет на что покупать еду до окончания процесса.

Делать было нечего. Все творилось помимо его воли. Пора в «Рубикон». Джесс Куиллер, должно быть, уже теряется в догадках, куда это делся Дэвид.

— Ну как? — выпалил он, едва завидев друга.

— Все, как я и предвидел. Меня выпихнули в неоплачиваемый отпуск.

— Ну и подонки! Как только совести хватило!

— Трудно их осуждать. Консервативные люди, старой закалки, — пожал плечами Дэвид.

— И что теперь?

— Буду готовить процесс. А ты что имеешь в виду?

— Имею в виду?! Тебе выпало вести одно из известнейших уголовных дел века. И что же? Ни своего кабинета, ни допуска к документам или архивам, ни юридической библиотеки, даже факса своего нет, черт побери. Видел я ту рухлядь, что ты и Сандра именуете компьютером! На таком даже в Интернет не войдешь! Уж не говорю о чем-то более серьезном.

— Обойдусь как-нибудь, — пробурчал Дэвид.

— Именно «как-нибудь». Ну вот что, в моей конторе есть пустой кабинет. Я решил предоставить его тебе на время. Там найдешь все необходимое.

Дэвид недоуменно воззрился на друга, мгновенно потеряв дар речи. Потребовалось несколько минут, прежде чем он смог прохрипеть:

— Джесс, я не могу.

— Можешь, можешь, — заверил тот. — Когда-нибудь сочтемся. Ты ведь всегда находишь способ отблагодарить тех, кто делает тебе добро, верно, святой Дэвид? — отмахнулся Джесс и взял в руки меню. — И хватит морить меня голодом. Кстати, сегодня платишь по счету ты!

Дэвид вошел в тюремную комнату для свиданий и попросил привести Эшли Паттерсон. Вскоре надзирательница ввела заключенную. Эшли похудела и была еще бледнее, чем в прошлый раз. Оба натянуто поздоровались и сели.

— Сегодня приезжал отец, — сообщила Эшли. — Он сказал, что вы обязательно вытащите меня отсюда.

«Мне бы его оптимизм!»

— Сделаю все, что в моих силах, — осторожно заверил Дэвид. — Но беда в том, что немногие люди знакомы с вашей проблемой. Эта болезнь не обсуждается в широких кругах. Придется помочь присяжным познакомиться с ней. Для начала необходимо, чтобы лучшие психиатры осмотрели вас и засвидетельствовали ваш диагноз.

— Я боюсь, — прошептала Эшли.

— Чего именно?

— Во мне живут еще два человека, а я даже не знаю их, — дрожащим голосом прошептала девушка. — Они могут в любую минуту вырваться на свободу, и я стану их послушной игрушкой. Как все это ужасно!

Глаза Эшли наполнились слезами.

— Они не люди, Эшли, а призраки, созданные вашим воображением, — тихо поправил Дэвид. — Часть вашей души. И вас можно вылечить, так сказал доктор. Все будет хорошо, вот увидите.

Дэвид добрался до дому поздно вечером. Сандра бросилась ему на шею, обняла и прошептала:

— Я когда-нибудь говорила, как горжусь тобой?!

— По тому поводу, что я ухитрился остаться без работы? — усмехнулся Дэвид.

— И этим тоже. Кстати, опять звонил мистер Краудер. Напоминал о договоре, требует остальную часть залога. Шестьдесят тысяч. Боюсь, придется объяснить ему, что теперь мы не в состоянии...

— Погоди. Столько у меня найдется. В пенсионном фонде фирмы. Паттерсон обещал мне деньги на текущие расходы, так что немного сноровки, и мы продержимся.

— Все это уже не важно, Дэвид! Не хотим же мы избаловать нашего сына дворцами и пентхаусами! Нужно жить поскромнее!

— Зато у меня все-таки есть хорошие новости! День не прошел зря. Джесси согласился позволить мне...

— Знаю. Я говорила с Эмили. Мы переезжаем в контору Джесса.

— Мы? — подчеркнул Дэвид.

— Ты забываешь, что женился на выпускнице юридического колледжа! Серьезно, дорогой, не могу же я остаться в стороне! Буду работать с тобой, пока... — Она коснулась живота. — Пока не появится Джеффри, а там посмотрим.

— Миссис Сингер, вы, конечно, не подозреваете, как сильно я вас люблю.

— Конечно, — заверила Сандра, — но, может, объяснишь? До ужина еще час.

— Часа недостаточно, — возразил Дэвид.

Сандра покрепче прижалась к мужу:

— Почему бы тебе не раздеться, Тигренок?

— Что? — охнул Дэвид, встревоженно глядя на жену. — А как насчет... Что говорит доктор Бейли?

— Доктор говорит, что если немедленно не разденешься, я наброшусь на тебя, как кошка, и тогда берегись!

— Что же, его слово для меня закон, — ухмыльнулся Дэвид.

Назавтра он обосновался в новом кабинете, довольно просторном и оборудованном современным компьютером.

— С тех пор как ты ушел, мы немного расширились и арендовали дополнительную площадь, — объяснил Джесс. — Уверен, ты ни в чем не будешь знать недостатка. За стеной целая библиотека справочников. У нас есть факсы, электронная почта — словом, все, что потребуется. Если что понадобится, дай знать.

— Спасибо, — растроганно пробормотал Дэвид. — Я... высказать не могу, как благодарен, Джесс.

— Ничего, я найду способ возместить расходы, — улыбнулся Куиллер. — Разве не помнишь, ты обещал отблагодарить меня?

Через несколько минут появилась Сандра.

— Я готова, — объявила она. — С чего начнем?

— Просмотрим все судебные дела, где ответчиками выступали больные с расщеплением сознания. Возможно, в Интернете сумеем найти информацию по подобным вопросам. Зайдем в странички «Калифорния Криминал Л°», «Корт Ти Ви», походим по другим адресам и вытянем все возможные сведения из «Уэстло» и «Лексис-Нексис»*. Далее обратимся к психиатрам,

---

* Странички в криминальном разделе Интернета.

специализирующимся на проблемах деперсонализации или диссоциативного расстройства личности, попытаемся пригласить экспертов, наблюдавших подобных больных. Нужно опросить их и определить, стоит ли использовать свидетельские показания на процессе. Следует освежить в памяти криминальное судопроизводство и быть готовым к «вуа дир»*. Кроме того, необходимо раздобыть список свидетелей обвинения и их показания. Словом, все документы, связанные с процессом.

— И послать им показания наших свидетелей. Ты собираешься публично допрашивать Эшли?

Дэвид покачал головой:

— Она и так едва держится. Обвинитель ее доконает. — И, улыбнувшись Сандре, признался:

— Кажется, бой будет нелегким.

— Но мы обязательно победим, я точно знаю, — заверила жена.

Разделавшись с самыми неотложными делами, Дэвид позвонил Харви Юделлу, бухгалтеру «Кинкейд, Тернер, Роуз и Рипли».

— Харви, это Дэвид Сингер.

— Привет, Дэвид. Я слышал, вы ненадолго нас покинули.

— Так уж пришлось.

— Все газеты только и кричат, что о вас. Весьма интересный случай, не находите? Кстати, чем обязан вашему звонку?

— В пенсионном фонде на моем счете накоп-

---

* «Говорить правду» *(старофранц.)*. Допрос судом свидетеля или присяжного на предмет выяснения его беспристрастности и непредубежденности.

лено шестьдесят тысяч долларов. Я не собирался забирать их так рано, но мы недавно купили пентхаус и нужно заплатить залог.

— Пентхаус? Поздравляю!

— Спасибо. Как насчет денег?

Последовала короткая пауза.

— Не возражаете, если я перезвоню?

— Конечно. Запишите номер.

— Я не заставлю вас ждать.

— Не сомневаюсь.

Харви повесил трубку, но тут же вскочил и нажал кнопку переговорного устройства:

— Передайте мистеру Кинкейду, что я хотел бы немедленно с ним поговорить.

Поскольку Джозеф Кинкейд весьма благоволил бухгалтеру, сумевшему подладиться к старшему партнеру, то и аудиенция была дана немедленно.

— Что у вас, Харви?

— Мне звонил Дэвид Сингер, мистер Кинкейд. Он только что купил пентхаус и требует шестьдесят тысяч из пенсионного фонда, чтобы заплатить залог. По моему мнению, мы вовсе не обязаны давать ему деньги. Он в отпуске и не...

— Интересно, знает ли он, какое дорогое удовольствие содержать эти пентхаусы?

— Вероятно, нет. Так я передам ему, что мы не сможем...

— Наоборот, отдайте ему деньги.

Харви от изумления раскрыл рот:

— Но мы не...

Кинкейд предостерегающе поднял руку:

— Нужно помочь ему вырыть себе могилу, Харви. Едва он заплатит этот залог, считайте, мы заполучили его с потрохами и навсегда!

— Дэвид? Это Харви Юделл. У меня хорошие новости. Хотя, как сами знаете, вы слишком рано забираете деньги из пенсионного фонда, на сей раз мы готовы сделать исключение. Мистер Кинкейд разрешил дать вам все, что пожелаете.

— Мистер Краудер, это Дэвид Сингер.

— Я ждал вашего звонка, мистер Сингер.

— Залоговая сумма вам отправлена. Получите завтра.

— Превосходно. Правда, я уже говорил, что на этот пентхаус немало претендентов, но что-то подсказывает мне: вы просто идеальные жильцы для этого гнездышка. Желаю вам счастья и благополучия.

«Все, что для этого необходимо, — с десяток свершившихся по мановению волшебной палочки чудес, и тогда, возможно...»

Эшли Паттерсон предъявили обвинение в Высоком суде округа Санта-Клара на Норт-Фест-стрит, в городе Сан-Хосе, штат Калифорния.

С самого начала в этом деле возникли чисто бюрократические сложности, и поэтому переписка между представителями закона заняла несколько месяцев. Загвоздка состояла в том, что преступления совершались в двух странах и двух американских штатах, и поэтому было неясно, где именно следует судить убийцу по совокупности предъявленных обвинений. Поэтому в Сан-Франциско съехались Гай Фонтейн из Квебекского департамента полиции, шериф Даулинг от округа Санта-Клара, детектив Иген из Бедфорда, штат Пенсильвания, капитан Редфорд из полицейского управления Сан-Франциско и Роджер Тоуленд, начальник управления полиции Сан-Хосе.

— Мы бы хотели судить Паттерсон в Квебеке, — начал Гай Фонтейн, — поскольку имеем неопровержимые доказательства ее вины. У нас она никоим образом не сорвется с крючка.

— Видите ли, мсье Фонтейн, — вмешался Иген, — мы тоже располагаем достаточно вескими уликами. Джим Клири — первый, кто пал ее жертвой, и поэтому, согласитесь, у нас есть все права на пальму первенства.

— Все это верно, джентльмены, — возразил капитан Редфорд, — и вне всякого сомнения, мы все можем доказать ее виновность. Но три из пяти убийств произошли в Калифорнии, поэтому здесь позиция обвинения будет куда сильнее.

— Согласен, — кивнул шериф Даулинг. — И, кроме того, два случились в округе Санта-Клара, так что не взыщите, она наша.

Спор продолжался более двух часов, и в конце концов оппоненты все же согласились с мнением шерифа. Достаточно, если Паттерсон осудят за убийство Денниса Тиббла, Ричарда Мелтона и помощника шерифа Блейка. Остальные два могут и подождать, все равно преступницу ждет электрический стул.

В день предъявления обвинения Дэвид стоял рядом с Эшли.

— Собирается ли защита ходатайствовать о смягчении приговора? — спросила судья.

— Ваша честь, мы просим признать подсудимую невиновной на основании того, что она страдает психическим заболеванием.

— Ясно, — кивнула судья.

— Ваша честь, если это возможно, мы просим на время процесса освободить обвиняемую под залог.

Прокурор немедленно вскочил:

— Ваша честь, мы категорически возражаем! Ответчица обвиняется в трех зверских убийствах, и ей грозит смертный приговор. При первой же возможности она покинет страну.

— Неправда! — запротестовал Дэвид. — Нет никаких оснований...

— Я читал дело, и заключение прокурора полностью исключает всякую возможность освобождения под залог. Просьба отклоняется. Дело будет вести судья Уильямс. Ответчица станет содержаться под стражей в тюрьме округа Санта-Клара до окончания процесса.

— Да, ваша честь, — вздохнул Дэвид и, повернувшись к Эшли, прошептал: — Не волнуйтесь. Все будет хорошо. Помните, вы невиновны.

В офисе Дэвида уже поджидала Сандра.

— Ты видел заголовки? Бульварные газеты уже окрестили Эшли «кровавой сукой». По телевизору ничего другого не передают.

— Мы ведь знали, что придется нелегко, — пожал плечами Дэвид. — И это только первые шаги. За работу, дорогая, нельзя терять ни минуты.

До начала суда оставалось два месяца.

Сингеры развили лихорадочную деятельность. Оба трудились допоздна, изучая описания процессов над людьми, страдавшими расщеплением сознания. Таких случаев было немало. Несчастных судили за убийства, изнасилования, грабежи, наркотики, поджоги. Некоторых оправдали, остальные были осуждены. Но Дэвид твердо верил, что сумеет освободить Эшли.

Сандра выписала имена возможных свидетелей защиты и принялась их обзванивать:

— Доктор Накамото, я работаю с Дэвидом Сингером. Насколько мне известно, вы были свидетелями на процессе «Штат Орегон против Буэннана». Мистер Сингер представляет Эшли Паттерсон... Вот как? Уже знаете? В таком случае мы попросили бы вас приехать в Сан-Хосе и выступить на заседании...

— Доктор Бут, я звоню по поручению Дэвида Сингера. Он защищает Эшли Паттерсон. Вы давали показания на процессе Дикерсона. Мы хотели бы услышать мнение эксперта. Не могли бы вы прибыть в Сан-Хосе на судебное заседание по делу Эшли Паттерсон?

— Доктор Джеймисон, это Сандра Сингер. Да-да, жена того самого Дэвида Сингера. Нам необходимо...

И так продолжалось с утра до полуночи. Наконец длинный список свидетелей был составлен.

— Весьма впечатляюще, — заключил Дэвид, просмотрев его. — Доктора, профессора, деканы юридических факультетов... Думаю, мы в прекрасной форме, дорогая.

Время от времени в кабинет забегал Куиллер, справлялся, как идут дела и не нужно ли помочь.

— Все прекрасно, — неизменно отвечал Дэвид.

Джесс оглядывался и озабоченно спрашивал:

— У тебя есть все необходимое?

— Все, включая лучшего друга, — улыбался Дэвид.

В понедельник Сингер получил из прокуратуры пакет с материалами дела. И чем больше он углублялся в изучение бесчисленных отчетов и заключений, тем тяжелее становилось на сердце.

— Что-то неладно? — участливо поинтересовалась Сандра. — Не мучайся, расскажи.

— Взгляни на это! Они сумели собрать достаточно веские опровержения самого существования такой психической болезни, как деперсонализация. Существует немало прославленных авторитетов в психиатрии, которые не верят ни во что подобное.

— И что ты собираешься предпринять?

— Признаю, что Эшли была на месте совершения преступлений, но убийства совершало ее чужеродное «я».

«Все прекрасно, но поверит ли этому жюри присяжных?»

За пять дней до начала суда Дэвиду позвонила секретарь и передала, что судья Уильямс хочет поговорить с ним. Дэвид немедленно отправился к другу:

— Джесс, скажи, что, по-твоему, представляет собой судья Уильямс?

Джесс откинулся на спинку кресла и заложил руки за голову.

— Тесса Уильямс... Ты когда-нибудь был бойскаутом, Дэвид?

— Да, а при чем...

— Помнишь девиз бойскаутов: «Будь готов!»?

— Разумеется.

— Так вот, когда войдешь в кабинет Тессы Уильямс, будь готов. Ко всему. Это блестящий, но холодный ум. Она прошла нелегкий путь. Карьера досталась ей кровью. Родители были сезонными сборщиками урожая в Миссисипи. Она сумела добиться стипендии в колледже, и жители ее родного городка так гордились девочкой, что собрали деньги на обучение на юридическом факультете. Ходят слухи, будто она отказалась от завидной должности в Вашингтоне, потому что любит свою работу. Это настоящая легенда среди юристов.

— Интересно, — протянул Дэвид.

— Суд будет проходить в округе Санта-Клара?

— Да.

— Значит, обвинителем назначат моего старого приятеля Микки Бреннана.

— Расскажи и о нем.

— Истинный ирландец. Крепкий орешек, его так просто не возьмешь. Он из рода настоящих бойцов, тех, что добиваются своей цели любой ценой. Его отец владеет огромной издательской фирмой, мать — доктор, сестра — преподаватель колледжа. В годы учебы Бреннан был футбольной звездой и с отличием закончил университет. Запомни, Дэвид, он грозный противник. Будь настороже. Его любимый прием — обезоружить свидетелей и растоптать обвиняемого. Обожает ударить исподтишка с той стороны, которую считаешь надежно защищенной. Так что от тебя нужно Тессе?

— Понятия не имею. Она сказала, что хочет обсудить со мной некоторые детали дела.

— Странно, — нахмурился Джесс. — Когда назначена встреча?

— В среду утром.

— Берегись, дружище.

— Спасибо, Джесс, постараюсь.

В десять утра Дэвид подъехал к зданию окружного суда, четырехэтажному белому особняку на Норт-Фест-стрит. В вестибюле сидел вооруженный охранник. Дэвид прошел через детектор металлов и направился к лифту. Секретарь немедленно провела его в кабинет судьи Тессы Уильямс. Там уже сидел Микки Бреннан, главный обвинитель от окружной прокуратуры, пятидесятилетний тяжеловесный коротышка с легким ирландским акцентом. Тесса Уильямс оказалась довольно молодой, стройной темнокожей женщиной с властными манерами.

— Доброе утро, мистер Сингер. Я судья Уильямс. Это мистер Бреннан.

Мужчины пожали друг другу руки.

— Садитесь, мистер Сингер. Я хотела поговорить с вами обоими о деле Паттерсон. Согласно отчетам, вы ходатайствовали о признании ответчицы невиновной на основании душевной болезни?

— Да, ваша честь.

— Я пригласила и защитника, и прокурора, поскольку считаю, что мы можем сэкономить уйму времени и денег из бюджета штата. Обычно я против подобных сговоров перед началом процесса и не люблю сделок о признании вины*, но в этом случае считаю вполне уместным обсудить кое-какие вопросы.

Дэвид недоуменно поднял брови.

— Мистер Бреннан, я читала копию материалов предварительных слушаний и не вижу причины затевать процесс. Предлагаю обвинению заменить смертный приговор пожизненным заключением без права помилования.

— Минутку! — вскинулся Дэвид. — Об этом не может быть и речи!

Оба удивленно уставились на него.

— Мистер Сингер...

— Моя клиентка невиновна. Эшли Паттерсон прошла тестирование детектором лжи, которое доказывает...

---

* В наименее тяжком из вменяемых обвинением преступлений.

— Ничего не доказывает, и вы прекрасно знаете, что суд не принимает подобные свидетельства во внимание. Дело получило слишком широкую огласку, и процесс обещает быть долгим и грязным.

— Я уверен, что...

— Послушайте, мистер Сингер, я не первый день в суде и навидалась всякого. И слышала десятки подобных ходатайств. Все бывало — убийство при самообороне, под влиянием аффекта, временного умопомрачения... Все это вполне понятно и неоригинально. Ничего выдающегося. Но я не верю, что человек считает себя невиновным лишь потому, что убийство якобы совершило его второе «я». Не хочу показаться грубой, но все это бред собачий! Ваша клиентка либо совершила преступление, либо нет. Если она признает себя виновной, мы смогли бы все закончить миром...

— Нет, ваша честь, на такое я не пойду.

Судья Уильямс долго изучала Дэвида, прежде чем заметить:

— А вы упрямы. Многие находят это качество достойным восхищения. — И, подавшись вперед, стиснула подлокотники кресла. — Только я с ними не согласна.

— Ваша честь...

— Вы со своими капризами пытаетесь втянуть нас в бесконечный процесс, который может продлиться не меньше трех месяцев.

— Согласен, — кивнул Бреннан.

— Простите, если вы считаете, что...

— Мистер Сингер, я хотела сделать вам огромное одолжение. Оказать снисхождение обвиняемой.. Если мы предадим вашу клиентку суду, ее казнят.

— Постойте. Вы заранее выносите приговор, не выслушав...

— Заранее? Вы читали отчеты экспертов? Видели их заключения?

— Да, но...

— Послушайте, мистер адвокат. Эшли Паттерсон даже не позаботилась стереть отпечатки пальцев с орудий убийств! В жизни не видела более уничтожающих улик. Если вы настоите на своем, слушание дела превратится в настоящий цирк — с рыданиями, сценами, назойливым любопытством прессы. Ненавижу мелодрамы и не хотела бы доводить ни до чего подобного. Давайте прикроем это дело сейчас и немедленно. Спрашиваю в последний раз: согласны вы ходатайствовать о пожизненном заключении без права амнистии?

— Ни за что.

Тесса Уильямс окинула его уничтожающим взглядом:

— Ладно. В таком случае увидимся на следующей неделе, в зале заседаний.

Только что он нажил себе очередного врага. И в ком?! Кажется, Стивен Паттерсон ухитрился основательно испортить ему жизнь.

Глава 15

Небольшой спокойный городок Сан-Хосе с каждым днем все больше напоминал взволнованно жужжащий улей. Здесь царила поистине праздничная атмосфера. Возбуждение было буквально разлито в воздухе. Сюда съезжались репортеры и фотографы со всех концов света. В отелях не осталось ни одного свободного номера, и некоторым, самым нерасторопным представителям прессы приходилось селиться в близлежащих городках Санта-Клара, Саннивейл и Пало-Альто.

Дэвида яростно осаждали назойливые папарацци. Глаза слепили молнии фотовспышек.

— Мистер Сингер, хотя бы какие-то подробности о вашей клиентке. Правда, что вы ходатайствовали об освобождении?

— Вы намереваетесь вызвать Эшли Паттерсон для дачи показаний?

— Верно, что окружной прокурор был готов согласиться на смягчение приговора и даже хотел пойти на сделку о признании вины?

— Мистер Паттерсон собирается выступить в защиту дочери?

— Мой журнал заплатит пятьдесят тысяч долларов за интервью с вашей подзащитной...

Микки Бреннану, со своей стороны, также приходилось нелегко. Он пользовался не меньшей популярностью, чем Дэвид, и иногда удивительно напоминал разъяренного медведя, которому приходится отмахиваться от неотвязных пчел. Но все-таки он был куда снисходительнее к репортерам, чем его противник.

— Мистер Бреннан, прошу вас, несколько слов о предстоящем процессе. Вы поделитесь своим мнением?

Немного смягчившийся прокурор повернулся и улыбнулся в камеру:

— Разумеется. И вполне способен выразить итог в двух словах: мы выиграем.

— Погодите! Как по-вашему, она безумна?

— Собираетесь ли вы просить о вынесении смертного приговора?

— Можете утверждать, что процесс будет коротким?

Дэвид нанял в Сан-Хосе помещение под контору поблизости от здания суда. Там он опрашивал свидетелей и готовил их к предстоящим словесным поединкам. Было решено, что Сандра до начала суда по-прежнему останется работать в офисе Куиллера. По приглашению Дэвида в Сан-Хосе прибыл доктор Сейлем. Дэвид попросил его еще раз загипнотизировать Эшли.

— Нужно добыть побольше сведений от нее и чужеродных «я» до начала заседаний, — пояснил он.

Эшли к тому времени перевели в изолятор временного содержания и по просьбе Дэвида привели в комнату для свиданий. Девушка изо всех сил пыталась держать себя в руках, хотя это ей плохо удавалось. Она явно нервничала. Дэвиду Эшли казалась похожей на перепуганного зверька, случайно пойманного в беспощадный слепящий свет фар мчащегося по дороге автомобиля.

— Доброе утро, Эшли. Помните доктора Сейлема?

Девушка кивнула.

— Ему придется снова вас загипнотизировать. Согласны?

— Он... он будет говорить с теми... другими?

— Ничего не поделаешь. Вам не нравится?

— Дело не в этом. Я... я сама не желаю иметь с ними ничего общего.

— Все будет как скажете. Никто и ни к чему не будет вас принуждать.

— Мне это отвратительно! — неожиданно взорвалась Эшли.

— Знаю, — успокаивающе погладил ее по руке Дэвид. — Не волнуйтесь. Это скоро кончится.

Он кивнул Сейлему, и тот выступил вперед:

— Садитесь поудобнее, Эшли. Вспомните, ведь это совсем просто. Закройте глаза и расслабьтесь. И попытайтесь ни о чем не думать. Чувствуете, как ваше тело становится все легче? Вслушайтесь в звуки моего голоса. Забудьте обо всем. Ваши веки тяжелеют... спать... спать... Вам очень хочется спать... Засыпайте...

Как и в прошлый раз, погружение прошло без всяких осложнений. Доктор сделал знак Дэвиду. Адвокат шагнул ближе.

— Я хотел бы поговорить с Алетт. Вы здесь, Алетт?

И лицо Эшли словно по волшебству смягчилось, приобретя черты юной, наивной девушки. Снова этот мягкий, мелодичный итальянский акцент.

— Buon giorno.

— Добрый день, Алетт. Как вы себя чувствуете?

— Male. Плохо. Нам очень трудно приходится.

— Не только вам. Всем сейчас нелегко, но дайте время, все образуется.

— Надеюсь.

— Алетт, я хотел бы задать вам несколько вопросов.

— Пожалуйста.

— Вы знали Джима Клири?

— Нет.

— А Ричарда Мелтона?

— Да, — с искренней печалью вздохнула девушка. — Я до сих пор не могу опомниться от этого ужаса. Мне так его жаль!

Дэвид многозначительно взглянул на доктора Сейлема.

— Вы правы, Алетт. Кошмарная история. Когда вы видели Мелтона в последний раз?

— Мы договорились встретиться в Сан-Франциско. Сходили в музей, пообедали. Перед тем как расстаться, он спросил, не хочу ли я зайти к нему.

— И вы согласились?

— Нет, и зря отказалась. Будь я с ним, убийца, возможно, побоялся бы напасть. Но мы попрощались, и я уехала в Купертино.

— И, как оказалось, это была ваша последняя встреча?

— Да.

— Спасибо, Алетт, и прощайте.

Немного помедлив, Дэвид подступил еще ближе:

— Тони! Вы здесь, Тони? Я хотел бы потолковать с вами.

И снова разительные перемены. На глазах мужчин Эшли превращалась в раскованную, чувственную, знающую себе цену женщину, из горла которой неожиданно полились грудные бархатистые звуки:

Туда-сюда по городу,
Где веселится мир,
Туда-сюда по городу,
И шнырь — в трактир!
Грош туда и грош сюда —
И в кармане пустота.
Прыг да скок — удрал хорек!

— Знаешь, почему эта песенка — моя любимая, котик? — усмехнулась она.

— Нет.

— Потому что моя мать ее ненавидела. И меня заодно.

— С чего бы это ей вас ненавидеть?

— Кто ее знает! Теперь уже не спросишь, верно, зайчик? — рассмеялась Тони. — Слишком она далеко, отсюда не видно. Но я ничем не могла ей угодить, уж это точно. А у тебя, Дэвид? Какая мать была у тебя?

— Моя матушка была чудесным человеком.

— Значит, тебе крупно повезло. Вытащил счастливую карту. Иногда Боженька любит поиграть с нами, не находишь?

— Вы верите в Бога, Тони? Ходите в церковь?

— А есть ли вообще Бог? Кто знает? Если и есть, странное у него чувство юмора, не находите? Это Алетт у нас святоша. Бегает к попам каждое воскресенье.

— А вы?

Тони коротко рассмеялась:

— Что поделаешь, поневоле приходится тащиться за ней.

— Тони, как по-вашему, имеет человек право убить другого человека?

— Нет, конечно нет.

— В таком случае...

— Но иногда приходится.

Дэвид и Сейлем обменялись настороженными взглядами.

— Что вы хотите этим сказать?

Тон ее вмиг изменился. Сейчас она явно пыталась обороняться и оттого почти визжала:

— Ну, сами знаете, бывает, что приходится защищаться, если кто-то хочет на вас напасть...

Она с каждой минутой все больше возбуждалась:

— Или если какое-то дерьмо пытается сотворить с вами пакость.

— Тони...

Девушка принялась истерически всхлипывать.

— Почему меня не оставят в покое? Почему обязательно нужно лезть не в свои дела! — завопила она.

— Тони...

Молчание.

— Тони...

Нет ответа.

— Все, — поднял руки доктор Сейлем. — Конец связи. Пора будить Эшли.

— Что поделаешь! — вздохнул Дэвид.

Несколько минут спустя Эшли открыла глаза.

— Как вы себя чувствуете? — осведомился Дэвид.

— Ужасно устала. Все... все в порядке?

— Да. Мы говорили с Алетт и Тони. Они...

— Не желаю ничего знать.

— Будь по-вашему. Ну а теперь отдыхайте, Эшли. Я вернусь завтра.

Надзирательница подхватила Эшли под руку и увела.

— Ничего не попишешь, придется ей давать показания, Дэвид. Только это убедит жюри присяжных и весь мир, что...

— Я много над этим думал, — перебил Дэвид, — и боюсь, не смогу решиться.

— Но почему? — удивился доктор.

— Микки Бреннан, обвинитель, настоящий зверь. Он изничтожит ее. Не могу так рисковать. И без того она не в себе, бедняжка.

За два дня до первого заседания Дэвид и Сандра, как обычно, приехали на ужин к Куиллерам.

— Мы забронировали номер в отеле «Уиндем», — сообщил Дэвид. — Управляющий сделал мне огромное одолжение. Слава Богу, хоть Сандре есть где жить. Город просто переполнен. Такого уже целый век не случалось.

— И это сейчас, — вставила Эмили. — Можно только вообразить, что здесь будет твориться, когда начнется процесс.

— Дэвид, моя помощь нужна? — озабоченно спросил Джесс.

— Нет, Джесс, спасибо. Никак не могу решить, что лучше: вытаскивать Эшли на место свидетеля или не стоит.

— Трудно сказать, — нахмурился Джесс. — Куда ни кинь, всюду клин! Ты в любом случае проигрываешь. Беда в том, что Бреннан собирается лепить образ этакой садистки, злобного чудовища. Если ты не заставишь ее давать показания, нетрудно сообразить, какое впечатление сложится у присяжных. Они будут кипеть праведным гневом. С другой стороны, насколько я знаю Бреннана, пощады ей не будет. Он собрал целый полк экспертов, отрицающих само существование такого понятия, как расщепление сознания. Тебе, естественно, придется немало потрудиться, чтобы убедить их в обратном.

— Да уж, — невесело улыбнулся Дэвид. — И знаешь, что больше всего беспокоит меня? Об этой истории уже ходят анекдоты. Один из них гласит, что я намеревался попросить перенести процесс в другой город, но передумал, потому что не осталось такого места во всей Америке, где Эшли не прикончила бы кого-нибудь. Помнишь, каким вначале был Джонни Карсон, когда только что появился на телевидении? Весел, остроумен, но при этом всегда оставался джентльменом. Теперь же ведущие ночных шоу — настоящие палачи. Развлекаются за счет ни в чем не повинных людей!

— Дэвид, — окликнул Джесс.

— Что? Я слишком много говорю? — встревожился Дэвид.

— Нет, просто учти, что будет еще хуже.

В ночь перед началом процесса Дэвид так и не уснул. Тяжелые мысли терзали его и не давали покоя. Когда, наконец, под утро он забылся, чей-то голос продолжал ехидно повторять, словно издалека: «Ты убил своего последнего клиента. Что, если и эта погибнет по твоей вине?»

Дэвид рванулся и вскочил, мокрый как мышь. Сандра встрепенулась и открыла глаза:

— Что с тобой?

— Не знаю. Какого черта я здесь торчу? Ничего бы этого не случилось, стоило лишь сказать доктору Паттерсону решительное «нет».

— Почему же ты этого не сделал? — мягко осведомилась Сандра, сжав пальцы мужа.

— Ты права, — простонал он. — Я не мог.

— В таком случае перестань предаваться отчаянию. Может, все-таки поспишь немного, чтобы не валиться к утру с ног?

— Гениальная идея.

Идея, которую Дэвид так и не сумел реализовать.

Судья Уильямс оказалась совершенно права — представители прессы вели себя просто невыносимо. Казалось, репортеры не знают устали. Стервятники со всего мира слетались на добычу, готовые разнести по свету сенсационные сообщения о том, как красивая молодая женщина зверски расправлялась с мужчинами и калечила трупы.

Самый факт, что Микки Бреннану было запрещено упоминать имена Джима Клири и Жан-Клода Парана, вызывал у него чувство недовольства и глухое раздражение, но, к счастью для него, существовали еще и беспардонные журналисты, для которых не было моральных преград.

Телевизионные ток-шоу, журналы и газеты были полны гнусных подробностей о пяти убийствах и кастрациях. Микки Бреннан мог торжествовать.

Когда Дэвид подъехал к зданию суда, оказалось, что пробиться ко входу почти невозможно.

— Мистер Сингер, вы по-прежнему служите в «Кинкейд, Тернер, Роуз и Рипли»?

— Взгляните сюда, мистер Сингер.

— Правда, что вас уволили за согласие защищать мисс Паттерсон?

— Что вы можете сказать о Хелен Вудмен? Разве не она была вашей клиенткой?

— Эшли Паттерсон призналась, с какой целью делала это?

— Вы собираетесь выставлять ее в качестве свидетеля защиты...

— Без комментариев, — сухо повторял Дэвид, пробиваясь сквозь толпу.

Та же участь постигла и Бреннана, только он не был так сдержан.

— Мистер Бреннан, как, по-вашему, пройдет суд?

— Вы когда-нибудь имели дело с этой самой деперсонализацией?

— Нет, — широко улыбнулся Бреннан. — И мне не терпится побеседовать со всеми ответчиками.

Он добился цели. По толпе пробежал смешок.

— И если их окажется много, они смогут организовать собственный клуб.

Снова хохот.

— Ну а теперь мне пора, ребята. Нельзя заставлять подсудимых ждать.

Отбор жюри начался с того, что судья Уильямс стала задавать возможным присяжным обычные протокольные вопросы. После нее наступила очередь защитника и обвинителя. На взгляд постороннего, этот процесс кажется довольно простым: главное — выбрать дружелюбно настроенного человека и отсеять остальных. Однако на самом деле все оказывается куда сложнее. Отбор присяжных — нелегкий и тщательно планируемый ритуал. Опытные адвокаты никогда не задают прямых вопросов, на которые требуются столь же незамысловатые ответы. Наоборот, они стараются задать побольше, на первый взгляд, не относящихся к делу вопросов, чтобы заставить людей рассказать подробнее о себе и обнаружить свои истинные чувства.

В данном случае у обвинителя и защитника были прямо противоположные цели. Микки хотел, чтобы в жюри оказалось побольше мужчин, тех, кого шокирует и пугает сама мысль о том, что женщина способна исполосовать их ножом, а потом лишить гениталий. Вопросы Бреннана были рассчитаны на людей традиционного мышления, тех, кто не слишком верит в существование духов и гоблинов и не поддается никакому внушению. Дэвид шел от обратного.

— Мистер Харрис, я правильно произнес вашу фамилию? Меня зовут Дэвид Сингер. Я представляю ответчика. Вы когда-нибудь заседали в жюри присяжных?

— Нет.

— Благодарю за то, что взяли на себя труд явиться.

— Знаете, просто очень интересно. Такой нашумевший процесс!

— Согласен, мистер Харрис.

— Говоря по правде, не могу дождаться, когда все это начнется.

— Неужели?

— Точно.

— Где вы служите, мистер Харрис?

— В «Юнайтед Стил».

— Полагаю, вы и ваши коллеги беседовали между собой о деле Паттерсон?

— По правде сказать, да.

— Прекрасно вас понимаю. Похоже, все только об этом и говорят. Каково же всеобщее мнение? Ваши сослуживцы считают, что Эшли Паттерсон виновна?

— Ну... я сказал бы, именно так.

— А вы? Что думаете вы?

— Вроде бы то же самое. А что тут прикажете думать?

— Но вы собираетесь внимательно выслушать все показания, прежде чем окончательно решить, на чьей стороне правда?

— Угу. Это уж как водится.

— Какие книги вы предпочитаете, мистер Харрис?

— Собственно говоря, я вообще не из этих книжных червей. Люблю, знаете, побродить по лесу, поохотиться, рыбку половить.

— Значит, охотник и рыболов? Так-так. И что же, когда лежите в лесу, у костра, смотрите на небо, то гадаете, есть ли там, далеко, иные миры? Другая жизнь?

— Вы об этой ерунде? Инопланетяне, НЛО и тому подобное? Какой идиот верит в подобный вздор?

Дэвид повернулся к судье:

— Прошу прощения, ваша честь, вынужден дать отвод этому человеку.

Второй кандидат.

— Что предпочитаете делать в свободное время, мистер Аллен?

— Читать, смотреть телевизор.

— Наши вкусы совпадают. Какие передачи вам больше всего нравятся?

— Знаете, те, что по ночам в четверг. Просто захватывают. Трудно выбрать, какая лучше. Проклятые телестудии вечно ставят все самые интересные в одно и то же время.

— Вы правы. Просто издевательство какое-то. Любите «Секретные материалы», «Страшные истории, рассказанные на ночь», «Байки из склепа»?

— Да, детишек прямо не оторвешь.

— А как насчет «Сабрины, маленькой ведьмы»?

— Да, мы и это смотрим. Хорошее шоу.

— Каких авторов любите?

— Энн Раис, Стивена Кинга.

— Достаточно.

Да!

Кандидат номер три.

— Смотрите телевизор, мистер Мейер?

— Нечасто. «Шестьдесят минут», «Новости» с Джимом Лерером, документальные фильмы...

— Увлекаетесь чтением?

— В основном книгами по истории и политике.

— Благодарю вас.

Не пойдет!

Тесса Уильямс бесстрастно наблюдала за происходящим, но Дэвид остро ощущал исходившую от нее волну неприязни. Она в самом деле невзлюбила его! Ну теперь, Дэвид Сингер, берегись!

Наконец утомительная работа подошла к концу. В составе присяжных оказались семеро мужчин и пять женщин. Бреннан торжествующе уставился на противника. Вот теперь начнется настоящая бойня!

Глава 16

Рано утром, перед первым судебным заседанием, Дэвид поехал в изолятор временного содержания и нашел Эшли едва ли не в истерике.

— Я не смогу пройти через это! Не смогу. Скажите, чтобы оставили меня в покое.

— Вы же сами понимаете, Эшли, это невозможно. Не хотите же вы, чтобы вас приговорили к смертной казни? Придется смириться с неизбежным, тем более что мы обязательно победим.

— Вы не понимаете, не понимаете, каково это! Я словно попала в ад, откуда нет возврата.

— Ошибаетесь. Мы вызволим вас оттуда. Это лишь первый шаг.

Эшли трясло как в лихорадке.

— Боюсь... боюсь, они сотворят со мной что-то ужасное.

— Я никому не позволю пальцем вас тронуть, — твердо заявил Дэвид. — Прошу вас, верьте в меня. И помните: вы не виноваты в случившемся. Не сделали ничего плохого. Ну а теперь пора. Нас ждут.

Эшли прерывисто вздохнула:

— Хорошо. Я постараюсь держать себя в руках. Все будет хорошо. Все будет хорошо. Все будет хорошо.

Среди публики присутствовал доктор Паттерсон. От одолевших его репортеров он отделался одной короткой репликой:

— Моя дочь невиновна.

Чуть подальше сидели Джесс и Эмили Куиллер, решившие оказать другу хотя бы моральную поддержку. За столом обвинителя красовался Микки Бреннан с двумя помощницами — Сьюзен Фримен и Элинор Такер.

Сандра и Дэвид разместились вместе с Эшли на скамье подсудимых. Женщины успели познакомиться за прошедшую неделю, и Сандра тогда ужасно разволновалась. Теперь у Эшли не было защитника и друга надежнее.

— Дэвид, стоит лишь взглянуть на Эшли, чтобы понять: она невиновна, — твердила Сандра, чуть не плача.

— Сандра, достаточно лишь взглянуть на собранные улики, чтобы понять: она прикончила всех этих бедняг. Но это еще не значит, что она виновна. Впрочем, ты и сама понимаешь. Остается убедить в этом жюри присяжных.

— Встать! Суд идет! — объявил секретарь суда. — Председательствует ее честь судья Тесса Уильямс.

Судья Уильямс заняла председательское место, призвала к порядку и хмуро оглядела публику, до отказа заполнившую зал заседаний.

— Слушается дело «Народ штата Калифорния против Эшли Паттерсон». Начинаем заседание. Желает ли обвинитель сказать вступительную речь?

Микки Бреннан неуклюже поднялся:

— Да, ваша честь. Доброе утро, господа присяжные заседатели. Как вам уже известно, леди и джентльмены, подсудимая обвиняется в совершении трех зверских убийств. Поверьте моему большому опыту, преступники иногда могут представать в разных обличьях. Посмотрите на нее! Перед вами милая, беззащитная молодая женщина.

Он подлетел к скамьям присяжных и театральным жестом выкинул руку вперед:

— Но правосудие не дремлет! Мы сумеем доказать вам, что эта хладнокровная преступница расправилась с тремя ничего не подозревавшими мужчинами, добропорядочными гражданами нашей страны, а потом безжалостно изувечила их трупы. В одном случае она назвалась другим именем, опасаясь, что ее поймают. О, она знала, что делает! Но теперь она изобличена, и по мере продолжения процесса я покажу вам все невидимые нити, связывающие гибель этих несчастных людей с подсудимой. Благодарю вас за терпение и решимость помочь нам.

Он вернулся на свое место, и судья взглянула в сторону Дэвида:

— Господин защитник! Не хотите ли и вы произнести вступительное слово?

— Да, ваша честь.

Дэвид встал и, повернувшись лицом к жюри, постарался собраться с мужеством перед предстоящим сражением.

— Леди и джентльмены, вопреки всему, что здесь утверждал почтенный обвинитель, я постараюсь доказать: Эшли Паттерсон не несет ответственности за случившееся. Не существовало мотива убийства, и она сама не знала, что творит. В каком-то смысле моя подзащитная тоже жертва. Жертва психического заболевания, называемого «расщеплением сознания», или «деперсонализацией». Суть этого термина будет разъяснена вам в процессе суда.

Что бы там ни говорили, «деперсонализация» — давно установленный в медицине факт. Дело в том, что в теле одного человека могут сосуществовать несколько чужеродных «я», которые могут брать верх над основной личностью, или «хозяином», и управлять ее действиями. Впервые в Америке подобные случаи описал Бенджамен Раш, один из тех, кто подписал Декларацию Независимости. В девятнадцатом веке эта болезнь была так же широко распространена, как и в двадцатом.

На лице Бреннана играла циничная улыбка.

— Мы докажем, — продолжал Дэвид, — что именно это чужеродное «я» возобладало над здравым смыслом и совершило все те бессмысленные убийства, в которых сегодня обвиняется Эшли Паттерсон. Мои слова могут подтвердить самые блестящие психиатры Америки. Кроме того, они сумеют подробнее и во всех деталях объяснить симптомы этой болезни. К счастью, она излечима.

Леди и джентльмены, еще раз повторяю: Эшли Паттерсон не имела ни малейшего представления о том, что творила, и во имя справедливости не допустите, чтобы ее осудили за преступления, в которых она не ответственна.

Дэвид поклонился и сел.

— Очередь обвинителя. Вы готовы? — осведомилась судья.

— Да, ваша честь.

Бреннан, ослепительно улыбнувшись помощницам, снова направился к скамьям присяжных и, постояв минутку, неожиданно громко рыгнул. По залу пробежал удивленный шепоток.

Бреннан с недоумевающим видом огляделся, и лицо его немедленно просветлело.

— А, понимаю! Вы ждали извинений? Но в чем тут моя вина? Это все проделки Пита, моего второго «я»! С него и спрашивайте.

Дэвид, вне себя от гнева, вскочил:

— Возражаю! Ваша честь, обвинение пользуется дешевыми приемами...

— Возражение принято.

Поздно. Выходка прокурора сыграла свою разрушительную роль. Бреннан одарил Дэвида снисходительной улыбкой и вновь повернулся к присяжным:

— Такого в суде не бывало со времен процесса над ведьмами в Салеме, три века назад. «Я не делала этого, сэр, — пропищал он. — Это все дьявол! Он овладел мной...»

Дэвид снова встал:

— Возражаю! Обвинитель...

— Возражение отклонено.

Дэвид почти рухнул на скамью. Бреннан подступил почти к самым скамьям жюри:

— Я обещал, что докажу, как ответчица намеренно и бесчеловечно убила и изуродовала троих мужчин: Денниса Тиббла, Ричарда Мелтона и Сэмюэла Блейка. Троих! И что бы ни утверждал представитель защиты, здесь сидит только одна подсудимая, а именно та, кто совершала все эти деяния. Как называет это мистер Сингер? Расщеплением сознания? Деперсонализацией? Ну так вот, я представлю вам известных врачей, которые готовы под присягой опровергнуть существование подобных вещей. Но сначала мы выслушаем экспертов-криминалистов. Пусть они объяснят вам, какие улики обнаружили. Ваша честь, я вызываю своего первого свидетеля, агента по специальным поручениям Винсента Джордана.

Толстый лысый коротышка направился к месту для свидетелей.

— Пожалуйста, сэр, — попросил секретарь, — назовите ваше полное имя. По буквам, если не возражаете.

— Агент по специальным поручениям Винсент Джордан. Д-ж-о-р-д-а-н.

Бреннан терпеливо выждал, пока свидетеля приведут к присяге.

— Вы работаете в Федеральном бюро расследований в Вашингтоне, округ Колумбия?

— Да, сэр.

— Чем вы занимаетесь, агент Джордан?

— Заведую сектором дактилоскопии.

— Сколько лет вы на этой работе?

— Пятнадцать.

— Пятнадцать лет. Скажите, за все это время вам когда-нибудь встречались одинаковые отпечатки двух разных людей?

— Нет, сэр.

— Сколько карточек с оттисками пальцев находится в настоящее время в архивах ФБР?

— По последним данным, свыше двухсот пятидесяти миллионов, но мы получаем примерно тридцать четыре тысячи карточек в день.

— И все они не совпадают?

— Нет, сэр.

— Как вы идентифицируете отпечатки?

— Согласно классификации имеются семь различных типов отпечатков. Но, повторяю, на свете не найдется двух одинаковых отпечатков пальцев. Любые пересадки и попытки теми или иными способами снять кожу с подушечек пальцев обречены на неудачу.

— Агент Джордан, вам прислали на экспертизу образцы отпечатков, снятые на местах трех преступлений, в которых обвиняется ответчица?

— Да, сэр.

— Вместе с отпечатками подсудимой Эшли Паттерсон?

— Да, сэр.

— А вы лично проверяли образцы на совпадение?

— Так точно, сэр.

— И какое же дали заключение?

— Все четыре присланных образца отпечатков оказались идентичными.

Присутствующие возбужденно загудели.

— Прошу тишины! — прикрикнула судья.

Бреннан терпеливо выждал, пока в зале станет тихо.

— Идентичны? И у вас не возникло ни малейшего сомнения в правильности ваших выводов, агент Джордан? Любые сомнения исключаются?

— Готов ручаться, сэр. Все отпечатки достаточно четкие и легко идентифицируются.

— Я бы хотел уточнить еще раз. Мы говорим об отпечатках, оставленных убийцей Денниса Тиббла, Ричарда Мелтона и помощника шерифа Сэмюэла Блейка?

— Да, сэр.

— То есть именно отпечатки ответчицы Эшли Паттерсон были найдены на местах преступлений?

— Совершенно верно, сэр.

— Какова вероятность ошибки?

— Нулевая, сэр.

— Благодарю, агент Джордан.

Бреннан повернулся к Дэвиду Сингеру:

— Прошу, защитник, я закончил. Можете начать перекрестный допрос свидетеля.

Дэвид поднялся и подошел к месту для дачи показаний:

— Агент Джордан, часто ли бывает, что вам на опознание присылают намеренно смазанные или каким-то образом искаженные отпечатки пальцев злодея, пытающегося скрыть свое преступление?

— Да, но в нашем распоряжении имеются высокоточные лазерные приборы, позволяющие предотвратить всякую попытку уйти от ответственности.

— Вам приходилось прибегать к этим приборам при работе с отпечатками Эшли Паттерсон?

— Нет, сэр.

— Почему бы это, как по-вашему?

— Ну... я уже говорил, отпечатки оказались на редкость четкими.

— То есть вы утверждаете, что ответчица никоим образом не старалась их стереть? — осведомился Дэвид, многозначительно оглядывая присяжных.

— Верно, сэр.

— Благодарю. Больше вопросов не имеется. Господа присяжные, вы сами слышали: Эшли Паттерсон не старалась стереть отпечатки, потому что невиновна в том...

— Достаточно, господин защитник! — рявкнула судья Уильямс. — У вас был шанс выйти из этого дела с честью!

Дэвид направился к своему месту.

— Вы свободны, агент Джордан, — объявил Бреннан.

Фэбээровец кивнул и удалился.

— Вызывается свидетель обвинения Стенли Кларк.

Секретарь пригласила молодого длинноволосого человека. Пока его приводили к присяге, в зале царила напряженная тишина.

— Назовите место вашей службы, мистер Кларк, — попросил Бреннан.

— Национальная биотехнологическая лаборатория. Исследования дезоксирибонуклеиновой кислоты.

— Более известной в обиходе как ДНК, — вставил Бреннан.

— Да, сэр.

— Как долго вы работаете в Национальной биотехнологической лаборатории?

— Семь лет, сэр.

— Какова ваша должность?

— Начальник.

— Следовательно, можно предположить, что за семь лет вы приобрели достаточный опыт в исследовании ДНК?

— Разумеется. Опыты приходится проводить каждый день.

— Надеюсь, леди и джентльмены хорошо знают, что ДНК присутствует в каждом живом организме. Мистер Кларк, может ли быть такое, что примерно с десяток людей, присутствующих в этой комнате, имеют идентичную цепочку ДНК?

— Нет, сэр, ни в коем случае. Основываясь на базах данных, составленных нами, частота таких случаев равна единице на каждые пятьсот миллиардов людей белой расы, не связанных между собой родственными отношениями. То есть это практически невозможно.

— Один случай на пятьсот миллиардов? Впечатляющая цифра. Что же, мистер Кларк, вы обычно получаете образцы ДНК с мест преступлений?

— Да, и очень много. ДНК можно найти в слюне, сперме, вагинальных выделениях, крови, волосах, зубах, костном мозге...

— И в любом случае можно определить, присуща ли данная ДНК той или иной персоне?

— Разумеется.

— Вы лично сравнивали посланные образцы ДНК в случае убийств Денниса Тиббла, Ричарда Мелтона и Сэмюэла Блейка?

— Да, сэр.

— Вам также были переданы несколько прядей волос подсудимой Эшли Паттерсон?

— Верно, сэр.

— И каково же было ваше заключение по окончании экспертизы?

— Все образцы идентичны.

На этот раз присутствующие разразились возмущенными криками. Судья с силой ударила молоточком по столу:

— Молчать! Немедленно успокойтесь, или я велю очистить зал!

— Мистер Кларк, — повторил Бреннан, перекрывая шум. — Вы сказали, что образцы ДНК, взятые с каждого места преступления и у мисс Эшли Паттерсон, были идентичными?

— Да, сэр.

Бреннан всмотрелся в побледневшую Эшли и вновь обратился к свидетелю:

— Как насчет возможности загрязнения? Нам известно, что иногда происходит намеренное загрязнение образцов, что и выяснялось на некоторых нашумевших уголовных процессах. Не могло случиться так, что образцы хранились небрежно и не по правилам?

— Нет, сэр. В этом случае ни упаковка, ни правила хранения не были нарушены.

— Значит, нет никакого сомнения в том, что обвиняемая убила троих...

Дэвид взметнулся с места:

— Протестую, ваша честь. Обвинитель задает наводящие вопросы с целью...

— Протест принят.

Дэвид занял свое место.

— Благодарю, мистер Кларк. У меня все.

— Ваша очередь, господин защитник, — заметила судья.

— У меня тоже нет вопросов.

Присяжные, как один, уставились на Дэвида.

— Нет вопросов? — с притворным удивлением переспросил Бреннан. — Что же, мистер Кларк, в таком случае вы свободны. Поразительно, что представитель защиты не желает узнать подробнее, каким образом были получены бесспорные доказательства жестокого убийства и кастрации трех невинных людей, и...

— Ваша честь! — перебил Дэвид.

— Принято. Вы переступаете границы дозволенного, мистер Бреннан.

— Прошу прощения. Вопросов больше нет.

Эшли бросила на Дэвида полный ужаса взгляд.

— Не волнуйтесь, — прошептал он. — Скоро и на нашей улице будет праздник.

Весь день длился допрос свидетелей обвинения, и показания их были поистине убийственными для подсудимой.

— Управляющий домом вызвал вас в квартиру Денниса Тиббла, детектив Лайтмен?

— Да, сэр.

— Не можете ли рассказать, что там обнаружили?

— Неприятно вспоминать, сэр. Все было залито кровью.

— В каком виде вы нашли тело?

— Труп был изрезан и оскоплен.

Бреннан с трагическим видом воззрился на присяжных.

— Покрыт ранами и оскоплен. Вы нашли какие-то улики, детектив?

— Да, сэр. Убитый перед смертью был близок с женщиной. Мы нашли следы вагинальных выделений и отпечатки пальцев.

— Почему же не произвели арест немедленно?

— Видите ли, в наших досье не было подобных отпечатков. Человек, которому они принадлежали, не имел криминального прошлого.

— Совпали ли отпечатки и характеристики ДНК с теми, что были взяты у Эшли Паттерсон?

— Совершенно верно, сэр. Никакой ошибки.

Доктор Паттерсон забросил работу и каждый день приезжал в суд, занимая обычно место в публике, как раз за скамьей подсудимых. Репортеры не давали ему покоя, но он держался мужественно, и на его аристократическом лице не отражалось ни малейших эмоций. Все попытки разговорить его оказывались напрасными.

— Мистер Паттерсон, как, по-вашему, движется дело?

— Все нормально.

— И чем кончится процесс?

— Мою дочь признают невиновной.

Как-то вечером, когда Дэвид и Сандра вернулись в отель, портье подал им записку: «Пожалуйста, позвоните в банк мистеру Куонгу».

Супруги переглянулись.

— Подошел срок очередного взноса? — расстроенно вздохнула Сандра.

— Да. Счастливые часов не наблюдают, а время все равно летит, — сухо обронил Дэвид и, на секунду задумавшись, добавил: — Не тревожься, дорогая, скоро все кончится. На моем счете еще есть деньги. Хватит, чтобы заткнуть им глотку на этот раз.

Сандра встревоженно нахмурилась:

— Дэвид, что, если мы не сможем платить? Потеряем залог?

— Да, родная, но не волнуйся. Господь нам поможет. И потом, везет тому, кто сам везет.

Но тут он вспомнил о Хелен Вудмен, и на душе стало тревожно.

Настала очередь Брайана Хилла. Микки Бреннан одарил его дружеской улыбкой:

— Прошу вас, мистер Хилл, объясните суду, где служите.

— Я охранник в музее Де Янга в Сан-Франциско.

— Должно быть, интересная работа.

— Да, для тех, кто любит искусство. Я непризнанный художник.

— Сколько лет вы трудитесь на этом поприще?

— Четыре года.

— Скажите, среди посетителей у вас, наверное, есть знакомые? Бьюсь об заклад, у музея много поклонников. И завсегдатаев тоже.

— Разумеется, сэр.

— И вы можете их узнать? По крайней мере, в лицо?

— Верно, сэр.

— Как мне сказали, администрация музея позволяет художникам снимать копии с картин?

— Да, такая практика принята во всех музеях мира.

— Вы когда-нибудь видели этих художников?

— Да, и даже успел подружиться со многими.

— Вы были знакомы с неким Ричардом Мелтоном?

— Да, сэр, — вздохнул Брайан Хилл. — Он был очень талантлив.

— Настолько, что вы попросили его стать своим учителем?

— Верно, сэр.

— Ваша честь, все это весьма занимательно, но не вижу связи с данным процессом, — вмешался Дэвид. — Если мистер Бреннан...

— Уважаемый защитник ошибается. Мы пытаемся установить, что мистер Хилл мог знать жертву в лицо, а следовательно, сказать, с кем общался убитый.

— Возражение отклоняется. Можете продолжать.

— Он действительно учил вас рисовать?

— Да, сэр, когда выдавалась свободная минута.

— Мистер Мелтон бывал в музее в обществе молодых женщин?

— Сначала нет, сэр, но потом встретил одну... И, по-моему, увлекся. Я часто видел их вдвоем.

— Как ее звали?

— Алетт Питерс.

— Алетт Питерс? — недоуменно переспросил Бреннан. — Вы уверены, что не перепутали имя?

— Уверен, сэр. Так он ее представил.

— Мистер Хилл, ее, случайно, нет среди нас в этом зале?

— Есть, сэр. Вот она. Сидит на скамье подсудимых.

— Но это не Алетт Питерс. Ее зовут Эшли Паттерсон.

— Ваша честь, мы уже упоминали, что Алетт Питерс — одно из чужеродных «я», тех, кто управляет действиями Эшли Паттерсон, и...

— Вы слишком торопитесь, мистер Сингер. Мистер Бреннан, продолжайте, пожалуйста.

— Мистер Хилл, вы уверены, что обвиняемая Эшли Паттерсон представилась Ричарду Мелтону как Алетт Питерс?

— Да, сэр.

— И у вас не возникло сомнений, что перед вами одна и та же женщина?

— Ну... — нерешительно начал Хилл. — Вроде да, та же самая, сэр.

— Вы видели ее в обществе Ричарда Мелтона в день, когда он был убит?

— Да, сэр.

— Благодарю вас. Больше вопросов не имеется. Свидетель поступает в ваше распоряжение, мистер Сингер.

Дэвид встал и медленно подошел к месту для дачи показаний.

— Мистер Хилл, ваша работа накладывает на вас огромную ответственность, ведь в музее выставлены шедевры искусства на сотни миллионов долларов.

— Верно, сэр.

— И как всякий добросовестный охранник вы должны быть все время начеку и знать, что происходит в стенах музея.

— Разумеется, сэр.

— У вас хорошая зрительная память, мистер Хилл? Тренированная?

— Я бы сказал, да, сэр.

— Я спросил это потому, что заметил следующее: когда мистер Бреннан спросил, действительно ли Эшли Паттерсон та женщина, что представилась Ричарду Мелтону под именем Алетт Питерс, вы поколебались. Что-то вас смутило?

Последовала минутная пауза.

— Видите ли, она очень похожа на мисс Питерс, как будто сестра родная, но все-таки есть что-то странное... Какие-то различия... Мне трудно объяснить.

— Все же попытайтесь, мистер Хилл.

— Алетт Питерс была совсем как итальянка, даже говорила с итальянским акцентом, и казалась моложе подсудимой.

— Тут вы, бесспорно, правы, мистер Хилл. Та особа, которую вы знали как Алетт Питерс, была одним из «я» Эшли Паттерсон. Она родилась в Риме на восемь лет позже...

— Протестую, ваша честь! — вскочил Бреннан. — Защитник намеренно пытается ввести в заблуждение свидетеля.

Дэвид повернулся к судье:

— Ваша честь, я...

— Прошу представителей защиты и обвинения подойти к судейскому столу, — перебила Тесса Уильямс.

Дэвид и Бреннан выполнили приказание.

— Больше я не стану повторять, мистер Сингер. Защита выскажет свои доводы после речи обвинителя. А пока запрещаю склонять присяжных на свою сторону.

— Для дачи показаний приглашается мисс Бернис Дженкинс.

Бернис принесла присягу.

— Назовите род ваших занятий, мисс Дженкинс.

— Я официантка.

— И где работаете?

— В кафе музея Де Янга.

— Каковы ваши отношения с Ричардом Мелтоном?

— Мы были хорошими друзьями.

— Не расскажете ли подробнее?

— Когда-то, довольно давно, у нас были более... как бы это выразиться... романтические отношения, а потом мы охладели друг к другу. Такое бывает, сами знаете.

— К сожалению, мисс Дженкинс. Ну а потом?

— Потом мы стали вроде как братом и сестрой. Я... То есть я рассказывала ему о всяких проблемах, он делился своими невзгодами. Нет, были и радости, конечно.

— Скажите, он когда-нибудь рассказывал вам о подсудимой?

— Да, часто, но она называла себя по-другому.

— И ее имя?..

— Алетт Питерс.

— Как по-вашему, он знал, что в действительности это Эшли Паттерсон?

— Нет. Ричард был уверен, что встречается с Алетт Питерс.

— Хотите сказать, она намеренно обманывала его?

— Ваша честь! — вмешался взбешенный Дэвид.

— Возражение принято. Прекратите задавать свидетелям наводящие вопросы!

— Прошу прощения, ваша честь.

Бреннан снова повернулся к свидетельнице:

— Вы утверждаете, что Мелтон говорил с вами об Алетт Питерс. Когда-нибудь видели их вдвоем?

— Да, сэр. Как-то он привел ее в кафе и познакомил со мной.

— Вы имеете в виду подсудимую Эшли Паттерсон?

— Да. Только тогда она называла себя Алетт Питерс.

Бреннан отпустил официантку и пригласил Гэри Кинга.

— Вы снимали с Ричардом Мелтоном квартиру на двоих?
— Верно, сэр.
— Вы дружили? Бывали с ним на вечеринках, в ресторанах, других общественных местах?
— Довольно часто, и не вдвоем, а вчетвером. Приглашали с собой девушек.
— Вам известно, что последнее время мистер Мелтон особенно интересовался одной молодой леди?
— Известно. Он сам мне сказал.
— Вам известно ее имя?
— Она называла себя Алетт Питерс.
— Вы видите ее в зале суда?
— Да, сэр. Она сидит вон там.
— Для большей ясности объясните: вы имеете в виду ответчицу Эшли Паттерсон?
— Так оно и есть, сэр.
— Вы пришли домой в ночь убийства и обнаружили в спальне тело Ричарда Мелтона?
— Точно так, сэр.
— В каком виде?
— Все было залито кровью.
— И труп кастрирован?
— Да. Поверьте, в жизни не испытывал такого ужаса!

Бреннан пригляделся к присяжным. Реакция соответствующая. Если так пойдет и дальше, защите тут делать нечего.

— И что же вы предприняли, мистер Кинг?
— Вызвал полицию.
— Благодарю вас. Обвинение закончило допрос свидетеля. Очередь защиты.

Дэвид встал и подошел к Кингу:
— Расскажите о Ричарде Мелтоне. Что это был за человек?
— Лучше не бывает.

— Он любил спорить? Часто ссорился с друзьями?

— Ричард? Ничего подобного. Сдержанный, очень миролюбивый, можно сказать, невозмутимый. Говорю же, такого еще поискать.

— Может, предпочитал властных, решительных женщин?

Гэри недоуменно уставился на Дэвида:

— Вовсе нет. Ричарду нравились женщины тихие, спокойные.

— Он и Алетт часто скандалили? Она кричала на него? Закатывала истерики?

— Да о чем это вы? Все было не так. Они в жизни голоса друг на друга не повысили.

— Вы замечали что-то, заставлявшее предполагать, будто Алетт Питерс способна причинить зло...

— Возражаю! Защитник пытается воздействовать на свидетеля!

— Возражение принято.

— Больше вопросов не имею, — слегка поклонился Дэвид и, усевшись, прошептал Эшли: — Не тревожьтесь, они сами роют себе яму.

Беда в том, что на самом деле он был далеко не так уверен в своих словах, как хотел показать. Слишком много поставлено на карту. Слишком убедительны доводы обвинения. Слишком мало людей верят в невиновность Эшли Паттерсон.

Вечером Дэвид и Сандра ужинали в «Сан-Фреско», ресторане отеля «Уиндем».

— Вас срочно к телефону, мистер Сингер, — сообщил подошедший метрдотель.

— Спасибо, — кивнул Дэвид. — Сандра, я сейчас вернусь.

Метрдотель подвел его к телефонному аппарату и тактично исчез. Дэвид поднял трубку:

— Сингер у телефона.

— Дэвид? Это Джесс. Поднимись в номер и перезвони мне. Все пропало! Мы загнаны в угол, откуда, боюсь, уже не выберемся!

Глава 17

— Джесс, что стряслось?

— Дэвид, я понимаю, что не имею права вмешиваться, но, по-моему, ты должен заявить суду о неправильном ведении процесса.

— В чем дело?

— Ты последние несколько дней не входил в Интернет?

— Сожалею. Был очень занят.

— Ну так вот, в этом чертовом Интернете только и делают, что обсуждают процесс, словно больше им заняться нечем. Каждая «четрум» — маленький зал суда, где свои судьи, обвинители и присяжные. С ума можно сойти!

— Вероятно, — согласился Дэвид. — Но какое отношение...

— Вот именно, отношение. Крайне негативное, Дэвид. Они уверены, что Эшли кругом виновна и должна сесть на электрический стул. Ну и выражения же они употребляют! Не поверишь, какими подлыми и злобными могут быть люди. Просто мороз по коже!

Дэвида в конце концов осенило:

— О господи! Если кто-то из присяжных помешался на Интернете... Они же просто-напросто предубеждены! Типичный случай необъективности суда!

— Готов побиться об заклад, так оно и есть! Представляешь, какое влияние окажет на них вся эта история? Самое меньшее, что бы я сделал на твоем месте, попросил бы об отводе тех присяжных, которые чересчур увлеклись Интернетом.

— Спасибо, Джесс. Так и сделаю.

Дэвид положил трубку и спустился в ресторан. Увидев лицо мужа, Сандра коротко спросила:

— Плохо?

— Хуже некуда.

Перед началом следующего заседания Дэвид попросил судью Уильямс выслушать его. Та согласилась, и вскоре Дэвида вместе с Микки Бреннаном пригласили в ее кабинет.

— У вас какой-то вопрос?

— Да, ваша честь. Вчера вечером я узнал, что этот процесс — основная тема обсуждения в Интернете. Но это не имело бы особого значения, не приговори заранее фанаты Интернета Эшли Паттерсон. Ее уже обвинили и едва ли не требуют казни. И поскольку я уверен, что многие из присяжных имеют компьютеры с доступом в Интернет или приятелей, которые этим занимаются, боюсь, это может серьезно подорвать доводы защиты. Следовательно, я ставлю вопрос о неверном ведении процесса. Присяжные пристрастны...

— Просьба отклонена, — немного подумав, объявила судья.

Дэвид отшатнулся, как от удара. Такого он не ожидал.

— В таком случае, — едва выговорил он, стараясь сдержаться, — я ходатайствую о немедленном отводе присяжных, находящихся под влиянием...

— Мистер Сингер, каждый день в зале суда справляет шабаш пресса. Невозможно включить телевизор, чтобы не услыхать душераздирающие подробности. Я уже не упоминаю о газетах, журналах и бульварных листках. Вспомните, я предупреждала, что так и будет, но вы ничего не пожелали слушать. Ну так вот, весь этот спектакль — ваших рук дело. Если вы желали сократить число присяжных, нужно было принимать решение до начала суда, и даже в этом случае я вряд ли согласилась бы. У вас что-то еще?

Дэвид задохнулся от бессильного негодования:

— Нет, ваша честь.

— В таком случае вернемся в зал.

Начало очередного заседания. Идет допрос свидетеля обвинения, шерифа Даулинга.

— Ваш помощник Сэмюэл Блейк позвонил и передал, что собирается провести ночь в квартире ответчицы, которая требовала защиты от угрожавшего ей неизвестного лица. Это так?

— Именно так, сэр.

— И когда состоялся ваш следующий разговор с мистером Блейком?

— Следующего разговора не было. Утром... утром мне сообщили, что его тело было найдено в переулке за домом мисс Паттерсон.

— И вы, разумеется, немедленно туда отправились?

— Конечно, сэр.

— Что же обнаружили?

Шериф болезненно поморщился и стиснул руки так, что даже из зала видно было, как побелели пальцы.

— Тело Сэма, завернутое в окровавленную простыню. Его истыкали ножом и кастрировали, как... Как остальных двоих.

— Как остальных двоих. Значит, все убийства совершались, так сказать, по одному сценарию?

— Да, сэр.

— Словно каждый раз орудовал один и тот же человек?

— Протестую, ваша честь, — перебил Дэвид.

— Принято.

— Я снимаю этот вопрос. Что вы сделали потом, шериф?

— Ну... до этой минуты никому не приходило в голову подозревать Эшли Паттерсон. Но когда был найден нож, я немедленно арестовал ее и приказал взять отпечатки пальцев.

— А дальше?

— Мы послали их в ФБР и получили положительный ответ.

— Не будете ли так добры объяснить присяжным, что вы подразумеваете под определением «положительный ответ»?

— Отпечатки пальцев мисс Паттерсон совпадали с теми, что были оставлены на местах предыдущих преступлений. Тогда и стало ясно, что тот маньяк, который изуродовал троих мужчин, найден.

— Спасибо, шериф. Господин защитник, свидетель ваш.

Дэвид встал:

— Шериф, ранее в этом зале мы слышали показания о том, что в кухне мисс Паттерсон нашли окровавленный нож.

— Да, сэр.

— Он был где-то спрятан? Завернут во что-нибудь? Засунут в укромное место?

— Нет, просто валялся в раковине.

— Валялся в раковине. Оставлен человеком, которому было нечего скрывать. Несчастной, больной, не сознававшей, что делает, девушкой...

— Возражаю! Представитель защиты пытается дискредитировать свидетеля...

— Принято.

— Больше вопросов не имею.

— Свидетель может быть свободен.

— Ну что же, — объявил Бреннан, — если суду угодно...

Он сделал знак, и мужчина в рабочем комбинезоне внес зеркало из ванной Эшли Паттерсон. Серебристое стекло перечеркивала размашистая надпись, сделанная красной помадой: «ТЫ УМРЕШЬ!»

— Что это? — вырвалось у Дэвида.

— Отвечайте, мистер Бреннан, — резко потребовала судья.

— Всего-навсего приманка, с помощью которой преступница завлекла помощника шерифа Блейка в свою квартиру, чтобы без помех с ним расправиться. Я хотел бы обозначить этот предмет как вещественное свидетельство «Д». Оно снято с аптечного шкафчика в ванной комнате обвиняемой.

— Протестую, ваша честь. Почтенный обвинитель отклоняется от главной темы процесса. Прошу отвести его заявление как необоснованное.

— Ваша честь, я докажу, что у меня имеются все основания представить суду эту улику.

— Посмотрим. А пока можете продолжать.

Бреннан велел поставить зеркало перед скамьей присяжных.

— Как я уже сказал, это зеркало взято из ванной комнаты квартиры, в которой жила ответчица. Все, надеюсь, видят, что на стекле нацарапана угрожающая надпись. Под этим предлогом обвиняемая оставила помощника шерифа Блейка на ночь, попросив охранять ее. Ваша честь, я хотел бы пригласить следующего свидетеля, Лору Наивен.

В зале появилась женщина средних лет, опиравшаяся на трость. Шла она медленно, с трудом, сильно прихрамывая. После принесения присяги Бреннан заботливо усадил ее.

— Где вы служите, мисс Наивен?

— Консультант полиции города Сан-Хосе.

— Уточните, пожалуйста.

— Эксперт-почерковед.

— Каков стаж вашей работы?

— Двадцать два года.

Бреннан торжественно указал на зеркало:

— Скажите, вам ранее показывали это вещественное доказательство?

— Да.

— И вы исследовали его?

— Совершенно верно.

— Вы имели возможность ознакомиться с образцами почерка обвиняемой?

— Да, сэр.

— И смогли исследовать его?

— Разумеется, сэр.

— Надеюсь, вам предоставили время сравнить почерк ответчицы с надписью на зеркале?

— Да, сэр.

— И к каким выводам вы пришли?

— Обе надписи выполнены одним и тем же человеком.

В зале поднялся шум. Судья рассерженно ударила молоточком по столу.

— Следовательно, вы готовы утверждать, что Эшли Паттерсон сама написала адресованную себе угрозу?

— Совершенно верно.

Майк Бреннан отступил:

— Можете начинать перекрестный допрос, защитник.

Дэвид нерешительно взглянул на Эшли. Та ожесточенно трясла головой.

— Вопросов не имею, — заявил он.

— Нет вопросов? — переспросила судья, пристально вглядываясь в адвоката.

Дэвид встал.

— Вопросов нет, поскольку сами свидетельские показания не имеют смысла. Господа присяжные, обвинению придется доказать, что Эшли Паттерсон знала истинных виновников и имела мотив для...

— Я уже предупреждала вас, адвокат! — рассерженно перебила судья. — Никто не уполномочивал вас просвещать присяжных в уголовном праве. Если...

— Но кто-то должен им все объяснить! — взорвался Дэвид. — Вы слишком много позволяете обвинителю! Ему все сходит с рук!

— Довольно, мистер Сингер! Подойдите ко мне.

Дэвид молча послушался.

— Я привлекаю вас к судебной ответственности за неуважение к суду и приговариваю к суткам тюремного заключения в здешней уютной тюрьме по окончании процесса.

— Постойте, ваша честь! Вы не имеете...

— Я уже дала вам сутки тюрьмы, — мрачно предостерегла мисс Уильямс. — Хотите удвоить этот срок?

Дэвид не отходил, пронизывая судью гневными взглядами и тяжело дыша.

— Ради... ради моего клиента постараюсь сдержать эмоции.

— Мудрое решение, — кивнула судья. — Суд удаляется на перерыв.

И, повернувшись к судебному приставу, предупредила:

— Как только процесс закончится, вы возьмете мистера Сингера под стражу.

— Будет сделано, ваша честь.

— О боже, — прошептала Эшли, стискивая руку Сандры. — Что происходит?

— Не волнуйтесь, дорогая. Доверьтесь Дэвиду.

Выбежав из зала суда, Сандра набрала номер Джесса Куиллера.

— Я уже слышал, — хмуро отозвался тот, словно ждал звонка. — Папарацци постарались. Но трудно винить Дэвида за эту вспышку. Тесса с самого начала упорно донимала его. Чем Дэвид заслужил такую немилость?

— Не знаю, Джесс. Все это сплошной кошмар. Вам следовало бы видеть лица присяжных. Все настроены против Эшли. Ждут не дождутся, пока наконец смогут приговорить ее! Но ничего, защита еще не сказала последнего слова. Дэвид сумеет их переубедить.

— Вашими бы устами...

— Судья Уильямс ненавидит меня, Сандра, и поэтому предубеждена против Эшли. Если не предпринять срочных мер, Эшли погибла. Этого нельзя допустить.

— И что ты намереваешься делать? — прошептала жена.

— Выход один — заявить о самоотводе. Пусть берут другого защитника, — вздохнул Дэвид.

Оба прекрасно понимали, что это означает. У репортеров будет настоящий праздник. Уж они не преминут поиздеваться над неудачей Дэвида. Такой свеженький скандальчик!

— Мне с самого начала не стоило идти на эту авантюру, — горько признался Дэвид. — Доктор Паттерсон доверил мне жизнь дочери, а я...

Он расстроенно махнул рукой. Сандра обняла мужа и прижала к груди:

— Не мучай себя, дорогой. Вот увидишь, все будет хорошо.

«Ничего уже не будет. И впереди один мрак. Он подвел всех, и в первую очередь Сандру. Недолог час, когда его просто вышибут из фирмы и у малыша окажется безработный отец. Безработный и, скорее всего, бездомный. Милая Сандра! Она одна верит в него: «Все будет хорошо... Именно все!»

Утром Дэвид снова попросил встречи с судьей. При их разговоре, как полагается, присутствовал Микки Бреннан.

— Вы хотели меня видеть, мистер Сингер?

— Да, ваша честь. Хочу заявить об отказе от ведения дела.

— На каком основании? — настороженно осведомилась судья Уильямс.

— Видите ли, ваша честь, я не считаю себя способным достойно представлять интересы своей клиентки на этом процессе. По моему мнению, я приношу ей только вред своими действиями. Прошу о замене.

— Мистер Сингер, — тихо, отчетливо выговаривая каждое слово, начала судья, — если думаете, что я позволю вам исчезнуть со сцены, оставив нас в безвыходном положении, вынужденных снова начать всю процедуру с самого начала и истратить еще больше времени и денег, вы жестоко ошиблись. Ни за что. Вам понятно? Ни за что.

Дэвид сжал кулаки, уговаривая себя не лезть в бутылку.

— Да, ваша честь, — выдавил он.

Выхода не было. Он в ловушке. И сам себя туда загнал.

Глава 18

С начала процесса прошло более трех месяцев, и Дэвид не мог припомнить, когда в последний раз высыпался. Он осунулся, похудел, был постоянно на взводе и лишь сверхчеловеческим усилием воли заставлял себя не срываться по любому пустяку.

Как-то по пути в отель Сандра нерешительно сообщила:

— Дэвид, мне, пожалуй, лучше вернуться в Сан-Франциско.

Дэвид удивленно поднял брови:

— Почему? Ты же знаешь, мне без тебя плохо придется. И это когда суд в самом разгаре... О боже! Малыш! Ты рожаешь?!

Он обхватил жену и вгляделся в милое личико.

— Пока нет, но со дня на день... Просто будет спокойнее, если доктор Бейли приглядит за мной. И мама сказала, что на время ко мне переедет.

— Разумеется! Какой же я болван! Совсем потерял представление о времени! Тебе нужно срочно ехать домой. Осталось не больше трех недель, верно?

— Именно.

— Подумать, что меня не будет рядом! — поморщился Дэвид.

Сандра погладила мужа по руке:

— Не волнуйся, дорогой. Суд скоро закончится.

— Этот проклятый процесс портит нам жизнь.

— Дэвид, ну что может со мной случиться? Меня ждут на прежней работе. После родов я смогу...

— Прости меня, Сандра, — умоляюще пробормотал Дэвид. — Жаль, что...

— Дэвид, никогда не стоит жалеть о сделанном, если уверен в собственной правоте.

— Я люблю тебя.

— Я тоже тебя люблю.

Дэвид погладил ее округлившийся живот.

— Я люблю вас обоих. И как ни тяжело жить врозь, придется помочь тебе уложить вещи. Сегодня же отвезу вас в Сан-Франциско.

— Ни за что, — твердо объявила Сандра. — Ты и так на ногах не держишься. Попрошу Эмили приехать за мной.

— Заодно узнай, не согласится ли она поужинать с нами.

— Будет сделано.

Эмили пришла в полный восторг от приглашения и заверила, что доставит Сандру в Сан-Франциско на своей машине.

Вечером все трое ужинали в китайском ресторанчике.

— До чего же все неудачно складывается, — сетовала Эмили. — Ужасно, что вам приходится разлучаться.

— Процесс идет к концу, — с надеждой вставил Дэвид. — Возможно, я еще успею закруглиться до родов.

— В таком случае у нас будет двойной праздник, — улыбнулась Эмили.

Пришло время расстаться. Дэвид крепко обнял Сандру на прощанье.

— Я буду звонить каждый вечер, — пообещал он.

— И, пожалуйста, не беспокойся за меня. Ничего со мной не сделается. И я очень тебя люблю. Береги себя, дорогой. У тебя усталый вид.

Только после отъезда Сандры Дэвид понял, как ужасно одинок.

Судебное заседание было в самом разгаре. Микки Бреннан попросил пригласить свидетеля обвинения доктора Лоуренса Ларкина. К месту для дачи показаний приблизился представительный седовласый мужчина.

— Благодарю вас за то, что нашли время приехать, доктор Ларкин, — начал Бреннан. — Я знаю, как много вы трудитесь. Не расскажете нам немного о роде своих занятий?

— У меня большая практика в Чикаго. Я бывший президент Чикагской психиатрической ассоциации.

— Сколько лет вы практикуете, доктор?

— Около тридцати.

— В качестве психиатра вам, конечно, часто приходилось сталкиваться со случаями так называемого расщепления сознания, или деперсонализации?

— Вовсе нет.

Бреннан сосредоточенно нахмурился:

— Хотите сказать, что редко видели больных, подверженных этому недугу? Сколько именно их было? Десять? Двадцать? Сто?

— Никогда не встречался с подобным заболеванием за все годы работы.

Бреннан с деланным недоумением развел руками и снова обратился к доктору:

— Утверждаете, что за тридцать лет работы с людьми, страдающими различного рода нарушениями психики, не наблюдали ни единого случая расщепления сознания?

— Совершенно верно.

— Поразительно. Как вы можете это объяснить суду?

— Очень просто. По моему мнению, никакого расщепления сознания вообще нет в природе.

— Странно. Весьма странно, доктор. Разве в литературе не описаны примеры деперсонализации?

— В литературе много что описано, — фыркнул доктор Ларкин, — но это не значит, что такая вещь есть на самом деле. Видите ли, то, что некоторые врачи считают расщеплением сознания, является просто неверно диагностированными случаями шизофрении, различного рода депрессий и тому подобных расстройств.

— Интересно, крайне интересно. Значит, вы, опытный психиатр, не верите в существование расщепления личности?

— Абсолютно не верю.

— Спасибо, доктор. Защита может приступать к перекрестному допросу, — торжествующе ухмыльнулся Бреннан.

Настала очередь Дэвида.

— Мистер Ларкин, вы бывший президент Чикагской психиатрической ассоциации, не так ли?

— Верно.

— И, должно быть, встречались со многими блестящими авторитетами в области психиатрии?

— Да, и горжусь этим.

— Знакомы ли вы с доктором Рейсом Сейлемом?

— Да, и очень хорошо.

— Он хороший психиатр?

— Превосходный. Один из лучших.

— А доктор Клайд Донован? Что скажете о нем?

— Я знаком с доктором Клайдом Донованом.

— Что можете сказать о его профессиональных качествах?

— При необходимости я обратился бы именно к нему, — заверил Ларкин со смешком. —

Если бы такая необходимость возникла, конечно.

— Ну а доктор Ингрэм? Его вы знаете?

— Рэя Ингрэма? Безусловно. Прекрасный человек.

— И компетентный в своей области?

— О да.

— Скажите, бывает ли так, что при постановке диагноза возникают разногласия, или, как правило, врачи редко спорят?

— Разногласия бывают; и довольно часто. Видите ли, психиатрия — наука крайне сложная и не укладывается в какие-то определенные рамки.

— Благодарю, доктор, все это весьма интересно, особенно потому, что вышеуказанные врачи-психиатры приехали сюда, чтобы свидетельствовать в пользу существования такого недуга, как расщепление сознания. Возможно, они не столь квалифицированны, как вы, но тем не менее... У меня больше нет вопросов, свидетель свободен.

— Станете проводить прямой допрос повторно? — осведомилась судья у Бреннана.

Тот кивнул и приблизился к свидетелю:

— Доктор Ларкин, вы считаете, что существование противоположных мнений по поводу деперсонализации доказывает правоту ваших оппонентов?

— Вовсе нет. Я мог бы назвать десятки ведущих психиатров страны, которые не верят в подобную болезнь.

— Благодарю вас, доктор. У меня все.

— Продолжается допрос свидетелей обвинения. Вызывается доктор Аптон.

— Доктор Аптон, — начал Микки, — из предыдущих показаний мы поняли одно: то, что иногда считают расщеплением личности, — просто неудачно диагностированная форма другого психического заболевания. Не можете ли сказать, каковы методы, с помощью которых можно доказать, что расщепление личности — не есть одна из вышеперечисленных болезней?

— Таких методов нет.

— Неужели?! — вскричал Бреннан, всплеснув руками. — Никаких методов? Хотите сказать, что нет способа определить, лжет ли пациент, утверждающий, что страдает деперсонализацией, притворяется или просто хочет скрыть преступление, чтобы избежать сурового наказания?

— Как я уже сказал, никаких тестов подобного рода не существует.

— Значит, это зависит от точки зрения психиатра? Некоторые верят в существование расщепления личности, а кто-то не верит?

— Совершенно верно.

— В таком случае, доктор Аптон, позвольте спросить, можно узнать под гипнозом, страдает предполагаемый больной этим недугом или нет?

— Боюсь, это невозможно, — покачал головой доктор. — Даже применив амитал натрия, более известный как «сыворотка правды», невозможно с точностью определить, симулирует ли пациент.

— Понятно. Спасибо, доктор. Можно начинать перекрестный допрос.

— Доктор Аптон, — начал Дэвид, — к вам когда-нибудь приходили пациенты с уже поставленным диагнозом расщепления личности?

— Да, несколько раз.

— И вы лечили таких пациентов?

— Никогда.

— Почему же?

— Я не могу лечить того, чего не существует. Один из пациентов оказался мошенником, который просил меня засвидетельствовать, что он не ответствен за преступления, совершенные его чужеродным «я». Другой пациенткой оказалась домашняя хозяйка, арестованная за издевательства над детьми. Она утверждала, что кто-то у нее внутри постоянно заставлял ее делать это. Являлись и другие люди, но одно оставалось неизменным — все пытались обойти закон. Иными словами, они просто притворялись.

— Похоже, у вас вполне определенное мнение по этому вопросу, доктор.

— Да, поскольку я знаю, что целиком и полностью прав.

— Вы в этом твердо уверены?

— Ну, я хочу сказать...

— Что все остальные ошибаются? Все врачи, которые верят в такое психическое отклонение, как расщепление личности?

— Я не это...

— Значит, вы единственное светило в области психиатрии. Спасибо, доктор, это все.

Настала очередь доктора Саймора Рали. Перед присяжными предстал невысокий, ничем не примечательный мужчина лет шестидесяти.

— Спасибо, что согласились дать показания, — начал Бреннан. — Все знают, что за вашими плечами долгая блестящая карьера. Вы — доктор, профессор, известный психиатр...

— Представители защиты осведомлены о безупречной репутации доктора Рали, — вмешался Дэвид.

— Благодарю, адвокат. Доктор Рали, что означает термин «ятрогенность»?

— Под этим подразумевается ухудшение болезни, вызванное попыткой излечения психотерапевтическими методами.

— Нельзя ли немного конкретнее, доктор?

— Видите ли, в психотерапии на пациента часто влияет мнение врача, его отношение к какому-то вопросу. Психотерапевт может заставить человека подлаживаться под свои требования или точку зрения.

— Каким образом это относится к расщеплению личности?

— Если психоаналитик задается вопросом узнать, существуют ли в человеке несколько различных личностей, пациент способен придумать эти самые чужеродные «я» лишь затем, чтобы угодить своему доктору. Это весьма скользкая тема. Амитал натрия и гипноз могут имитировать или спровоцировать появление симптомов расщепления сознания у вполне нормальных пациентов.

— Значит, вы считаете, что сам психоаналитик, рискованно экспериментируя с гипнозом, способен изменить состояние пациента до такой степени, что тот может поверить во что угодно?

— Да, такие случаи бывали.

— Спасибо, доктор. Адвокат может приступить к перекрестному допросу.

— Все мы знаем о ваших заслугах, доктор, — обезоруживающе улыбнулся Дэвид. — Вы не только практикующий психиатр, но и преподаете в университете.

— Совершенно верно.

— Сколько лет вы являетесь наставником молодежи?

— Более пятнадцати.

— Потрясающе. И как у вас на все хватает времени? Наверное, вам приходится разрываться между преподаванием и практической работой?

— Нет, последние годы я только преподаю.

— Вот как? Последние годы? И давно вы оставили врачебную деятельность?

— Лет восемь назад, но я внимательно слежу за текущей литературой и в курсе всех последних исследований.

— Должен сказать, я нахожу это достойным всяческого уважения. Значит, вы много читаете. Поэтому и знакомы с термином «ятрогенность»?

— Разумеется.

— Скажите, много ли ваших бывших пациентов жаловались на расщепление сознания? Утверждали, что их телесную оболочку делят еще несколько человек, рожденных собственным воображением?

— Да нет...

— Немного? Сколько же? Человек двенадцать?

— Нет.

— Шесть?

Доктор покачал головой.

— Четыре?

Ответа Дэвид так и не дождался.

— Скажите, мистер Рали, вы вообще когда-нибудь видели больного, страдавшего этим недугом?

— Знаете, это трудно...

— Да или нет, доктор?

— Нет.

— Значит, вам известно о деперсонализации исключительно понаслышке и из литературы? Больше вопросов не имею.

Представитель обвинения вызвал еще шесть свидетелей, удивительно единодушных в своих показаниях. Микки Бреннан собрал девять ведущих психиатров страны, абсолютно уверенных в том, что расщепление сознания — выдумка преступников, старающихся выйти сухими из воды.

Версия обвинения была почти изложена. Когда последний свидетель в списке дал показания, судья Уильямс обратилась к Бреннану:

— Больше у вас нет свидетелей, мистер Бреннан?

— Нет, ваша честь. Но я хотел бы показать господам присяжным фотографии со сценами преступлений, сделанные после убийств...

— Ни в коем случае! — разъяренно прошипел Дэвид.

Судья повернула голову в его сторону:

— Что вы сказали, мистер Сингер?

— Я сказал...

Сейчас он сорвется, и тогда...

— Протестую, ваша честь, — поправился Дэвид. — Обвинение пытается настроить присяжных против...

— Протест отклонен. Все условия следовало выдвигать перед началом слушаний. Мистер Бреннан, можете показывать свои снимки.

Дэвид резко развернулся и пошел на место. Бреннан взял со своего стола пачку фотографий и раздал присяжным.

— Понимаю, леди и джентльмены, смотреть на это не слишком приятно, но мы собрались здесь, чтобы выяснить истину. И не дайте себя обмануть высокими словами, умными теориями, удобными предлогами и сказками о таинственных чужеродных «я», якобы убивающих людей. Перед вами трое мужчин, зверски и бесчеловечно убитых. Закон гласит, что кто-то должен платить за эти преступления. Дело каждого из вас позаботиться, чтобы правосудие свершилось.

Страшно было смотреть на лица присяжных, искаженные ужасом и неверием.

Обернувшись к судье, Бреннан объявил:

— Обвинение закончило допрос свидетелей, ваша честь.

Уильямс посмотрела на часы:

— Уже четыре. Заседание на сегодня закончено и возобновится в понедельник, в десять утра. Суд удаляется на два дня.

Глава 19

Эшли Паттерсон стоит на эшафоте прямо под свисающей петлей, но тут подбегает всполошенный полисмен и требует:

— Остановите казнь! Ее должны убить током!

Сцена мгновенно меняется, и Эшли уже прикована к электрическому стулу. Охранник тянется к выключателю, и в ушах Дэвида звенит пронзительный вопль Тессы Уильямс:

— Нет! По приговору ей следует ввести яд!

Дэвид пробудился и с сильно заколотившимся сердцем сел, растерянно оглядываясь. Пижама была насквозь мокрой от пота. Он попытался встать, но перед глазами все поплыло. В виски словно колотили тысячи маленьких молоточков, голова разрывалась от боли. Он коснулся рукой лба. Горит как в огне. Голова кружилась все сильнее, и Дэвид схватился за спинку кровати, боясь упасть.

— О нет, — простонал он. — Только не это!

Именно этого дня он ждал с таким нетерпением. Сегодня должен был начаться допрос свидетелей защиты.

Дэвид, шатаясь, поплелся в ванную и умылся холодной водой. В зеркале отражалось бледное, растерянное лицо с огромными синими полукружиями под глазами.

Дэвид едва не опоздал к началу очередного слушания. Судья, обвинитель и присяжные уже заняли свои места.

— Прошу прощения за поздний приход, — прохрипел Дэвид. — Могу я подойти к вам, ваша честь?

— Пожалуйста.

Микки немедленно последовал за ним.

— Ваша честь, — начал Дэвид, — я прошу объявить перерыв на сутки.

— На каком основании?

— Я... я чувствую себя неважно, ваша честь. Что-то вроде гриппа. Надеюсь, доктор успеет подлечить меня к завтрашнему утру.

— Почему бы вам не препоручить дело помощнику? — предложила судья.

— Но у меня нет помощников, — удивился Дэвид.

— По какой причине, мистер Сингер?

— Потому что...

— Послушайте, адвокат, я в жизни не видела, чтобы процесс об убийстве велся подобным образом! Устраиваете театр одного актера, чтобы вся слава досталась вам одному? Ну так вот, ничего не выйдет! И еще одно: вы, вероятно, воображаете, что мне следовало бы взять отвод лишь потому, что я не верю в ваших таинственных убийц и неких призраков, заставляющих милую девушку совершать мерзкие преступления. Но и тут вам не повезло. Пусть присяжные решают вопрос о виновности или невиновности вашей клиентки. Что-то еще, мистер Сингер?

Комната бешено завертелась перед глазами Дэвида. Ему страшно хотелось выругаться, послать ее подальше... упасть на колени и умолять о справедливости. Но больше всего он мечтал о теплой постели и стакане горячего молока.

— Нет, — едва выговорил он. — Спасибо, ваша честь.

— Мистер Сингер, начинайте. Прошу вас не тратить больше времени суда на решение ваших личных проблем.

Дэвид направился к скамьям присяжных, пытаясь забыть о высокой температуре и больной голове.

— Леди и джентльмены, — медленно начал он, — вы выслушали свидетелей обвинения, отрицающих самую мысль о таком явлении, как расщепление сознания. Я уверен, что мистер Бреннан не был намеренно несправедлив. Все его заявления — следствие элементарного незнания и невежества. Истина заключается в том, что он, очевидно, не имеет никакого представления о деперсонализации, или расщеплении сознания, как, впрочем, и те психиатры, которые давали показания против моей подзащитной. Но сейчас перед вами выступят люди, разбирающиеся в этом недуге. Все они — известные доктора и эксперты по проблемам психических заболеваний. Надеюсь, их показания прольют совершенно иной свет на несчастье, случившееся с мисс Эшли Паттерсон. Мистер Бреннан долго и обстоятельно распространялся на тему о том, как велика вина моей подзащитной, якобы совершившей все те ужасные деяния, которые ей тут приписывают. Запомните это определяющее ключевое слово — «ВИНА». Сейчас для нас важнее всего понять, была ли она на самом деле. Ибо для того, чтобы осудить человека за предумышленное убийство, необходимо доказать не только его прямое участие, но и то, что им двигали некие преступные побуждения. Я постараюсь объяснить вам, что никаких заранее обдуманных намерений у Эшли Паттерсон не было и быть не могло, поскольку в момент совершения убийств она собой не владела и находилась в полном неведении относительно происходящего. Выдающиеся психиатры Америки не пожалели времени и расходов, чтобы засвидетельствовать очевидное: сознание Эшли Паттерсон временами бывает омрачено. В ее мозгу живут еще два чужеродных «я», или «заместители», один из которых управляет остальными в роковые моменты.

Не прерывая речи, Дэвид исподтишка изучал лица присяжных, которые, казалось, качались и плыли в мутном тумане. Он на мгновение зажмурился, но тут же заставил себя очнуться. Только бы не упасть! Только бы продержаться до конца!

— Американская Ассоциация психиатров признает существование расщепленного сознания, или деперсонализации, иногда называемых также диссоциативным расстройством личности. Как, впрочем, и известнейшие медики во всем мире, лечившие пациентов с подобным заболеванием. Одна из личностей Эшли Паттерсон совершала все убийства, но повторяю, это одна из личностей, «заместитель», над которым сама Эшли не властна.

С каждой минутой голос Дэвида креп. К собственному удивлению, он почувствовал, как болезнь отступает.

— Чтобы лучше понять проблему, нужно усвоить, что закон не наказывает невиновных.

Здесь, разумеется, кроется некий парадокс. Представьте, что сиамских близнецов судят за убийство. Закон гласит, что нельзя вынести приговор виновному, поскольку в этом случае пострадает невинный.

«Кажется, присяжные слушают достаточно внимательно. Необходимо постоянно держать их в напряжении».

— Мне трудно говорить об этом, но представьте, что на месте мисс Паттерсон мог бы оказаться любой из нас. Человек, волей судьбы попавший в безвыходную ситуацию. Общество подвергло его остракизму, но наш долг — человеческий и гражданский долг, — досконально разобраться в этом нелегком, запутанном деле. И я надеюсь, что вы с честью его выполните. К сожалению, нам придется иметь дело не с одной, а с тремя женщинами. Ваша честь, я хотел бы вызвать своего первого свидетеля, доктора Ноэля Ашанти.

— Доктор Ашанти, вы практикующий врач?

— Да. Я работаю в больнице Мэдисон в Нью-Йорке.

— Вы приехали сюда по моему вызову?

— Нет. Я прочел об этом случае в газетах и решил дать показания. Видите ли, мне приходилось иметь дело с пациентами подобного рода, и я понял, что могу быть полезным вам и вашей подзащитной. Случаи диссоциативного расстройства личности гораздо более часты, чем принято считать, и я хотел бы устранить все недомолвки и разъяснить, что это такое на самом деле.

— Поверьте, доктор, все мы высоко ценим вашу любезность. Скажите, пожалуйста, часто ли встречаются больные, в душе которых сосуществуют два или более «я», или «заместителей»?

— По моему опыту, таких «я» иногда бывает до сотни.

Элинор Такер наклонилась к Бреннану и что-то прошептала. Тот ухмыльнулся.

— Сколько времени вы имеете дело со случаями расщепления сознания, доктор Ашанти?

— Последние пятнадцать лет.

— Скажите, в сознании таких пациентов обычно доминирует одно из чужеродных «я»?

— Совершенно верно.

Некоторые присяжные принялись делать заметки.

— А «хозяин», или свое «я»? Он знает о существовании чужеродных?

— Как когда. Бывает, что все «заместители» знают друг друга. Иногда знакомы между собой лишь некоторые. Но свое «я» обычно узнает о чужеродных исключительно после лечения.

— Вот как? Значит, деперсонализация излечима?

— Да, довольно часто, но исцеление наступает очень не скоро. Иногда на это требуется шесть-семь лет.

— В вашей практике были случаи выздоровления?

— Разумеется.

— Благодарю, доктор.

Дэвид снова вгляделся в сосредоточенные лица присяжных: «Заинтересовались, но еще далеко не убеждены».

— Обвинение может начинать перекрестный допрос, — объявил он.

— Доктор Ашанти, — начал Бреннан, направляясь к свидетелю, — вы утверждаете, что не поленились прилететь сюда из самого Нью-Йорка, потому что хотели помочь?

— Совершенно верно.

— Ваш приезд не имеет ничего общего с тем фактом, что процесс широко освещается в прессе и ваше имя будет напечатано во всех газетах, а это всегда благотворно отражается на...

— Протестую! Обвинитель оскорбляет свидетеля!

— Протест отклонен.

— Я уже объяснил, почему оказался здесь, — невозмутимо откликнулся доктор, даже не повысив голоса.

— Прекрасно. Не могли бы вы приблизительно сказать, доктор, сколько душевнобольных пациентов прошло перед вами за пятнадцать лет?

— Трудно подсчитать. Сотни две, не меньше.

— И сколько было тех, кто страдал расщеплением сознания?

— С дюжину.

Бреннан с притворным удивлением воззрился на свидетеля:

— Из двухсот? Всего двенадцать?

— Э... да. Видите ли...

— Нет, доктор, не вижу. Не вижу и в толк не возьму, почему вы с такой уверенностью мните себя экспертом в таком не совсем понятном деле. Двенадцать человек, согласитесь, не так уж много. Я был бы крайне обязан, если бы вы привели нам доказательства существования столь загадочной болезни, как деперсонализация.

— Когда вы говорите о доказательствах...

— Послушайте, доктор, здесь идет судебное заседание. И присяжные не могут принимать решения, основанные на заумных теориях и предположениях. Что, если подсудимая ненавидела убитых ею мужчин и, прикончив их, решила симулировать душевную болезнь с целью...

— Протестую! — громко воскликнул Дэвид. — Утверждение не имеет под собой конкретных оснований, и, кроме того, имеет место попытка дискредитировать свидетеля.

— Протест отклонен.

— Ваша честь...

— Сядьте, мистер Сингер.

Дэвид пронзил судью негодующим взглядом и сел.

— Итак, доктор, вы говорите, что методики, с помощью которой можно было бы доказать или опровергнуть наличие расщепления сознания у больных, не существует?

— К сожалению. Но...

— Благодарю вас, я все понял, — перебил Бреннан.

Вторым был доктор Ройс Сейлем.

— Доктор Сейлем, это вы обследовали мисс Паттерсон? — начал Дэвид.

— Я.

— И к какому пришли заключению?

— Мисс Паттерсон больна. Мой диагноз — расщепление сознания. У нее имеется два чужеродных «я», называющих себя Тони Прескотт и Алетт Питерс.

— Сама Эшли Паттерсон имеет над ними власть?

— Никакой. Когда они вытесняют «хозяина», у нее начинается кататывная амнезия.

— Не объясните ли подробнее, что это такое, доктор Сейлем?

— С удовольствием. Кататывная амнезия — это состояние, при котором больной стремится выкинуть из памяти определенные личностно значимые поступки и события. Иными словами, не сознает, где он и что делает. Подобного рода амнезия может продолжаться несколько минут, дней или даже недель.

— И в течение этого периода человек не ответствен за свои поступки?

— Именно так.

— Спасибо, доктор. Мистер Бреннан, свидетель ваш.

— Доктор Сейлем, вы консультант многих больниц и читаете лекции по всему миру?

— Да, сэр.

— Предполагаю, что среди ваших уважаемых коллег немало одаренных и блестящих психиатров?

— Я бы сказал, да.

— Следовательно, все придерживаются единого мнения относительно расщепления сознания?

— Нет.

— Что вы хотите этим сказать?

— Некоторые не признают такой болезни.

— То есть попросту не верят в нее...

— К сожалению.

— По-вашему, они не правы, а правы вы и ваши сторонники?

— Я лечил таких пациентов и знаю, что деперсонализация не так уж редко встречается. Когда...

— Позвольте задать вам вопрос. Предположим, подобная вещь действительно есть. Тогда ответьте, всегда ли «заместитель» приказывает «хозяину», что делать? Велит: «убей!» — и человек беспрекословно подчиняется.

— Когда как. Чужеродные «я» обладают различной степенью влияния.

— Так что «хозяин» вполне способен собой владеть?

— Иногда вполне.

— В большинстве случаев?

— Нет.

— Доктор, есть ли у вас доказательства существования деперсонализации?

— Я наблюдал определенные физические изменения в пациентах под гипнозом и уверен...

— Таковы ваши доводы?

— Да.

— Доктор Сейлем, если я загипнотизирую вас в теплой комнате и притом внушу, что вы оказались на Северном полюсе в пургу нагишом, температура вашего тела упадет?

— Разумеется, но...

— Благодарю, это все.

Дэвид решительно вскочил и направился к свидетельскому месту.

— Доктор Сейлем, у вас есть хоть тень сомнения в том, что Тони Прескотт и Алетт Питерс действительно доминируют в сознании Эшли Паттерсон?

— Ни малейшей. Они способны толкнуть ее на любое противоправное деяние, и мисс Паттерсон не имеет над ними никакой власти.

— И при этом она действительно теряет память в подобные моменты?

— Действительно.

— Больше вопросов нет.

— Прошу пригласить в качестве свидетеля Шейна Миллера. Приведите мистера Миллера к присяге.

Молодой человек явно чувствовал себя не в своей тарелке. Он смущенно оглядывался и ежился так, словно костюм был ему мал.

— Чем вы занимаетесь, мистер Миллер?

— Специалист по компьютерной графике. Фирма «Глоубл компьютер грэфикс корпорейшн».

— Сколько времени вы там проработали?

— Почти семь лет.
— Вы были сослуживцем Эшли Паттерсон?
— Да.
— Она трудилась под вашим началом?
— Верно.
— Следовательно, вы хорошо ее знали.
— Очень хорошо.
— Мистер Миллер, вы уже слышали, что некоторые доктора называют в числе симптомов расщепления сознания подозрительность, манию преследования, нервные срывы, перепады настроения. Вы когда-нибудь замечали нечто подобное в мисс Паттерсон?
— Ну, я...
— Разве мисс Паттерсон не признавалась вам, что ей кажется, будто кто-то преследует ее?
— Признавалась.
— И что она не имеет ни малейшего представления о том, кто бы это мог быть и по какой причине?
— Так оно и было.
— Разве она не рассказывала, что кто-то ввел в ее компьютер рисунки угрожающего содержания?
— Рассказывала.
— И после этого вы, испугавшись за мисс Паттерсон, посоветовали ей обратиться к психологу вашей компании доктору Спикмену?
— Да, сэр.
— Значит ли это, что вы наблюдали у мисс Паттерсон проявления всех тех симптомов, о которых ранее шла речь?
— По моему мнению, да.
— Спасибо, мистер Миллер, я закончил допрос свидетеля. Можете приступать, мистер Бреннан.
— Сколько служащих находится в вашем подчинении, мистер Миллер?

— Тридцать человек.

— И из всех тридцати одна мисс Эшли Паттерсон часто расстраивалась?

— Нет, но...

— Но?..

— Видите ли, у всякого рано или поздно бывают неприятности.

— Значит, другие работники компании тоже обращаются иногда к психологу?

— Разумеется. У него много посетителей.

— Неужели?

— Конечно! Все мы люди, у всех свои проблемы.

— Спасибо. У меня все.

— Я хотел бы задать несколько дополнительных вопросов свидетелю, — заявил Дэвид. — Мистер Миллер, вы упомянули, что у некоторых ваших подчиненных были проблемы. Какого именно рода?

— Ну... ссора с приятелем, мужем, все в таком роде.

— Еще какие?

— Финансовые...

— Далее?

— Многие расстраивались из-за детей...

— Иными словами, обычные домашние неприятности, которых нам всем рано или поздно не избежать?

— Да, сэр.

— Но никто не обращался к доктору Спикмену, потому что считал, будто его грозятся убить или неотступно преследуют?

— На моей памяти никто, кроме мисс Паттерсон.

— Спасибо.

Послышался стук молотка.

— Суд удаляется на перерыв, — металлическим голосом провозгласила судья Уильямс.

Дэвид в совершенном отчаянии уселся за руль машины и поехал куда глаза глядят. Дело плохо. Пока у него нет ни единого шанса выиграть процесс. Врачи никак не могут прийти к единому мнению относительно расщепления личности. Но если между ними нет согласия, как убедить присяжных?! Кончится тем, что бедная Эшли погибнет по его вине!

Дэвид сделал круг и вернулся в «Хэролдз кафе», ресторанчик, неподалеку от здания суда. Хостесс* приветливо улыбнулась ему:

— Здравствуйте, мистер Сингер.

«Вот и он приобрел известность. Печальную!»

— Сюда, пожалуйста.

Дэвид последовал за ней в кабинку и уселся. Хостесс вручила ему меню, снова зазывно улыбнулась и удалилась, соблазнительно покачивая бедрами.

«Что поделать, капризы судьбы», — мрачно подумал Дэвид.

Он был не голоден, но так и слышал наставительный голос Сандры:

— Ешь регулярно, не то совсем ослабеешь!

В соседней кабинке обедала целая компания — двое мужчин и две женщины.

— Черт возьми, ну и тварь! Лиззи Борден ей в подметки не годится, — заметил один из мужчин. — Та, по крайней мере, убила всего двоих.

— И при этом никого не оскопила, — добавил другой.

— Как по-вашему, чем все это закончится?

---

* Служащая ресторана, встречающая и размещающая гостей.

— Ты что, шутишь? Смертным приговором, естественно!

— Жаль, что «кровавая сука» не может получить сразу три смертных приговора.

«Вот тебе и глас народа. Общественное мнение». У Дэвида сложилось весьма неприятное впечатление, что если он возьмет на себя труд прогуляться по ресторану, услышит еще немало подобных замечаний. Бреннан успел внедрить в сознание публики образ гнусного чудовища. Недаром Куиллер предупреждал, что если Дэвид не заставит Эшли давать показания, она останется в памяти и умах присяжных именно такой, какой ее хотел изобразить обвинитель.

Придется рискнуть. Пусть присяжные самолично убедятся, что Эшли говорит правду.

К столику подошла официантка:

— Что будете заказывать, мистер Сингер?

— Я передумал, — пробормотал Дэвид. — Что-то есть не хочется.

Он вышел из ресторана, чувствуя, как в спину впиваются злобные, неприязненные взгляды. Остается надеяться, что ни у кого под рукой не окажется оружия.

Глава 20

Вернувшись в здание суда, Дэвид первым делом прошел в помещение, где содержалась Эшли. Она сидела на топчане, тупо уставясь в пол.

— Эшли!

Девушка подняла голову. В глазах застыла безмерная тоска. Дэвид устроился рядом.

— Эшли, нам нужно потолковать кое о чем.

Эшли молча смотрела на него.

— Все ужасные вещи, которые говорят о вас... это неправда. Только присяжные пока этого не знают. Да и откуда им знать? Они же незнакомы с вами. Нужно постараться показать им, каковы вы на самом деле.

— И какова я на самом деле? — глухо пробормотала Эшли.

— Порядочный человек, попавший в беду. Каждый может заболеть. И все это понимают. Люди всегда сочувствуют подобным вещам.

— Чего вы хотите от меня?

— Прошу вас принести присягу и дать свидетельские показания.

Эшли в ужасе забилась в угол:

— Я... я не могу. Что я знаю? Что им скажу?

— Позвольте мне все устроить. Ничего страшного, просто станете отвечать на мои вопросы.

В каморку вошел охранник:

— Заседание начинается, сэр.

Дэвид встал и ободряюще стиснул руку Эшли:

— Вот увидите, у нас все получится.

— Встать! Суд идет! Ее честь судья Тесса Уильямс председательствует на процессе «Народ штата Калифорния против Эшли Паттерсон».

Тесса Уильямс заняла свое место.

Дэвид немедленно попросил разрешения подойти и вместе с Микки Бреннаном оказался у стола судьи.

— Опять у вас какие-то просьбы, мистер Сингер?

— Я бы хотел включить в список свидетелей еще одного человека.

— По-моему, вы чересчур поздно спохватились, — заметил Бреннан.

— Я бы хотел вызвать для дачи показаний Эшли Паттерсон, ваша честь.

— Я не... — начала судья.

— Обвинение не возражает, ваша честь, — поспешно вставил Бреннан.

Судья пожала плечами:

— Прекрасно. Можете вызвать свидетеля, мистер Сингер.

— Благодарю, ваша честь, — выдохнул Дэвид и быстро ретировался. Подойдя к девушке, он протянул руку:

— Эшли!

Та в панике отпрянула.

— Вы должны.

Эшли с трудом встала и сделала несколько неверных шагов.

— Я молился о том, чтобы он ее вызвал, — шепнул Бреннан своей помощнице.

— Наконец-то все станет на свои места, — вторила Элинор.

Секретарь привел Эшли Паттерсон к присяге:

— Клянетесь говорить правду, только правду и ничего, кроме правды, и да поможет вам Бог?

— Клянусь, — одними губами прошептала она.

Дэвид подошел к ней и мягко сказал:

— Знаю, вам сейчас очень трудно. Быть обвиненной в преступлениях, которых вы не совершали, всегда тяжело. Но я хочу, чтобы присяжные знали правду. Вы помните о том, как убивали этих людей?

— Нет, — покачала головой Эшли.

— Господа присяжные, прошу отметить этот ответ. Вы знали Денниса Тиббла, мисс Паттерсон?

— Да. Мы работали вместе в «Глоубл компьютер грэфикс корпорейшн».

— У вас были какие-то причины расправиться с Тибблом?

— Нет, — выдавила девушка. — Я пришла к нему домой, потому что он попросил дать ему совет... И больше не видела Денниса.

— Вы были знакомы с Ричардом Мелтоном?

— Нет...

— Он был художником. Убит в Сан-Франциско, в собственной квартире. Полиция обнаружила там отпечатки ваших пальцев и еще кое-какие улики.

— Я... я не знаю, что и сказать. Никогда в жизни не видела Ричарда Мелтона!

— А помощника шерифа Блейка?

— Его знала. Он был так добр ко мне! Как можно было его убить?

— Вам известно, что в вашей душе живут еще две личности, или чужеродные «я»?

— Известно.

— Когда вы это узнали?

— Еще до суда доктор Сейлем мне все рассказал. Сначала я не верила... Да и сейчас не слишком верю. Это... это слишком ужасно.

— А если бы не доктор Сейлем, вы ни о чем не подозревали бы?

— Конечно нет.

— И не подозревали о Тони Прескотт или Алетт Питерс?

— Нет!

— Но сейчас вы понимаете, что они живут в вас?

— Да... приходится все время твердить это себе. Должно быть, они все творили... Какой кошмар!

— Итак, вы не помните, как познакомились с Ричардом Мелтоном, у вас не было мотивов для убийства Денниса Тиббла или Сэма Блейка, который был вынужден провести ночь в вашей квартире?

— Это правда, клянусь, чистая правда.

Она панически огляделась, словно в поисках угла, куда бы можно было забиться.

— И последний вопрос: вы когда-нибудь были не в ладу с законом?

— Никогда.

Дэвид накрыл ладонью ледяные пальцы Эшли и ободряюще улыбнулся:

— Вот и все. Мистер Бреннан, можете приступать к допросу свидетеля.

Бреннан расплылся в широкой улыбке:

— Итак, мисс Паттерсон, наконец-то нам удастся поговорить со всеми вами одновременно. Скажите, вы когда-нибудь вступали в интимные отношения с Деннисом Тибблом?

— Нет.

— А с Ричардом Мелтоном?

— Нет.

— Ну а как насчет помощника шерифа Блейка?

— Он женат.

— Крайне интересно. Прошу отметить, господа присяжные заседатели, что на всех трех телах найдены следы вагинальных выделений. Тесты на ДНК показали, что они принадлежат вам, мисс Паттерсон.

— Но я... Мне ничего об этом неизвестно.

— Возможно, вас подставили? Какой-то негодяй сумел заполучить образцы...

— Возражаю! Обвинитель пытается сбить свидетеля с толку!

— Протест отклонен.

— ...и размазал их по изуродованным трупам. У вас есть враги, которые отважились бы пойти на такое?

— Не знаю.

— Дактилоскопическая лаборатория ФБР проверила отпечатки пальцев, оставленные на местах преступлений. Уверен, что преподнесу вам неприятный сюрприз...

— Протестую.

— Принято. Поосторожнее, мистер Бреннан.

— Простите, ваша честь.

Дэвид, на этот раз удовлетворенный, опустился на скамью, не сразу сообразив, что Эшли находится на грани истерики.

— Эти «заместители», должно быть...

— Оттиски пальцев на орудиях убийства и обстановке ваши и только ваши.

Губы Эшли тряслись, но она не проронила ни звука. Бреннан подошел к своему столу и поднял на всеобщее обозрение завернутый в целлофан нож для резки мяса.

— Узнаете это?

— Похож на мой... На один из моих...

— Один из ваших ножей? Действительно, он был найден в вашем доме. Темные пятна на лезвии — кровь помощника шерифа Блейка.

Эшли бессмысленно затрясла головой, очевидно, окончательно потеряв голову.

— Несмотря на все беспомощные усилия защиты представить вас невинной жертвой, думаю, доказательств вашей склонности к кровавым преднамеренным убийствам у нас более чем достаточно. Конечно, скрываться за несуществующими личностями гораздо удобнее, чем...

— Протестую! — завопил Дэвид.

— Протест принят. Мистер Бреннан, сколько можно предупреждать?

— Прошу прощения, ваша честь. Но я уверен, что господам присяжным хотелось бы познакомиться с теми персонажами, которые здесь постоянно упоминаются. Вы Эшли Паттерсон, не так ли?

— Д-да.

— Прекрасно. Нельзя ли мне поговорить с Тони Прескотт?

— Я... я не могу вызвать ее.

— Не можете? Неужели? Жаль-жаль. Как насчет Алетт Питерс?

— Это не зависит от меня, — в отчаянии выпалила Эшли.

— Мисс Паттерсон, поймите, я хочу всего лишь помочь вам. Попытаться доказать присяжным, что это ваши «заместители» убили и изуродовали троих ничего не подозревающих мужчин. Выведите их на свет божий!

— Не могу, — снова всхлипнула Эшли. Казалось, еще немного — и она зайдется истерическими воплями.

— Совершенно согласен с вами! Потому что никаких «заместителей» нет и не бывает. Здесь, на скамье подсудимых, вы одна, и никто, кроме вас, не делал того, о чем и говорить страшно! Вы и только вы существуете на самом деле, и я обязан сказать и скажу, что в наших руках также находятся неопровержимые, неоспоримые доказательства того, что от вашей руки погибли три человека, чьи трупы потом были цинично, гнусно изувечены. У меня все, ваша честь. Обвинение больше не имеет вопросов к свидетельнице.

У Дэвида все заледенело внутри. На лицах присяжных отражалось единодушное нескрываемое отвращение.

— Мистер Сингер? — обратилась к Дэвиду судья Уильямс.

Тот медленно встал:

— Ваша честь, я вынужден просить разрешения на сеанс гипноза, с тем чтобы...

— Мистер Сингер, — перебила судья Уильямс, — я уже предостерегала вас против попыток превратить заседание суда в дешевый фарс. Пока я здесь председатель, я не потерплю никакого гипноза и тому подобных штучек, рассчитанных на то, чтобы привлечь внимание прессы! Вы и без того много чего натворили! На этом мы прения закончим.

— Но вы должны дать разрешение, — сжав кулаки, выпалил Дэвид. — Неужели не представляете, как это важно...

— Довольно, мистер Сингер.

Голос судьи звенел сталью.

— Я вторично приговариваю вас к одним суткам тюремного заключения за неуважение к суду. Итак, вы желаете провести повторный допрос свидетеля или нет?

— Да, ваша честь, — обессиленно выдохнул Дэвид и шагнул к подсудимой. — Эшли, вы понимаете, что находитесь под присягой?

— Да, — пробормотала Эшли, сжавшись, словно ожидая очередного удара.

— И все сказанное здесь вами — чистая правда?

— Да.

— Вам известно, что в вашем сознании существуют еще две личности, над которыми у вас нет контроля?

— Известно.

— Это Тони и Алетт?

— Да.

— Вы не совершали тех преступлений, в которых вас обвиняют?

— Нет.

— Я тоже считаю, что вы не несете ответственности за деяния других.

Элинор вопросительно взглянула на Бреннана, но тот улыбнулся и покачал головой.

— Пусть гробит себя. Это нам на руку, — прошептал он.

— Хелен...

Дэвид мгновенно осекся и смертельно побледнел, но тут же больно прикусил губу, чтобы прийти в себя.

— Я хотел сказать Эшли. Пожалуйста, постарайтесь вызвать Тони.

Эшли беспомощно опустила голову:

— Не... это невозможно.

— Возможно! Тони сейчас слушает нас и довольно потирает руки. И верно, почему ей не злорадствовать? Она сумела выйти сухой из воды. Три убийства, за которые судят другую!

Он чуть повысил голос:

— Ты очень умна, Тони. Выходи на сцену и поклонись зрителям. Никто тебя и пальцем не тронет. Они не в силах наказать тебя, потому что Эшли невиновна. Теперь им придется вынести ей приговор, чтобы добраться до тебя.

Все присутствующие замерли, не сводя глаз с Дэвида.

Эшли словно окаменела.

Дэвид шагнул к ней:

— Тони! Тони, ты слышишь меня? Я хочу, чтобы ты вышла! Немедленно!

Он выждал минуту. Ничего не происходило.

— Тони! Алетт! Покажитесь! Мы все знаем, что вы здесь.

Мертвая тишина.

И тут издерганные нервы Дэвида не выдержали.

— Ну же! — заорал он. — Где вы? Я желаю видеть ваши лица! Черт возьми, долго мне терпеть?!

Эшли залилась слезами.

Наконец судья Уильямс сочла нужным вмешаться.

— Немедленно подойдите к судейскому столу, мистер Сингер, — разъяренно приказала она.

Дэвид нехотя подчинился.

— Вы кончили травить свою подзащитную, мистер Сингер? Я пошлю рапорт о вашем поведении в Ассоциацию адвокатов штата Калифорния! Вы позор своей профессии, и я собираюсь потребовать лишения вас прав заниматься адвокатской практикой.

Дэвид ошеломленно молчал.

— У вас есть еще свидетели?

— Нет, ваша честь, — прошептал он.

Все кончено. Он проиграл. Эшли умрет.

— Допрос свидетелей защиты закончен.

Джозеф Кинкейд, мрачно наблюдавший за позорной сценой из последнего ряда, повернулся к Генри Юделлу.

— Немедленно избавьтесь от этого идиота, — прошипел он и, поспешно поднявшись, отбыл.

Юделл немедленно поспешил заступить дорогу Дэвиду:

— Мистер Сингер...

— Привет, Харви.

— Жаль, что так вышло.

— Это еще не...

— Поверь, мистеру Кинкейду крайне тяжело идти на это, но он считает, что будет лучше, если ты поищешь другую работу. Желаю удачи.

За дверями зала Дэвида мгновенно окружили орущие репортеры и нагруженные камерами операторы.

— Надеюсь, вы сделаете заявление, мистер Сингер...

— Мы слышали, что судья Уильямс собирается дисквалифицировать вас...

— Судья Уильямс утверждает, что арестует вас за неуважение к суду. Это правда?..

— По мнению специалистов, вы проиграли процесс. Собираетесь подавать апелляцию?

— Юристы нашей телесети считают, что вашей подзащитной вынесут смертный приговор...

— Каковы ваши планы на будущее?..

Дэвид молча растолкал толпу, сел в машину и уехал.

Глава 21

Дэвид снова и снова проигрывал сцены, терзавшие воспаленный мозг. Где он сделал ошибку? Где свернул на опасный путь, ведущий в пропасть? Бесконечное повторение диалогов, разговоров, принятых решений. Ошибочных? Гибельных? Что теперь делать? Ведь все могло быть и так...

«— Я видел сегодняшние новости, доктор Паттерсон, и не могу передать, как мне жаль.

— Да. Тяжелый удар. Мне нужна ваша помощь, Дэвид.

— Разумеется. Все, что могу...

— Я хочу, чтобы вы защищали Эшли.

— Невозможно. Я не криминалист. Но рад рекомендовать прекрасного адвоката, Джесса Куиллера.

— Прекрасно. Благодарю вас, Дэвид...»

«Вижу, вам не терпится, Дэвид. Наша беседа должна была состояться не раньше пяти. Что же, у меня для вас хорошие новости. Отныне вы полноправный партнер фирмы».

«— Вы хотели видеть меня?

— Этот процесс широко обсуждается в Интернете, и Эшли Паттерсон заранее приговорили к смертной казни. В связи с этим я заявляю о неправильном ведении процесса...

— Я считаю, что у вас есть все основания для этого, мистер Сингер. Вы совершенно правы...»

Если бы... если бы... если бы...

Сожаление о том, чего не вернуть. Напрасное. Оставляющее горький вкус на губах...

Очередное судебное заседание.

— Начинаем прения сторон. Слушается речь обвинителя. Прошу, мистер Бреннан.

Прокурор поднялся и величественно прошагал к скамьям присяжных.

— Сегодня вам предоставляется возможность стать творцами истории. Если вы верите, будто обвиняемая действительно едина в трех лицах и не ответственна за все ужасные, омерзительные преступления, о которых вы узнали, а потому достойна оправдания, значит, объявляете на весь мир, что всякий убийца может ускользнуть от правосудия, просто-напросто придумав трогательную сказочку о существовании неких чужеродных «я». Теперь каждый волен грабить, насиловать, убивать и не понести при этом наказания. Главное — придумать имя для своих «заместителей». Не все ли равно: Кен, Джо, Мэри, Сьюзи... Но, уверен, вы слишком проницательны, чтобы попасть в подобную ловушку. Реальность слишком ужасна, и забыть о ней невозможно. Я показывал вам снимки. У всякого здравомыслящего человека кровь стынет в жилах при одном взгляде на них. Этих людей убили не привидения. Все они погибли от руки жестокой, расчетливой преступницы, одержимой жаждой крови. Вот она, сидит на скамье подсудимых. Ее имя хорошо нам знакомо. Эшли

Паттерсон наконец поймана и изобличена. Подобного рода процессы проходили прежде. В деле «Манн против Теллера». Тогда вердикт присяжных гласил, что расщепление сознания как явление вообще не существует. В деле «Соединенные Штаты против Уирли» няня, задушившая ребенка, тоже клялась, что страдает расщеплением сознания. Суд вынес ей смертный приговор.

Знаете, мне почти жаль ответчицу. Столько плохих людей живет в одной несчастной девушке. Уверен, никому из нас не хотелось бы оказаться чем-то вроде обиталища безумцев, способных на всякую грязь, не так ли? Меня бы смертельно напугала одна мысль о том, что кто-то внутри управляет мной, как марионеткой, подталкивая на любые гнусности.

Но взгляните на подсудимую! Она совершенно не выглядит испуганной и вполне владеет собой. Настолько, чтобы надеть модное платье, сделать прическу и наложить косметику. Нет, она заранее торжествует в полной уверенности, что вы поверите ее россказням. Эшли Паттерсон уверена, что выйдет отсюда свободной. Но, поскольку никто не может доказать, существует ли в самом деле расщепление сознания, вам придется самим решать, как поступить. Это дело совести каждого.

Защитник заявляет, будто эти чужеродные «я» появляются неожиданно и способны завладеть человеком настолько, что тот не владеет собой и совершенно теряет память. Некая Тони появилась на свет в Англии. Алетт — итальянка. И все это один и тот же человек. Просто все трое родились в разных странах и в разное время. Это вас не смущает? Лично я не знаю, что и думать. Я дал ответчице шанс показать нам своих «заместителей», но она им не воспользовалась. Интересно, почему? Вероятно, потому что их просто нет?

Разве штат Калифорния признает существование деперсонализации как умственного расстройства? Нет. Как насчет Колорадо? Миссисипи? Что говорит федеральное право? В нем тоже нет упоминания о подобного рода недуге. Более того, ни один штат не считает деперсонализацию смягчающим обстоятельством. В сущности, ларчик открывается просто. Леди и джентльмены, защита пытается скрыться за фиктивным алиби, чтобы обеспечить подсудимой удобный способ ускользнуть от правосудия.

Представитель защиты просил вас поверить, что подсудимая не отвечает за свои действия. Он пытается свалить вину за случившееся на неких зловредных призраков, несмотря на то, что арестовали и судят только одного человека — Эшли Паттерсон. У нас нет ни тени сомнения относительно того, кто должен понести наказание за смерть троих несчастных. Но эта женщина утверждает, что кто-то на время поселился в ее теле и прикончил невинных людей. Сознайтесь, неплохо, если бы у каждого были такие «заместители». Всякий раз, когда нам взбредет в голову нарушить закон, можно позволить себе пуститься во все тяжкие, зная, что это всегда сойдет с рук. А может, все наоборот? Может, было бы страшно жить в мире, где царит вседозволенность? Где человеческая жизнь не стоит ни цента? Где страшно выйти на улицу, потому что любой готов убить, ограбить, изнасиловать и искалечить тебя? И свалить все это на мифических личностей, которым взбрело в голову потешиться и удовлетворить свои преступные инстинкты?

Но, слава богу, у нас пока еще есть закон и порядок! Сегодня мы судим Эшли Паттерсон за убийства, и обвинение просит суд и присяжных вынести ей смертный приговор. Благодарю вас, ваша честь, леди и джентльмены, за терпение и надеюсь на вашу объективность.

Микки Бреннан вернулся на место.

— Прошу вас, мистер Сингер. Ваша речь.

Дэвид встал, приблизился к присяжным и в который раз вгляделся во враждебные, недоверчивые лица. Кажется, всему конец.

— Я отчетливо представляю, — начал он, — что этот случай — один из самых трудных в истории юриспруденции. Неудивительно, что вы не знаете, чему верить и как поступить по справедливости. Все эти дни эксперты, в знаниях и авторитете которых нет ни малейшего повода усомниться, доказывали, что такой болезни, как расщепление сознания, нет в природе. И тут же вам приводились совершенно противоположные, но не менее весомые мнения. Вы не врачи, и поэтому никто не ожидает, чтобы вы выносили суждение на основе медицинских диагнозов. Я хочу извиниться перед вами за свое вчерашнее поведение, по-видимому, показавшееся вам недостойным. Я кричал на Эшли Паттерсон лишь потому, что хотел вынудить ее «заместителей» выйти на свет. Я сам говорил с этими чужеродными «я» и не сомневаюсь в их существовании. Алетт и Тони действительно владеют умом и душой Эшли Паттерсон и могут в любую минуту подтолкнуть ее на совершение страшных поступков.

Я с самого начала твердил вам, что каждый, решившийся на предумышленное убийство, должен иметь мотив. Причину расправиться с этими людьми. Но какой же тут мотив, леди и джентльмены? Закон не должен выносить суровый приговор, если существует хотя бы тень сомнения в виновности подсудимого. Я уверен, что вы согласитесь со мной: в этом случае тень сомнения явно присутствует.

Защита не оспаривает предъявленных обвинением доказательств. Да, собранные улики неоспоримы. Но сам факт их обнаружения должен заставить вас призадуматься. Эшли Паттерсон нельзя отказать в уме и образованности. Если бы она совершила убийства и хотела скрыться, неужели оказалась бы так глупа, чтобы оставить отпечатки пальцев? Наверняка нет. Она бы позаботилась их уничтожить, и никто и никогда не сумел бы что-то доказать.

Дэвид говорил еще с полчаса, но в душе с каждой минутой росла невеселая уверенность, что убедить присяжных не удастся. Он закончил и, поблагодарив присутствующих, сел.

Судья обратилась к присяжным:

— Прошу внимания, леди и джентльмены. Я хочу ознакомить вас со статьями закона, применимыми в подобных случаях.

Она довольно долго перечисляла их права, обязанности и допустимые рамками законодательства наказания за предумышленное убийство и закончила строгой тирадой:

— Если у вас возникли вопросы или необходимость прослушать какой-то момент процесса, прошу обратиться к судебному докладчику. Присяжные удаляются на совещание. Объявляется перерыв до вынесения приговора.

Дэвид хмуро смотрел вслед присяжным. Чем дольше они задержатся, тем больше шансов на оправдание.

Присяжные появились через сорок пять минут. Эшли с окаменевшим лицом вцепилась в края скамьи. Крупные капли пота выступили на лбу Дэвида.

— Достигли ли присяжные заседатели соглашения? — обратилась судья Уильямс к старшине присяжных.

— Да, ваша честь.

— Вердикт вынесен?

— Да, ваша честь.

— Прошу вручить решение секретарю суда.

Секретарь принял листок бумаги и понес к судейскому столу. Тесса Уильямс развернула его и пробежала глазами. Все присутствующие замерли.

Судья отдала бумагу секретарю, и тот вернул его старшине.

— Огласите приговор, пожалуйста.

Тот начал медленно, размеренно произносить слово за словом:

— Мы, присяжные, рассмотрев дело «Народ штата Калифорния против Эшли Паттерсон» и пользуясь предоставленными нам правами, считаем, что Эшли Паттерсон виновна в убийстве Денниса Тиббла в нарушение статьи 187 уголовного кодекса.

В публике послышались крики. Эшли зажмурилась.

— Рассмотрев дело «Народ штата Калифорния против Эшли Паттерсон, мы, присяжные, как и в первом случае, объявляем Эшли Паттерсон виновной в убийстве помощника шерифа Сэмюэла Блейка в нарушение статьи 187 уголовного кодекса.

Рассмотрев третий эпизод дела «Народ штата Калифорния против Эшли Паттерсон», мы взяли на себя труд заявить, что Эшли Паттерсон виновна в убийстве Ричарда Мелтона в нарушение статьи 187 уголовного кодекса. Жюри присяжных определяет степени всех убийств как первую, иначе говоря, как предумышленные убийства с отягчающими обстоятельствами.

Дэвид судорожно хватал губами воздух, но все-таки нашел в себе силы повернуться к Эшли и обнять ее за плечи.

— Прошу начать голосование жюри, — провозгласила судья.

Все присяжные встали, и судья начала опрашивать каждого, согласны ли они с приговором. Все подтвердили изложенное старшиной.

— В таком случае, — заключила судья, — я требую занести вердикт в протокол. И хочу поблагодарить вас, леди и джентльмены, за самоотверженное служение закону. За то, что не жалели ни времени, ни стараний в стремлении вершить правосудие. Вы свободны. Завтра суд решит вопрос о вменяемости ответчицы.

Дэвид не двигался с места, провожая глазами Эшли, которую взяли под стражу и увели. Судья, не глядя на Дэвида, поднялась и ушла в свой кабинет. Ее подчеркнутое осуждение лучше всяких слов подсказало Дэвиду, что произойдет утром. Эшли ждет смерть на электрическом стуле.

Вечером позвонила Сандра:

— С тобой все в порядке, Дэвид?

— Прекрасно, — с вымученным оживлением откликнулся Дэвид. — А ты? Как себя чувствуешь?

— Все хорошо. Я видела новости по телевизору. Как жаль, что судья была к тебе несправедлива. Она не имеет права исключать тебя из коллегии адвокатов! Ты всего-навсего старался помочь своей подзащитной!

Дэвид молчал.

— Мне ужасно жаль, милый. Жаль, что мы не вместе. Может, приехать и...

— Ни за что! — запротестовал Дэвид. — Не хватало еще рисковать тобой и Джеффри! Ты была сегодня у доктора?

— Была.

— И что он сказал?

— Уже совсем скоро. В любую минуту.

— С днем рождения, Джеффри.

Не успел Дэвид положить трубку, как снова раздался звонок.

Джесс Куиллер. Старина Джесс, тревожится за друга, бездарно проигравшего процесс.

— Я провалился, — пробормотал Дэвид.

— Черта с два! Просто тебе попался не тот судья. Чем это ты так ее обозлил? Она просто бросается на тебя, как цепная собака! Нужно же было умудриться так ее достать!

— Она не хотела начинать процесс. Предлагала сразу ограничиться пожизненным заключением. Наверное, мне следовало бы послушаться.

По всем телевизионным каналам шли передачи из зала суда. Дэвид тупо уставился в экран, с которого вещал один из известнейших юристов страны:

— В жизни не слышал, чтобы защитник так грубо орал на клиента прямо в зале суда. Должен сказать, это произвело впечатление разорвавшейся бомбы. Возмутительное безобразие...

Дэвид нажал на кнопку.

«В какую минуту все пошло наперекосяк? В жизни все должно иметь счастливый конец, но я действовал как последний идиот и угробил Эшли. Теперь меня лишат права заниматься адвокатурой, и поделом. Малыш вот-вот появится на свет, а его отец — безработный. И бездомный. Нас выгонят из пентхауса за неуплату, и что тогда будет с Сандрой и Джеффри?!»

Наступила ночь, но Дэвид ничего не замечал. Он сидел один в гостиничном номере, окруженный мраком и тишиной, и бесцельно смотрел в темноту. Так паршиво ему еще никогда не было. Эта стерва Уильямс! Он ведь просил разрешения загипнотизировать Эшли!

Если бы только она позволила Сейлему провести сеанс, присяжные получили бы необходимые доказательства. И, возможно, изменили бы мнение. Но сейчас...

Слишком поздно. Все кончено.

Но тихий настойчивый голос не давал погрузиться в забытье.

«— Кто сказал, что все кончено? Еще не вечер!

— Но что я могу сделать?

— Твоя клиентка невиновна. Ты не имеешь права бросить ее!

— Оставь меня в покое. Убирайся».

И снова резкий голос Тессы Уильямс: «Не позволю разыгрывать дешевый фарс... пока я председатель... И никакого гипноза в этом зале...

Никакого гипноза... никакого...»

В пять утра Дэвид схватил трубку и набрал сначала один номер, потом другой. После коротких взволнованных переговоров он наспех оделся и выглянул в окно. Первые лучи солнца окрасили горизонт в розоватый цвет.

«Это добрый знак, — подумал Дэвид. — Мы обязательно победим».

Немного позже он уже входил в антикварную лавку.

— Чем могу помочь, сэр? — осведомился продавец и, узнав Дэвида, поздоровался: — Приветствую вас, мистер Сингер.

— Мне нужна китайская складная ширма. У вас есть что-то в этом роде?

— Разумеется, сэр. Правда, их нельзя считать антиквариатом. Почти все современные, но...

— Позвольте посмотреть.

Продавец отвел Дэвида в угол, где были составлены ширмы, и вытащил одну.

— Эта не слишком...

— Все в порядке, — заверил Дэвид. — Я ее беру.

— Как изволите, сэр. Куда прислать?

— Я возьму ширму с собой.

Уложив ширму в багажник, Дэвид заехал в скобяной магазин, где приобрел «викторинокс» — швейцарский армейский нож, и четверть часа спустя уже входил в здание суда.

— Я адвокат Эшли Паттерсон, — сообщил он охраннику, — и должен с ней побеседовать до начала заседания. Мне разрешено воспользоваться кабинетом судьи Голдберга. Самого судьи сегодня не будет.

— Да, сэр, знаю, — кивнул охранник. — Все готово. Сейчас прикажу привести осужденную. Доктор Сейлем вместе с другим джентльменом уже ждут.

— Благодарю.

Охранник посмотрел вслед Дэвиду, тащившему громоздкую ширму, и повертел пальцем у виска: «Видать, окончательно крыша поехала! Псих и не лечится!»

Кабинет судьи Голдберга оказался довольно просторной комнатой с письменным столом у окна и вертящимся креслом. Вдоль стены располагались диван и несколько стульев. Двое мужчин стояли посреди кабинета и о чем-то тихо беседовали.

— Простите за опоздание, — извинился Дэвид.

— Рад вас видеть, — отозвался доктор Сейлем. — Познакомьтесь, это Хью Айверсон, тот специалист, которого вы просили.

Мужчины обменялись рукопожатиями.

— Давайте быстренько все установим, — попросил Дэвид. — Эшли вот-вот приведут. Хью, вот тот угол вам подойдет?

— Идеально.

Айверсон приступил к работе. Через несколько минут открылась дверь, и охранник ввел Эшли.

— Мне придется остаться здесь, — предупредил он.

— Ничего страшного, — заверил Дэвид. — Эшли, садитесь, пожалуйста.

Девушка молча повиновалась.

— Прежде всего я хочу сказать вам, как ужасно сожалею о том, что все так обернулось.

Эшли равнодушно кивнула.

— Но еще не все потеряно. У нас есть шанс.

Эшли недоверчиво усмехнулась.

— Эшли, необходимо, чтобы доктор Сейлем снова загипнотизировал вас.

— Нет. Какой смысл в...

— Согласитесь ради меня. Пожалуйста. Хорошо?

Девушка равнодушно пожала плечами. Дэвид сделал знак доктору Сейлему.

— Мы уже работали вместе, — обратился доктор к Эшли, — так что вы знаете: все, что от вас требуется, — расслабиться и закрыть глаза. Вы хотите спать... напряжение уходит...

Эшли, очевидно, так измучилась и извелась, что отключилась раньше обычного. Доктор отошел и знаком подозвал Дэвида. Тот с заколотившимся сердцем подступил ближе:

— Я хочу поговорить с Тони.

Никакой реакции.

— Тони, — уже громче позвал Дэвид. — Откликнись. Ты слышишь меня? Алетт... мне нужно поговорить с вами обеими.

Молчание.

— Да что это с вами? — взорвался Дэвид. — Струсили? Именно поэтому и побоялись показаться на людях? И что теперь? Слышали, что сказали присяжные? Эшли виновна. Виновна, потому что вы слишком боялись за себя! Ты предательница, Тони!

Мужчины смотрели на Эшли. Та была абсолютно неподвижна. Дэвид в отчаянии стиснул руки. Ничего не выходит!

— Суд идет. Председательствует ее честь судья Тесса Уильямс.

Эшли вновь сидела на скамье подсудимых рядом с Дэвидом. Рука адвоката была туго перебинтована.

— Могу я обратиться с заявлением, ваша честь? — спросил он.

— Пожалуйста.

Дэвид направился к столу судьи.

— Я хотел бы представить новое доказательство по этому делу, — заявил Дэвид.

— Ни за что! — вскинулся Бреннан.

Судья Уильямс сурово нахмурилась.

— Позвольте мне самой решать, прокурор, — отрезала она. — Мистер Сингер, процесс закончен. Вашу подзащитную осудили и приговорили...

— Это касается вопроса вменяемости моей подзащитной, — объяснил Дэвид. — Я прошу уделить мне всего десять минут.

— Вот как? — окончательно вышла из себя Тесса. — По-видимому, для вас это слишком ничтожный срок?! Вы и так отняли у всех нас слишком много времени.

Она немного подумала и решительно тряхнула головой:

— Так и быть. Надеюсь, это последняя просьба, с которой вы обратились ко мне на этом заседании. Суд удаляется на десятиминутный перерыв.

Дэвид и Бреннан последовали за судьей.

— Мистер Сингер, вы просили потратить на вас десять минут. Я согласилась. В чем дело?

— Мне хотелось бы показать вам небольшой фильм, ваша честь.

— Не понимаю, какое отношение имеет... — начал Бреннан.

— Я тоже, — согласилась судья. — Мистер Сингер, осталось десять минут.

Дэвид поспешил к двери, выходящей в коридор, и, приоткрыв ее, пригласил:

— Входите, пожалуйста.

На пороге появился Хью Айверсон, нагруженный кинопроектором и свернутым в трубку переносным экраном.

— Можно опустить жалюзи? — спросил Дэвид.

Судья, очевидно, дошла до последней степени накала и едва сдерживалась: — Валяйте, мистер Сингер, не стесняйтесь. — И, взглянув на часы, добавила: — Осталось семь минут.

Айверсон включил проектор. На экране замелькали кадры с изображением кабинета судьи Голдберга. В кресле застыла окаменевшая Эшли. Рядом стояли Дэвид и доктор Сейлем.

— Погружение полное, — кивнул доктор. — Можете начинать.

Дэвид кивнул.

— Я хочу поговорить с Тони. Тони, выходи. Слышишь меня? Алетт! Мне нужно побеседовать с вами обеими.

Тишина.

Судья плотно сжала губы, но не отвела глаз от экрана.

— Да что это с вами? — закричал Дэвид. — Струсили? Побоялись показаться на людях? И что теперь? Слышали, что сказали присяжные? Эшли виновна! Виновна потому, что вы слишком боялись за себя. Ты предательница, Тони.

При этих словах судья Уильямс окончательно потеряла терпение:

— С меня довольно! Однажды я уже наблюдала этот отвратительный спектакль! Ваше время истекло, мистер Сингер.

— Подождите, — умоляюще попросил Дэвид. — Вы не...

— Все, — оборвала Тесса и направилась к двери. Но тут комнату внезапно наполнили звуки низкого бархатистого голоса:

На пенни ниток, чтобы шить,
И пенни за иглу.
Грош туда и грош сюда —
И в кармане пустота.
Прыг да скок —
Удрал хорек.

Судья недоумевающе обернулась и невольно взглянула на экран. И не узнала Эшли Паттерсон. Ее место заняла Тони.

— Струсила? — презрительно бросила она. — Побоялась показаться на людях? Или ты в самом деле воображал, что достаточно одного твоего слова, и я тут же побегу выполнять приказание? Кто я, по-твоему, — цирковая лошадь?

Тесса молча отступила от порога и, вернувшись, опустилась в кресло.

— Слышала, как все эти чертовы лицемеры разыгрывали из себя идиотов. Наслушалась уже.

«Не думаю, что расщепление сознания существует», — передразнила она Бреннана. — Что за идиоты, никогда...

И тут под изумленными взглядами собравшихся лицо Эшли снова изменилось. Девушка словно растеклась по стулу, а лицо стало совсем юным и застенчивым.

— Мистер Сингер, — тихо сказала она с сильным итальянским акцентом, — извините Тони. Я точно знаю, вы сделали все, что могли. Я хотела появиться в суде и помочь вам и Эшли, только Тони не позволила.

Побледневшая Тесса приподнялась. Зрелище было действительно не из приятных. Эшли в очередной раз преобразилась. Жесткая линия губ, сверкающие глаза, чуть выдвинутая вперед челюсть.

— Нечего нам там делать! — рявкнула Тони.

— Тони, что, по-твоему, будет дальше, если судья утвердит приговор присяжных? — вмешался Дэвид.

— Ничего подобного! Никакого приговора! Эшли даже не знала всех этих мужиков! Или не помните?

— Зато Алетт знала, — возразил Дэвид. — Это ты совершила все убийства, Алетт. Спала с беднягами, а потом пускала в ход, что под руку попадется, — ножи, бутылки, да еще и кастрировала трупы!

— Кретин несчастный, — усмехнулась Тони. — Не знает ничего, а туда же, лезет со своими проповедями! Да у Алетт кишка тонка! Это я, я орудовала! С меня и спрашивай! Я ничего не скрою! Да разве они не заслужили смерти? Жалкие червяки! Гнусные твари! Всем им одно было нужно. — лапать меня своими ручищами и лезть под юбку!

Девушка тяжело дышала. Глаза сверкали неукротимой злобой.

— Но я заставила их расплатиться! Сполна! И никто не сумеет ничего доказать! Пусть мисс Лицемерка за все ответит! Она крайняя! Ну а мы все отправимся в уютную, тихую психушку...

Где-то в углу комнаты, за расписанной драконами ширмой послышался громкий щелчок.

— Что это? — встрепенулась Тони.

— Ничего, — поспешно заверил Дэвид. — Просто...

Но Тони уже вскочила и метнулась к скрытой камере. Лицо заполнило экран и начало расплываться. Девушка натолкнулась на что-то, и изображение перекосилось. Ширма с грохотом упала на пол, и в поле зрения оказалось небольшое отверстие на полотне.

— Спрятал гребаную камеру и думаешь, что всех провел! — завизжала Тони. — Ублюдок! Ты за это ответишь! Хотел одурачить меня?

Она схватила со стола нож для разрезания бумаг и бросилась на Дэвида:

— Ничего, недолго осталось! Я прикончу тебя, сволочь!

Дэвид пытался оттолкнуть ее, но силы были явно неравны. Нож вонзился в тыльную сторону ладони. Тони занесла руку для нового удара, но тут очнувшийся охранник попробовал скрутить Тони. Та сбила его с ног. Дверь с грохотом распахнулась, и на шум вбежал полицейский. Увидев, что происходит, он ринулся на Тони, но та ловко лягнула его в пах, и он рухнул на пол. К счастью, появились еще двое полицейских. Потребовалось трое здоровых мужчин, чтобы прижать Тони к стулу. И все это время она вопила и сыпала грязными ругательствами. Дэвид лихорадочно пытался остановить льющуюся кровь, зажав рану, но ничего не выходило.

— Ради бога, будите ее скорее, — задыхаясь, прохрипел он доктору.

— Эшли... Эшли... слушайте меня, — настойчиво позвал Сейлем. — Сейчас вы придете в себя. Тони ушла. Теперь можно выйти без опаски. На счет «три» вы проснетесь.

Эшли мгновенно успокоилась и расслабилась.

— Вы слышите меня?

— Да, — тихо, словно издалека отозвалась девушка.

— Начинаю отсчет. Раз... два... три... Как вы себя чувствуете?

Веки Эшли медленно приподнялись.

— Ужасно устала. Я говорила что-то? Или...

Экран погас. Пленка кончилась. Дэвид подошел к стене и, ни слова не говоря, включил свет. Бреннан театрально похлопал в ладоши:

— Ну и ну! Вот это игра! Если бы за такое представление давали Оскара...

— Заткнитесь, — коротко приказала судья Уильямс.

Бреннан, приоткрыв рот, в полном недоумении уставился на нее. Потрясение, очевидно, оказалось слишком велико: несчастный прокурор впервые видел всегда невозмутимую, сдержанную женщину в подобном состоянии. Наступила неловкая тишина. Никто, казалось, не представлял, как исправить положение.

— Адвокат, — наконец обратилась судья к Дэвиду.

— Да, ваша честь?

— Я была не права. И прошу меня простить. Если можете, конечно.

— Встать! Суд идет!

Все заняли свои места. Судья Тесса Уильямс ударила молоточком по столу и призвала собравшихся к порядку.

— Должна сообщить, что обе стороны выразили согласие с мнением психиатра, доктора Сейлема, который еще до суда осматривал и диагностировал обвиняемую. Суд вынес решение, согласно которому ответчица не виновна в совершенных преступлениях по причине душевного заболевания. По приговору суда ей придется пройти курс лечения в закрытой психиатрической лечебнице. Объявляется перерыв.

Дэвид, совершенно опустошенный, вяло поднялся. Кончено. Они победили... Но какой ценой! У него не осталось никаких сил, чтобы двигаться, говорить, улыбаться... Зато он и Сандра теперь могут заняться собой, не думая, что на их совести лежит чья-то жизнь. Скоро Сандра родит, на свет появится еще одно дорогое ему существо.

При этой мысли усталость исчезла. Он поднял голову, взглянул на судью и радостно объявил на весь зал:

— У нас будет ребенок!

И снова сел, дожидаясь, пока все разойдутся, но тут кто-то положил ему руку на плечо. Дэвид нехотя оглянулся.

— У меня есть неплохое предложение, — спокойно заметил доктор Сейлем, не обращая внимания на измученное лицо адвоката. — Не совсем представляю, каким образом можно все устроить, но попросил бы вас постараться ради Эшли.

— О чем вы, доктор?

— В Коннектикутской псиахитрической лечебнице перебывало больше больных, страдающих расщеплением сознания, чем во всех вместе взятых больницах страны. Мой друг доктор Отто Луисон заведует там отделением. Если вы сумеете уговорить судью отослать Эшли туда, думаю, можно надеяться на полное излечение.

— Спасибо, — вздохнул Дэвид. — Сделаю все, что в моих силах.

Он немедленно отправился на розыски судьи, но дорогу заступил доктор Паттерсон.

— Не... не знаю, как мне благодарить вас, — запинаясь, пробормотал он.

— Не стоит, — вымученно улыбнулся Дэвид. — Мера за меру, помните?

— Но вы блестяще справились. Были моменты, когда я считал...

— Я тоже.

— Но вы сумели защитить Эшли. Теперь она обязательно поправится.

— Не сомневаюсь, — кивнул Дэвид. — Доктор Сейлем предложил отправить Эшли в Коннектикутскую психиатрическую лечебницу. Тамошние доктора имеют опыт в лечении расщепления сознания.

Доктор Паттерсон на мгновение задумался:

— Знаете, Эшли не заслужила такого. Она прекрасный человек. Добрая, отзывчивая и порядочная.

— Несомненно. Сейчас же попрошу судью Уильямс перевести Эшли в Коннектикут.

Судья Уильямс сидела в кабинете, устало просматривая разложенные на столе бумаги. Очевидно, и ей процесс дался нелегко. Не такая уж она железная леди, какой хочет казаться.

— Что вам угодно, мистер Сингер? — чуть поморщилась она.

— Пришел просить об очередном одолжении.

— Надеюсь, что в моей власти вам его оказать, — впервые за все это время улыбнулась Тесса. — Чем могу помочь?

Дэвид пересказал судье слова доктора Сейлема.

— Что же, весьма необычная просьба. Здесь, в Калифорнии, тоже немало прекрасных заведений подобного рода.

— Вы правы, — разочарованно вздохнул Дэвид. — Спасибо, ваша честь.

Он уже повернулся к двери, но, услышав ответ, застыл как вкопанный.

— Я еще не сказала «нет», мистер Сингер. Просто заметила, что просьба весьма необычна. Правда, и дело не из банальных.

Дэвид замер.

— Думаю, здесь нет ничего незаконного. Я похлопочу о переводе.

— Ваша честь, не могу выразить, как ценю вашу доброту.

А в это время Эшли, словно в бреду, металась по тесной камере.

«Меня приговорили к смерти. К долгой, медленной, мучительной смерти в сумасшедшем доме. Лучше бы убили сразу. По крайней мере без страданий...»

При мысли о бесконечно тоскливых, серых днях, расстилавшихся перед ней уныло-однообразным осенним пейзажем, девушка разрыдалась.

Надзиратель открыл дверь и впустил отца. Тот молча остановился рядом, с отчаянием глядя на плачущую дочь.

— Милая... что теперь поделать? Зато тебя не убьют, — неловко попытался утешить он.

— Я не хочу жить, — замотала головой Эшли.

— Не говори так, родная. Тебе не повезло. Но такие болезни нынче лечат. И ты обязательно поправишься. Как только тебе станет легче, переедешь ко мне, и я о тебе позабочусь. Что бы ни случилось, у меня всегда есть ты, а у тебя — я. Этого у нас не отнимут.

Эшли потерянно огляделась.

— Я знаю, что ты сейчас испытываешь, дорогая, но поверь, все переменится. Моя девочка вернется ко мне, исцеленная, избавленная от призраков прошлого.

Стивен обнял Эшли и неохотно встал:

— Боюсь, мне нужно давно уже быть в Сан-Франциско. Пациенты ждут.

Он помедлил, словно ожидая ответа. Но Эшли молчала.

— Дэвид сказал, что ты будешь лечиться в одном из лучших психиатрических центров в мире. Я буду часто тебя навещать. Согласна?

— Да, — глухо пробормотала Эшли, не глядя на отца.

— Вот и хорошо, девочка.

Он снова обнял ее и поцеловал в щеку:

— Не волнуйся, у тебя будет все на свете. Лишь бы скорее победить эту чертову болезнь. Я хочу, чтобы моя малышка снова возвратилась ко мне.

Эшли растерянно смотрела вслед отцу.

«Почему я не могу умереть прямо сейчас? Почему меня оставили в живых? Лучше бы сразу...»

Через час в камеру ввели Дэвида.

— Ну что же, мы победили, — радостно начал он, но при виде Эшли растерянно осекся. — Что случилось, Эшли?

— Не хочу в психушку, не хочу! Поскорее бы сдохнуть! Все лучше, чем такое существование! Помогите мне, Дэвид. Пожалуйста, помогите!

— Эшли, вам обязательно помогут. С этим ужасом покончено. Впереди ничем не омраченное будущее.

Он сжал тонкую руку:

— Послушайте, до сих пор вы мне верили. Попробуйте продержаться еще немного и не пожалеете, даю слово.

Эшли упрямо качнула головой.

— Повторяйте: «Я, Эшли, верю тебе, Дэвид».

Девушка набрала в грудь воздуха:

— Я, Эшли, доверяю тебе, Дэвид.

— Молодец! — расплылся в улыбке Дэвид. — Вы не пожалеете!

Едва стал известен исход процесса, пресса словно взбесилась. Дэвид за одну ночь стал героем, стойким защитником правого дела, рыцарем справедливости, сразившим драконов вроде Микки Бреннана. Ему не давали прохода, осаждали просьбами об интервью, требовали выступить по телевидению, рассказать об ужасающих подробностях. Он едва сумел вырваться и позвонить Сандре.

— Солнышко, я...

— Знаю, милый, знаю. Все видела. И страшно тобой горжусь. Другого такого, как ты, нет на свете.

— Передать не могу, как рад, что все кончилось. Сегодня же еду к тебе. Не терпится...

— Дэвид!

— Что, детка?

— Дэвид... ой!

— Что с тобой, солнышко?!

— О-о-ох... Рожаю!

— Без меня не смей! — завопил Дэвид, рванувшись к двери.

Джеффри Сингер весил при рождении восемь фунтов десять унций и казался счастливому отцу самым прекрасным младенцем на свете.

— Он твоя копия, Дэвид, — безапелляционно объявила Сандра.

Дэвид расплылся в лучезарной улыбке.

— Я рада, что все так хорошо обернулось.

— Мне бы твою уверенность. Особенно когда я барахтался изо всех сил, чтобы выплыть, — буркнул Дэвид.

— Ничего подобного! Я никогда в тебе не сомневалась.

Дэвид стиснул Сандру в объятиях:

— Нужно бежать, малышка. Я скоро вернусь. Только заберу вещи из офиса.

Не успел Дэвид переступить порог здания фирмы «Кинкейд, Тернер, Роуз и Рипли», как его обступили со всех сторон бывшие сослуживцы:

— Поздравляю, Дэвид!

— Превосходная работа...

— Ты здорово им показал...

Дэвид едва отбился от доброжелателей и открыл дверь кабинета. Холли, по-видимому, давно исчезла. Он стал методически очищать ящики стола.

— Дэвид!

Дэвид обернулся. Перед ним стоял Джозеф Кинкейд.

— Чем это вы занимаетесь?

— Не хочу ничего оставлять после себя. Раз я уволен...

— Уволены? — ухмыльнулся Кинкейд. — Какой вздор! Нет, нет и нет! Тут какое-то недоразумение. Наоборот, мы решили вопрос о вашем партнерстве, мой мальчик. Собственно говоря, я назначил вашу пресс-конференцию на три часа дня.

— Неужели? — холодно обронил Дэвид.

— Разумеется! Еще бы не...

— Вам лучше ее отменить, — невежливо перебил Дэвид. — Я решил снова заняться уголовным правом. С этого дня я партнер Джесса Куиллера. Когда имеешь дело с этой отраслью юриспруденции, по крайней мере имеешь представление, каковы настоящие преступники. Так что, Джо, беби, можешь взять свое партнерство и сунуть его в... туда, куда никогда солнышко не заглядывает!

И, подхватив пакет, вышел из комнаты.

Джесс Куиллер обошел весь пентхаус и восторженно присвистнул:

— Вот это да! Словно для вас создано!

— Спасибо, — улыбнулась Сандра и, услышав крик, поспешила в детскую: — Пойду посмотрю, что с Джеффри, — бросила она на ходу.

Джесс поднял со стола изящную серебряную рамку с первой фотографией малыша:

— Чудесная работа. Это подарок?

— Да. От судьи Уильямс.

— Рад, что ты вернулся, партнер, — смущенно пробормотал Джесс.

— И я рад. Очень.

— Тебе, наверное, хочется немного отдохнуть, расслабиться, прежде чем приступить к работе.

— Пожалуй. Мы думали взять Джеффри и поехать в Орегон к родителям Сандры, ну а потом...

— Кстати, сегодня утром я получил из суда интересное дело. Женщину обвиняют в убийстве двоих ее детей. Мне почему-то кажется, что она невиновна. К несчастью, приходится отправиться в Вашингтон, где начинается процесс, на котором я должен выступить, так что, возможно, ты поговоришь с ней и составишь собственное мнение...

Книга 3

Глава 22

Коннектикутская психиатрическая лечебница, расположенная в пятнадцати милях к северу от Уэстпорта, первоначально была поместьем Уима Бекера, богатого голландца, построившего здесь дом в 1910 году. На сорока акрах плодородной земли находились огромный особняк, мастерская, конюшни и плавательный бассейн. Администрация штата купила имение в 1925 году, после чего здание было переоборудовано под больницу, и теперь в нем могло разместиться до сотни пациентов. Территорию окружала высокая ограда из металлических прутьев, а у ворот неизменно дежурила охрана. На окнах укрепили решетки, и одно крыло дома было специально приспособлено для буйнопомешанных.

В кабинете доктора Отто Луисона, главы психиатрической клиники, шло совещание. Доктора Гилберт Келлер и Крэг Фостер обсуждали новую пациентку, приезда которой ожидали с минуты на минуту.

Все трое были известными специалистами по такому малоизученному недугу, как расщепление сознания, или деперсонализация. Гилберт Келлер, сорокалетний мужчина среднего роста, светловолосый, с сосредоточенным взглядом серых глаз, сидел напротив Отто Луисона, семидесятилетнего коротышки, типичного врача, каким его представляют большинство посторонних: борода, пенсне, крахмальный воротничок и озабоченное лицо.

Доктор Крэг Фостер много лет работал с доктором Келлером и написал книгу по диагностике и лечению расщепленного сознания. Все трое внимательно изучали историю болезни Эшли Паттерсон.

— Леди даром времени не теряла, — заметил Луисон. — Всего двадцать восемь лет, а на счету пять трупов. Не говоря уже о том, что пыталась прикончить своего защитника.

— Не женщина, а мечта, — сухо согласился Гилберт Келлер.

— Придется держать ее в отделении для буйнопомешанных, пока вся клиническая картина не будет ясна, — заключил Луисон.

— Когда она прибывает? — осведомился Келлер. И словно в ответ из переговорного устройства раздался голос секретаря:

— Доктор Луисон, сейчас привезут Эшли Паттерсон. Доставить ее в ваш кабинет?

— Да, пожалуйста, — откликнулся Луисон и вздохнул: — Всем все ясно?

Путешествие превратилось в настоящий кошмар. После окончания процесса Эшли продержали в тюрьме три дня, пока не были отданы соответствующие распоряжения.

Тюремный автобус доставил ее в аэропорт Окленда, где уже ожидал специально переоборудованный самолет, «ДС-6», один из многих в гигантской Национальной системе транспортировки заключенных, управляемой Всеамериканской службой судебных исполнителей. Сегодня на борту было двадцать четыре узника, скованных наручниками по рукам и ногам. Ту же процедуру проделали и с Эшли.

«Почему они творят это со мной? Я совершенно неопасна. Обыкновенная несчастная женщина!»

Но ехидный голос в душе не преминул напомнить: «Бедняжка, прикончившая кучу народа! Тоже мне, воплощенная невинность! Как только можно жить с этим?!»

В отличие от нее, остальные заключенные были закоренелыми преступниками, прошедшими огонь и воду, осужденными за убийства, изнасилования, вооруженный грабеж и тому подобные «милые развлечения». Эшли была единственной женщиной в самолете и, естественно, привлекала всеобщее внимание. Вскоре начались неуклюжие, но довольно откровенные заигрывания.

— Привет, беби! — плотоядно ухмыльнулся один. — Не хочешь подойти и погреть мне коленки... или то, что между ними?

— Заткнись, — рявкнул конвойный.

— Эй! До чего же ты черствая личность! Ни капли романтики! Сам подумай, теперь какой-нибудь счастливчик оприходует эту сучонку только лет через... Сколько тебе впаяли, киска?

— Небось у тебя так и зудит дать крутому мужичку, — вмешался другой. — Как насчет того, чтобы поразвлечься вместе?

— Погодите! — неожиданно охнул третий. — Эта та телка, что ухлопала пятерых и отрезала им яйца!

Все молча уставились на Эшли. У шутников пропала охота продолжать перепалку.

По пути в Нью-Йорк самолет делал две посадки, чтобы выгрузить или принять на борт очередную партию заключенных. Полет был долгим, лайнер то и дело попадал в воздушные ямы, и к тому времени, когда они наконец прибыли в аэропорт Ла Гуардиа, Эшли порядком укачало.

Едва самолет приземлился, к трапу подошли двое полицейских. С ног Эшли сняли наручники, но тут же вновь заковали, едва она уселась в полицейский фургон. Ее никогда еще так не унижали. И на душе становилось еще омерзительнее, потому что она считала себя совершенно нормальной. Неужели они вообразили, будто она намеревается сбежать или убить кого-то? Все это в прошлом, все кончено. Разве они ничего не знают? Эшли уверена, что подобного больше не случится. Все, что угодно, лишь бы оказаться подальше отсюда. В любом месте, любой точке земного шара.

Она сама не помнила, как задремала. Разбудил ее голос конвойного:

— Просыпайтесь, приехали.

Она в Коннектикуте. Что ждет ее здесь?

Эшли Паттерсон сразу отвели в кабинет доктора Луисона. Невысокий бородатый человек поднялся ей навстречу:

— Добро пожаловать в Коннектикутскую лечебницу, мисс Паттерсон.

Бледная, измученная Эшли, не отвечая, глядела на него. Доктор Луисон представил своих коллег и придвинул Эшли стул:

— Садитесь, пожалуйста. Офицер, снимите с нее наручники.

Тот мгновенно выполнил приказание. Ноги Эшли подкосились. Она едва успела плюхнуться на сиденье.

— Вероятно, вам нелегко пришлось, — заметил доктор Фостер. — Мы готовы сделать для вас все возможное, чтобы в один прекрасный день вы вышли отсюда здоровая и исцеленная.

— Сколько... сколько мне придется здесь пробыть? — выдавила Эшли.

— Пока трудно сказать, — развел руками доктор Луисон. — Если излечение возможно, на это уйдет пять-шесть лет.

Каждое слово пронизывало Эшли как удар молнии.

«Если излечение возможно... Пять-шесть лет...»

— Никаких крайних мер. Лечение состоит из комбинации гипноза, групповой психотерапии, арт- и игровой терапии. Сеансы проводит доктор Келлер. Важнее всего помнить, что мы вам не враги.

— Мы здесь, чтобы помочь вам, — добавил Келлер, — и хотим, чтобы вы тоже нам помогали. Изо всех сил.

Доктор Луисон вызвал санитара. Тот взял Эшли под руку.

— Служитель отведет вас в вашу комнату, — сказал Фостер. — Позже еще поговорим.

После ухода Эшли Отто оглядел собравшихся:

— Ну, что скажете, коллеги?

— По крайней мере у нас есть одно преимущество. Всего два чужеродных «я».

— Сколько было у той несчастной, Белтранд? — силился припомнить Келлер.

— Девяносто.

— Ничего не скажешь, повезло.

Эшли не знала, чего ожидать, но почему-то представляла себе темную сырую зловещую темницу. Однако лечебница оказалась больше похожа на уютный загородный клуб. Только с железными решетками на окнах. И надзирателями. Как в тюрьме.

Пока служитель вел Эшли по светлым коридорам, та с удивлением наблюдала, как пациенты свободно общаются между собой и ходят повсюду без всяких ограничений. Здесь были люди разных возрастов, и все казались абсолютно нормальными. Почему они здесь? Кое-кто улыбался и здоровался, но Эшли была чересчур растерянна, чтобы отвечать. Все казалось нереальным. Она в сумасшедшем доме, психушке. Сейчас над ней начнут издеваться.

«Неужели я безумна?!»

Они добрались до большой стальной двери, отделявшей часть дома от остальных помещений. Перед дверью стоял охранник. Он нажал красную кнопку, и дверь медленно отъехала в сторону.

— Это Эшли Паттерсон, — объявил сопровождающий.

— Доброе утро, мисс Паттерсон, — приветствовал ее второй служитель.

Все как обычно, ничего из ряда вон выходящего.

«Неправда! Ничего уже не будет как обычно. Мир перевернулся!»

— Сюда, мисс Паттерсон.

Ее подвели ко второй двери. Эшли ступила внутрь и оказалась в просторной комнате с пастельно-голубыми стенами, небольшим диваном и широкой кроватью.

— Пока вы будете жить здесь. Сейчас принесут ваши вещи.

Охранник вышел и плотно прикрыл за собой дверь.

«Пока вы будете жить здесь».

Девушка начала задыхаться. Что, если она не пожелает жить здесь? Захочет выбраться отсюда?

Эшли подергала ручку двери. Заперто. Она села на диван, пытаясь собраться с мыслями, сосредоточиться на чем-то положительном, светлом. Найти якорь, за который можно схватиться. Обрести цель в, казалось, навсегда разрушенной жизни.

«Мы постараемся вылечить вас...

Постараемся вылечить...

Постараемся вылечить...»

Глава 23

Гилберт Келлер, лечащий врач Эшли, специализировался на душевных болезнях, связанных с расщеплением сознания, и хотя у него случались неудачи, процент излеченных был куда выше. Вообще в подобных случаях прогноз был весьма неопределенным. Прежде всего необходимо завоевать доверие пациента, с тем чтобы тот чувствовал себя легко и непринужденно в присутствии психиатра, и лишь потом знакомиться с чужеродными «я», и то не со всеми сразу, а по очереди, так, чтобы в конце концов они привыкли общаться друг с другом, а далее выяснить причину их появления и устранить ее. Наконец наступал момент «слияния», когда все «я» соединялись в единое целое, и человек мог считаться излеченным.

Но до этого еще ох как далеко...

На следующее утро доктор Келлер попросил привести Эшли в свой кабинет. Девушка, очевидно, провела бессонную ночь. Выглядела она плохо и, кажется, совершенно не отдохнула. Пожалуй, прежде всего нужно ее успокоить, иначе подступиться к ней будет еще труднее.

— Доброе утро, Эшли.

— Здравствуйте, доктор Келлер.

— Зовите меня Гилберт. Надеюсь, мы с вами станем друзьями. Как вы себя чувствуете?

— Говорят, я убила пятерых, — с болью вырвалось у Эшли. — Как, по-вашему, я должна себя чувствовать?!

— Вы точно помните, что убивали?

— Ничего я не помню.

— Я читал стенограмму вашего процесса, Эшли. И не считаю вас убийцей. Преступница — одно из ваших чужеродных «я». Для начала вам необходимо с ними познакомиться, а со временем и с вашей помощью мы заставим их уйти.

— Я... надеюсь, вам это под силу...

— Под силу. Твердо усвойте, что я от всей души хочу вам помочь и стать вашим союзником. Чужеродные «я» возникли в вашем мозгу лишь для того, чтобы защитить вас от невыносимой боли. Необходимо обнаружить, что именно вызвало эту боль, и мы поймем, когда и как родились ваши «заместители».

— Но... каким образом вам это удастся?

— Мы с вами будем разговаривать. И вспоминать. Время от времени придется применять гипноз или амитал натрия. Вас уже гипнотизировали раньше, не так ли?

— Да.

— Никто не собирается давить на вас или что-то делать насильно. У нас уйма времени, — ободряюще улыбнулся Келлер. — И как только все станет на свои места, вы покинете это заведение бодрая и здоровая.

Они беседовали почти час, и Эшли ушла от него гораздо более спокойной и уверенной в себе. Оказавшись в своей комнате, она начала молиться за человека, пообещавшего ей исцеление.

После ее ухода доктор Келлер отправился к Отто Луисону.

— Я начал работать с Паттерсон, — сообщил он главному врачу. — Должен сказать, начало неплохое. Уже одно то, что Эшли признает существование своей болезни и не отказывается от помощи, вселяет некоторые надежды.

— Прекрасно, Гилберт. Но тем не менее держите меня в курсе. Случай слишком тяжелый, и вполне возможны осложнения.

— Разумеется, Отто, вы совершенно правы.

Гилберт действительно был готов принять вызов, брошенный тяжелым недугом. В этой Эшли Паттерсон есть нечто необычное. Необходимо сделать все, чтобы вернуть ее к нормальной жизни.

Они разговаривали каждый день, и уже через неделю доктор решил провести сеанс гипноза. Узнав об этом, Эшли вскочила и в ужасе метнулась к двери:

— Нет! Не нужно!

— Но почему? — удивился Келлер. Эшли все это время была так спокойна, охотно отвечала на расспросы. Что могло так ее взволновать?

Но Эшли дрожала от страха. Он собирается вытащить на свет божий этих убийц! При одной мысли об этом ей становилось плохо.

— Пожалуйста, подождите! Я... я не желаю их знать.

— И не узнаете, — заверил Келлер. — По крайней мере пока.

— Обещаете?

— Честное слово.

— Тогда... тогда я согласна.

— Садитесь и успокойтесь.

Эшли нерешительно подошла к стулу и села.

— Готовы?

Девушка стиснула кулаки. «Готова ли она? Нет и никогда не будет готова встретить то ужасное, что гнездится в ней, как гниль в яблоке!»

— Да, — нерешительно пробормотала она.

— Прекрасно. Начинаем.

Потребовалось пятнадцать минут, чтобы Эшли отключилась. Гилберт сверился с записями. Тони Прескотт и Алетт Питерс. Пора начинать замену одной доминирующей личности на другую.

Взглянув на мирно спящую Эшли, он чуть подался вперед:

— Здравствуйте, Тони. Вы меня слышите?

Очевидно, его услышали, потому что вместо Эшли перед ним сидел совершенно другой человек. Оживленное недоброе лицо с чуть презрительной улыбкой. Неожиданно Тони запела:

Из полфунта риса
Кашка хороша.
Еще полфунта патоки —
И веселись, душа.
Теперь получше все смешать,
Тарелочки на стол подать,
И — прыг да скок — удрал хорек!

— У вас прекрасный голос, Тони. Давайте знакомиться. Я Гилберт Келлер.

— Знаю, что Келлер, — проворчала Тони.

— Рад встрече с вами. Вам уже говорили, что вы настоящая певица?

— Отвали.

— Нет, я серьезно. Вы когда-нибудь брали уроки пения? Готов побиться об заклад, так оно и есть.

— Вовсе нет. То есть я хотела, но моя...

«Ради всего святого прекрати этот ужасный вой! Какой идиот уверил тебя, что это пение?!»

— Словом, не важно.

— Тони, я хочу вам помочь.

— Да неужели, доки, детка? Так я и поверила. Скорее, не терпится меня трахнуть!

— Почему вы так считаете?

— А разве не все мужики добиваются одного и того же? Козлы паршивые. Пока! Меня здесь нет!

— Тони! Тони!

Молчание. Гилберт посмотрел в лицо Эшли. Безмятежное, почти детское.

— Алетт?

Ничего. Тишина. И Эшли по-прежнему не реагирует. — Алетт!

«Неужели она не покажется?»

— Мне нужно поговорить с вами, Алетт.

Эшли нервно заерзала.

— Выходите, Алетт.

Эшли глубоко вздохнула и разразилась потоком итальянских слов, из которых Келлер понял лишь два последних.

— ...parla italiano?*

— Алетт, здравствуйте! Я...

— Оставьте меня в покое!

— Алетт, выслушайте меня, вы в безопасности. Вам не причинят зла.

— Mi sento stanca... Я так устала.

— Верю, вам нелегко пришлось, но теперь все позади. Никто вас больше не потревожит. Знаете, где находитесь?

— Si. В больнице для людей, которые pazzo... не в себе.

«Именно поэтому ты и сидишь здесь, доктор. Вместе с остальными психами».

---

*...говорите по-итальянски?

— Тут вас вылечат, Алетт. Скажите, когда вы закрываете глаза и представляете это место, что вам приходит на ум?

— Хогарт. Он рисовал дома для умалишенных и ужасающие сцены безумия и разложения.

— Я не хочу, чтобы вы считали нашу больницу чем-то ужасающим. Расскажите о себе, Алетт. У вас есть хобби? Что бы вы хотели делать, пока живете с нами?

— Рисовать.

— Мы могли бы принести вам краски.

— Ни за что!

— Почему?

— Не желаю, и все.

«Что это ты хотела изобразить, детка? Какое уродство!»

— Не приставайте ко мне!

— Алетт... — попытался доктор Келлер еще раз, но Алетт уже исчезла. Пришлось разбудить Эшли. Та недоуменно заморгала:

— Мы начинаем?

— Уже закончили.

— И что тут было?

— Тони и Алетт согласились потолковать со мной. Неплохо для начала, Эшли.

Вскоре она получила письмо от Дэвида Сингера.

«Дорогая Эшли!

Решил написать вам и сказать, что постоянно помню и думаю о вас. Надеюсь, лечение не окажется бесполезным. Знайте, у вас есть верный друг и союзник. Товарищ по оружию. Мы прошли через бои и войны и вышли победителями. Кроме того, у меня хорошие новости. Я узнал, что прокуратура в Квебеке и

Бедфорде решила снять все обвинения. Дайте знать, могу ли я что-нибудь сделать для вас.

Наилучшие пожелания,

Дэвид».

Назавтра доктор Келлер снова загипнотизировал Эшли и попытался вызвать Тони.

— Ну что тебе, доки? — неохотно отозвалась она.

— Просто хотел немного поболтать. Все еще не верите, что я готов вам помочь?

— Не нужна мне твоя гребаная помощь. И без того неплохо живется.

— В таком случае мне без вашей помощи не обойтись. Позвольте задать один вопрос: что вы думаете об Эшли?

— Мисс Тощий Зад? Не желаю распространяться на эту тему.

— Вы ее не любите?

— Слабо сказано.

— За что же такая немилость?

Тони немного призадумалась.

— Ну, хотя бы за то, что вечно мешает оторваться и побалдеть немного. Если бы я время от времени не убирала ее с дороги, у нас была бы не жизнь, а тоска! От нее одна головная боль! Не девка, а убожище какое-то! Ни тебе потусоваться, ни на дискотеке попрыгать, ни попутешествовать в свое удовольствие.

— Не то, что вы?

— Именно! Не то, что я! А эта сучка только зря небо коптит!

— Вы родились в Лондоне, не так ли, Тони? Не можете рассказать мне о нем?

— Знаешь, доки, я много бы отдала, чтобы оказаться там сейчас.

— Наверное, вы правы, Тони. И как там жилось?

Тони не отвечала.

— Тони, где вы? Тони... Ушла.

— В таком случае, наверное, Алетт согласится поговорить со мной?

И, наблюдая уже знакомое преображение, Келлер понял, что Алетт сумела преодолеть свое недоверие.

— Алетт!

— Si.

— Вы слышали наш разговор с Тони?

— Разумеется.

— Значит, вы друг друга знаете?

— Да.

«Еще бы не знать, дурачок!»

— Ну а вам нравится Эшли?

— Ничего.

«К чему терзать меня этими идиотскими вопросами?»

— Почему вы никогда с ней не общаетесь?

— Тони не разрешает.

— А вы всегда и во всем подчиняетесь Тони?

— Тони — моя подруга.

«Не твое дело».

— Поймите, Алетт, ведь и я вам не враг. Расскажите о себе. Где вы родились?

— В Риме.

— Любите этот город?

Вместо ответа девушка горько заплакала. Почему? Что ее так взволновало? И в чем он виноват? Значит, опять неудача. Придется заканчивать сеанс.

Доктор Келлер дотронулся до руки Эшли и тихо сказал:

— Ничего страшного. Не бойтесь. Все хорошо, Эшли. Просыпайтесь.

Девушка пришла в себя.

— Я много говорил с Тони и Алетт. Оказывается, они хорошо знакомы. Теперь нужно, чтобы все трое подружились.

Эшли безмолвно замотала головой:

Пока она обедала, в ее комнату вошел санитар и увидел на полу исполненный карандашом пейзаж. Санитар внимательно рассмотрел его и понес доктору Келлеру.

Врачи снова собрались в кабинете Отто Луисона.

— Ну как дела, Гилберт? Намечается какой-нибудь прогресс?

Келлер задумчиво покачал головой:

— Пока трудно сказать. Мне удалось вызвать ее «заместителей». Доминирующая личность — Тони. У нее английское происхождение, но она не желает об этом говорить. Другая, Алетт, родилась в Риме, и из нее тоже слова не вытянешь. Видимо, на этом и следует сосредоточиться. Именно там случились некие психические травмы, так повлиявшие на жизнь Эшли. Тони более агрессивна. Алетт — чувствительна и замкнута. Любит рисовать, но боится этим заняться. Следует установить, почему именно.

— Значит, по вашему мнению, Тони обладает властью над Эшли и Алетт?

— Более чем уверен. Эшли не знала об их существовании, зато Тони и Алетт знакомы друг с другом. Интересно, не так ли? У Тони прекрасный голос. Алетт талантливая художница.

Он протянул коллегам лист бумаги.

— Это нарисовала она. Думаю, их увлечения — единственный способ достучаться до Тони и Алетт.

— Вы совершенно правы, Келлер, — медленно выговорил Луисон.

Раз в неделю Эшли получала письма от отца, сразу же прочитывала, но после этого уходила в себя и не отвечала на обращенные к ней вопросы. Вообще не желала разговаривать, словно мыслями была за много миль отсюда.

— Это единственная ниточка, связывающая ее с домом, — твердил доктор Келлер. — Думаю, в такие моменты она страстно хочет выбраться отсюда и вести нормальную жизнь. Мы нуждаемся в любой зацепке, любом предлоге.

Но постепенно Эшли начала привыкать к своему окружению. Похоже, свободу передвижения здесь никто не ограничивал, хотя у каждой двери и в коридорах стояли охранники. Ворота были всегда заперты. Пациенты обычно собирались в комнате отдыха: смотрели телевизор или играли в карты и шахматы. Имелись также тренажерный зал и общая столовая. Здесь лечились больные со всего света — японцы, китайцы, американцы, французы... Словом, все делалось для того, чтобы придать психушке вид обычной больницы, но стоило Эшли переступить порог своей комнаты, как раздавался щелчок замка.

— Это не больница, а гребаная тюрьма! — жаловалась Тони Алетт.

— Но доктор Келлер считает, что способен излечить Эшли, — возражала Алетт. — И тогда мы выберемся отсюда.

— Не будь дурой, Алетт. Неужели не видишь? Есть единственный способ исцелить Эшли — избавиться от нас. Заставить исчезнуть. Иными словами, мы должны погибнуть ради ее выздоровления. Ну так вот, не дождутся!

— Что ты задумала?

— Увидишь, крошка, я найду способ смыться отсюда.

Глава 24

Утром, после сеанса с доктором Келлером, Эшли в сопровождении санитара возвратилась к себе. Все было как обычно, но перед уходом санитар пригляделся к пациентке и нерешительно заметил:

— Вы не больны? Выглядите как-то иначе.

— Неужели, Билл?

— Ну да. Совершенно другой человек.

— Всему причиной ты, парень, — мягко заметила Тони.

— Как это?

— Поверь, это из-за тебя. Признаться, я испытываю весьма странные ощущения. Но приятные, Билли, приятные.

Она интимным жестом коснулась его руки и заглянула в глаза.

— Это такое чувство... такое... Потрясное!

— Да будет вам!

— Даю слово. Никто не говорил, что ты классный кадр?

— Никто и никогда.

— Ну так вот, это чистая правда. Ты женат, Билл?

— Разведен.

— Твоя жена, должно быть, спятила! Упустить такого мужа! Сколько ты здесь проработал, Билл?

— Пять лет.

— Немалый срок. Тебе когда-нибудь хотелось убраться отсюда подальше?

— Иногда. Тут ты в точку попала.

— Знаешь, со мной, собственно говоря, все в порядке, — понизив голос, сообщила Тони. — Все, что про меня говорят, — сплошное вранье. Правда, у меня были кое-какие проблемы, когда я сюда попала, но сейчас я совершенно здорова. Знаешь, мне не терпится оказаться подальше отсюда. Мы можем объединиться. Уедем вместе и прекрасно проведем время. Гарантирую.

— Даже не знаю, что сказать, — растерялся санитар.

— Знаешь, малыш, знаешь! Смотри, дело проще некуда. Все, что от тебя требуется, — выпустить меня, пока все спят, и мы исчезнем навсегда. Больше нас здесь не увидят. — И, бросив на него многозначительный взгляд, пообещала: — Будь спокоен, я в долгу не останусь.

— Придется подумать, — кивнул Билл.

— Подумай и поймешь, что я права, — уверенно предрекла Тони и, дождавшись ухода санитара, пообещала Алетт:

— Увидишь, не пройдет и недели, как нас здесь не будет.

Но она ошиблась. Назавтра ее препроводили в кабинет доктора Келлера. Тот поздоровался и надолго замолчал.

— Что-то случилось, доктор? — не выдержала девушка.

— Ничего особенного. Сегодня мы попробуем амитал натрия. Вам когда-нибудь его кололи?

— Нет.

— Увидите, он поможет вам раскрепоститься.

— Хорошо, — кивнула Эшли. — Я согласна.

Лекарство подействовало, и через несколько минут Гилберт уже разговаривал с Тони.

— Здравствуйте, Тони.

— Привет, доки!

— Вам здесь хорошо, Тони?

— Странный вопрос. По правде говоря, мне здесь начинает нравиться. Чувствую себя как дома.

— В таком случае почему стараетесь сбежать?

В мягком музыкальном голосе зазвенел металл:

— Что?!

— Билл утверждает, что вы просили его помочь скрыться отсюда.

— Сукин сын! — прошипела девушка и, взметнувшись со стула, схватила тяжелое пресс-папье и швырнула в голову Гилберта.

Тот едва успел увернуться.

— Сначала я прикончу тебя, а потом возьмусь за него!

Доктор Келлер в конце концов ухитрился схватить ее за руки:

— Тони!

Но Тони уже исчезла. Гилберт с сильно заколотившимся сердцем усадил больную.

— Эшли!

Эшли открыла глаза и ошеломленно огляделась.

— Что-то случилось? — встревоженно спросила она.

— Тони набросилась на меня. Злится, что я ее разоблачил. Она уговаривала санитара помочь ей сбежать.

— Я... простите. Но у меня было такое чувство, будто что-то неладно.

— Ничего страшного. Но теперь пришла пора встретиться всем троим.

— Нет!

— Но почему?

— Боюсь. Не... не хочу их видеть! Неужели не понимаете? Они ненастоящие! Игра моего больного воображения.

— Раньше или позже это все равно придется сделать, Эшли. Вам нужно познакомиться. Другого пути все равно нет, если хотите выздороветь, конечно.

Эшли порывисто встала:

— Я хочу уйти к себе.

Вернувшись в свою комнату, Эшли проводила взглядом санитара и в отчаянии обхватила голову руками. Всему конец.

Ей никогда не уйти отсюда. Никогда. Они лгут. Лгут все — врачи, отец, адвокат... Она неизлечима. Сумасшедшая. Маньячка. Убийца. В ней живут страшные чудовища. Как ей смотреть в глаза порядочным людям? Убиты невинные... Какое горе для родных! Но почему это выпало мне, Господи? За что наказываешь? Что я Тебе сделала?

Эшли громко всхлипнула.

Так больше продолжаться не может! С этим пора кончать. И чем раньше, тем лучше.

Эшли поднялась и словно во сне обошла маленькую комнату в поисках чего-нибудь острого. Безуспешно. Здесь строго следили за подобными вещами. Что поделать, психушка.

Она уже готова была сдаться, но тут ее взгляд упал на рисовальные принадлежности, лежавшие на маленьком столике. Эшли схватила деревянную кисть и без усилий переломила надвое. У обломка оказались неровные зазубренные края. Эшли сжала палку, приставила к запястью и, опасаясь передумать, резким, молниеносным движением вонзила в кожу. Кровь из порванной вены брызнула фонтаном. Но Эшли, не обращая ни на что внимания, проделала ту же процедуру с другой рукой. На ковре быстро образовалась лужица. Эшли стояла до тех пор, пока не затряслась в ознобе. Тогда она опустилась на пол и свернулась клубочком. Вокруг все потемнело, и она провалилась в забытье.

Узнав о случившемся, Келлер потрясенно охнул и немедленно бросился в изолятор. Запястья девушки были забинтованы. Она казалась такой маленькой, худой и несчастной, что сердце Гилберта перевернулось.

«Я никогда больше не допущу, чтобы она сделала с собой такое!» — поклялся он мысленно.

— Мы едва вас не потеряли, — прошептал он. — Представляете, что обо мне подумали бы! Что это я довел вас до самоубийства.

Эшли с трудом выдавила некое подобие улыбки.

— Прошу прощения. Но все казалось таким... таким безнадежным.

— Вот тут вы ошибаетесь, — возразил доктор Келлер. — Разве вы не хотите, чтобы вам помогли, Эшли?

— Разумеется.

— Тогда придется довериться мне. Нам еще вместе работать и работать. Не могу же я один трудиться за двоих. Ну, что скажете?

— Что от меня потребуется? — спросила Эшли, немного помолчав.

— Прежде всего обещайте, что никогда больше не выкинете ничего подобного.

— Так и быть, обещаю.

— И не сомневайтесь, того же я потребую от Тони и Алетт. Ну а сейчас вам нужно поспать.

Погрузив Эшли в сон, Гилберт немедленно вызвал Тони.

— Эта эгоистичная тварь пыталась прикончить нас! Думает только о себе! Теперь понимаешь, почему я ее терпеть не могу?

— Тони...

— И слышать ничего не желаю!

— Может, все-таки успокоитесь?

— Я совершенно спокойна.

— Дайте слово, что никогда не причините Эшли зла.

— С какой это радости?

— Неужели не понимаете, что вы часть Эшли? Рождены ее болью. Еще не знаю, через какие ужасы вам пришлось пройти, Тони, но уверен, что это было нечто кошмарное. И не только для вас, но и для Алетт с Эшли. У вас много общего. Нужно помогать друг другу, а не делать пакости. Ну как, даете слово?

Тони не ответила.

— Тони, я прошу вас.

— Придется, наверное, — не слишком убедительно буркнула она.

— Спасибо. Не хотите потолковать об Англии?

— Не хочу.

— Алетт, вы здесь?

— Да.

«Интересно, кретин, где я, по-твоему, должна быть?»

— Я хочу, чтобы вы принесли такую же клятву, как и Тони. Не причинять вреда Эшли.

«Эшли, Эшли, словно больше заботиться не о ком! А мы? Что будет с нами?»

— Алетт!

— Ну, хорошо, хорошо...

Шли месяцы, но положение оставалось прежним. Никаких признаков улучшения. Гилберт часами просматривал свои записи, советовался с коллегами, звонил в другие больницы, пытаясь понять, в чем ошибается. Кроме Эшли, у него были и другие пациенты, но ни о ком он так не тревожился. Странная, несчастная девушка! Какое невероятное, непримиримое противоречие между ее беззащитностью и уязвимостью и темными силами, играющими ее жизнью.

Каждый раз, беседуя с Эшли, Келлер испытывал непреодолимое желание защитить ее, укрыть от опасностей, оградить и успокоить.

«Она мне как дочь... Неправда, зачем я вру себе? Кого стараюсь обмануть? Признайся, идиот, что ты влюбился по уши».

Не в силах больше выносить создавшееся положение, Келлер решил признаться во всем Луисону.

— У меня проблема, Отто, — сокрушенно начал он с порога.

— А я думал, это прерогатива наших пациентов.

— Это касается одной из наших пациенток. Эшли Паттерсон.

— Вот как?

— Я обнаружил... обнаружил, что меня влечет к ней.

— Обратная связь?

— Что-то в этом роде.

— Знаете, Гилберт, это может быть крайне опасно для вас обоих.

— Знаю.

— Ну, раз вы все понимаете... Только прошу вас, поосторожнее.

— Даю слово.

НОЯБРЬ

Сегодня утром я подарил Эшли дневник.

— Это для всех троих, Эшли. Пусть лежит в вашей комнате. Всякий раз, когда у вас возникнет какая-то мысль, которую захочется записать, вместо того чтобы сообщить мне, не стесняйтесь.

— Хорошо, Гилберт.

Месяц спустя доктор Келлер занес в собственный дневник:

ДЕКАБРЬ

Все остановилось на мертвой точке. Тони и Алетт отказываются говорить о прошлом. Все труднее становится убедить Эшли подвергнуться гипнозу.

МАРТ

Ее дневник по-прежнему пуст. Ни одной строчки. Не совсем ясно, кто сопротивляется сильнее — Тони или Эшли. От них словно исходят волны вражды. Когда я гипнотизирую Эшли, Тони и Алетт показываются всего на несколько минут. И ни за что не желают обсуждать прошлое.

ИЮНЬ

Я регулярно беседую с Эшли, но чувствую бесполезность этих мер. Дневник все еще не тронут. Я подарил Алетт палитру и краски. Надеюсь, что если она начнет писать, скорее наступит перелом.

ИЮЛЬ

Что-то происходит, но не уверен, что это признак прогресса. Алетт написала изумительный пейзаж — вид из окна на сад и беседку. Я похвалил картину, и Алетт, похоже, очень обрадовалась. Но в тот же вечер от холста остались одни лоскуты.

Как-то доктор Луисон попросил Келлера зайти к нему. За чашкой кофе психиатры долго обсуждали дела.

Было решено выписать нескольких пациентов с признаками стойкого улучшения. Зашла речь и об Эшли.

— По-видимому, следует попробовать групповую терапию, — вздохнул Келлер. — До сих пор ей ничего не помогает.

— Сколько больных предлагаете задействовать?

— Не более полудюжины. Ей пора начинать общаться с другими людьми. До сих пор Эшли жила в собственном мирке, а это, вероятно, ей только во вред. Я хочу, чтобы она вырвалась из этого замкнутого круга.

— Что же, идея не так плоха. Пожалуй, стоит попытаться. Но, Гилберт, не переусердствуйте. Помните о нашем разговоре. Тут нужна крайняя осторожность.

Доктор Келлер сам пришел за Эшли и повел ее в маленькую гостиную, где уже оживленно беседовали несколько человек.

— Я хотел бы познакомить вас кое с кем, — объяснил Гилберт и стал называть имена, но Эшли, отвыкшая от общества, слишком смущалась, чтобы всех сразу запомнить. Звуки сливались, путались, лица плыли перед глазами. Наконец она немного освоилась, но собравшиеся показались ей немного странными. Мысленно она успела дать всем прозвища: Толстуха, Скелет, Лысая, Хромой, Китаянка и Добряк. Все были очень вежливы с ней.

— Садитесь, — предложила Лысая. — Хотите кофе?

Эшли придвинула к себе стул.

— Спасибо.

— Мы слышали о вас, — вставил Добряк. — Вам много пришлось перенести.

Эшли кивнула.

— Впрочем, всем нам досталось от жизни, — вмешался Скелет, — но здесь помогают встать на ноги. Это чудесное место.

— И лучшие в мире доктора, — добавила Китаянка.

«Странно, они кажутся совершенно нормальными», — подумала Эшли.

Доктор Келлер не уходил. Он улыбался, сыпал комплиментами, незаметно направляя беседу в нужное русло. Минут через сорок он поднялся:

— Пожалуй, нам пора, Эшли.

Эшли послушно встала:

— Была рада познакомиться. Надеюсь, мы еще встретимся.

Но тут к ней подскочил Хромой и, настороженно озираясь, прошептал на ухо:

— Не пейте здешнюю воду. Она отравлена. Они стараются прикончить нас, чтобы развлекаться на денежки, которые получают от штата.

Эшли невольно ахнула.

— Спасибо, — едва выговаривая слова, пролепетала она. — Я... я запомню.

Вылетев в коридор, она облегченно вздохнула. Гилберт взял ее под руку и повел в комнату.

— Чем они больны? — поинтересовалась Эшли, когда они отошли на достаточное расстояние.

— Паранойя, шизофрения, расщепление сознания, компульсивные расстройства. Но их состояние улучшается на глазах, Эшли. Еще несколько месяцев, и они выйдут отсюда. Вы хотели бы почаще общаться с ними?

— Нет.

Доктор Келлер пришел в полное отчаяние. Он словно бился о глухую стену, не получая ни ответа, ни результата. Все попытки достучаться до Эшли заканчивались крахом. Ничего не оставалось делать. Пришлось вновь просить совета у Отто.

— Я топчусь на месте, — жаловался Келлер. — Групповая терапия потерпела полный крах, как, впрочем, и сеансы гипноза. Нужно попробовать что-то еще.

— Что именно?

— Я хотел попросить у вас разрешения повезти Эшли обедать в город.

— Мне это не кажется уместным, Гилберт. Она может быть опасной. Вспомните убийства...

— Знаю, знаю. Но пока я враг номер один. И изо всех сил пытаюсь стать другом.

— Но эта самая Тони однажды уже едва не прикончила вас. Что, если снова попробует?

— Я сумею справиться.

Доктор Луисон надолго задумался.

— Так и быть, — наконец выговорил он. — Может, лучше, если кто-то поедет с вами?

— Не стоит, Отто. Все будет в порядке.

— И когда собираетесь начать?

— Сегодня же.

— Вы хотите пригласить меня на ужин?

— Да. По-моему, вы слишком тут засиделись. Вам полезно немного побыть в другом окружении. Что скажете, Эшли?

— Согласна.

Эшли сама не ожидала от себя такой реакции. К собственному удивлению, она волновалась, как девушка перед первым свиданием. Конечно, Гилберт прав: она почти зачахла в четырех стенах. Но в глубине души она чувствовала, что дело не только в этом. Ей импонировала мысль о том, что Гилберт Келлер явно выделяет ее из всех остальных пациентов.

Они отправились в японский ресторанчик «Отани Гарденз», находившийся всего в пяти милях от лечебницы. Правда, доктор прекрасно сознавал, чем рискует. В любой момент Тони или Алетт могли разбушеваться. Но ничего не попишешь — приходится держаться начеку. В конце концов все делается для того, чтобы Эшли стала наконец ему доверять.

— Как забавно, — заметила Эшли, оглядывая посетителей, заполнивших ресторан.

— Что именно?

— Все эти люди совершенно не отличаются от тех, с кем я вижусь в больнице.

— На самом деле это именно так и есть, Эшли. У каждого свои проблемы. Разница лишь в том, что пациенты лечебницы не в силах справиться с ними сами. Им нужна наша помощь.

— А я и представления не имела ни о каких проблемах до тех пор, как... Словом, вам и без того все известно.

— А знаете, почему так получилось, Эшли? Вы старались их затолкать поглубже и отрешиться от всего, запрятать голову в песок, как страус. В той или иной степени это присуще всем людям. — И намеренно переменив тему, осведомился: — Ну как стейк?

— Спасибо, превосходно.

С той поры у доктора Келлера вошло в привычку раз в неделю обязательно приглашать Эшли на обед или ужин. Они успели перебывать во многих местных ресторанчиках, уютных и чистеньких, с национальной кухней. До сих пор ни Тони, ни Алетт не осмелились показаться.

Как-то Гилберт повез свою пациентку на танцы в небольшой ночной клуб с прекрасным оркестром. Они много смеялись, шутили, совершенно забыв о том, что придется возвращаться в тоскливый и размеренный больничный обиход. В эту минуту они были просто людьми. Веселыми, нарядными, беззаботными.

— Вам здесь нравится? — осторожно спросил Гилберт.

— Очень! Я ужасно вам благодарна. Знаете, вы совершенно не похожи на других докторов.

— Они не танцуют?

— Вы понимаете, о чем я.

Он чуть прижал ее к себе, и оба остро ощутили важность и значимость момента. Роковые слова уже были готовы сорваться с языка Келлера. Но какое он имеет право? Кто он для Эшли?

«Это очень опасно для вас, Гилберт. Остерегайтесь...»

Глава 25

— Не втирай мне очки, доки! Я прекрасно знаю, чего ты добиваешься! Хочешь, чтобы эта идиотка Эшли посчитала тебя своим другом?

— Я и есть ее друг, Тони. Так же, как и ваш.

— Врешь! По-твоему, на ней клином свет сошелся, а я — так, жалкое ничтожество!

— Ошибаетесь, Тони. Я уважаю вас и Алетт не меньше, чем Эшли. Вы все для меня одинаково дороги.

— Это правда?

— Честное слово. И кроме того, я не могу забыть, как прекрасно вы поете. И, должно быть, играете?

— На пианино.

— Если я договорюсь о том, чтобы вам разрешили воспользоваться фортепьяно в комнате отдыха, вы не откажетесь нам спеть?

— Возможно, — с деланным безразличием бросила Тони, хотя в голосе явно звучали взволнованные нотки.

— В таком случае буду счастлив поскорее услышать вас, — улыбнулся Гилберт. — Можете считать этот инструмент своим.

— Спасибо, — коротко ответила Тони.

Верный своему слову, Гилберт добился, чтобы Тони позволили проводить ежедневно один час в комнате отдыха. Вначале девушка пыталась закрывать дверь, но любопытство остальных пациентов оказалось сильнее. Вскоре Тони начала давать настоящие концерты, и в благодарной публике не было недостатка.

Доктор Луисон одобрил попытки Келлера достучаться до больной и даже осведомился, как быть с Алетт.

— Я хочу, чтобы она проводила побольше времени в саду, за мольбертом. Конечно, за ней будут постоянно наблюдать, но, думаю, для нее это окажется неплохой терапией, — объяснил Келлер.

Но Алетт наотрез отказалась взять в руки кисти. Как-то на очередном сеансе доктор Келлер заметил:

— Вы совсем забросили краски, Алетт! Жаль, что такой талант, как у вас, пропадает втуне. Вы такая одаренная художница!

— Возможно.

«Откуда тебе знать, кретин?!»

— Разве вам не нравится рисовать?

— Нравится.

— Почему же не хотите меня порадовать?

— Потому что совершенно бездарна.

«Да отцепись же наконец!»

— Кто вам это сказал?

— Моя... моя мать.

— Мы еще не разговаривали о вашей матери. Хотите рассказать мне о ней?

— Нечего рассказывать.

— Она трагически погибла, верно?

— Да, — неохотно буркнула Алетт после долгой паузы, — авария.

Но назавтра она начала рисовать. Ей нравилось сидеть в цветущем саду, а стоило притронуться кистью к холсту, как она обо всем забывала. Иногда вокруг собирались пациенты и восторженно переговаривались голосами всех цветов радуги:

— Ваши картины должны висеть в галерее.

Черный.

— Эта картина чудо как хороша.

Желтый.

— Где вы учились?

Черный.

— Не могли бы вы когда-нибудь написать мой портрет?

Оранжевый.

— Хотелось бы мне обладать хоть сотой долей таких способностей.

Черный.

Ей всегда становилось тяжело на душе, когда приходилось возвращаться в дом. Но санитар неизменно подходил к ней, извинялся и просил идти обедать или ужинать. Алетт никогда не возражала.

Однажды доктор Келлер подвел к Эшли маленькую, пожилую, похожую на призрак женщину.

— Познакомьтесь, Эшли, это Лайза Гаррет. Сегодня она выписывается.

Лайза расплылась в приветливой улыбке:

— Ну разве не чудесно? Я всем обязана доктору Келлеру.

— Видите ли, Эшли, — пояснил Гилберт, — Лайза, как и вы, страдала расщеплением сознания.

— Да, но теперь я осталась одна. Все мои «заместители» согласились уйти, дорогая.

— Лайза уже третья с подобным недугом, кто в этом году возвращается домой, — многозначительно добавил доктор Келлер.

И в душе Эшли вновь загорелся огонек надежды. Но ее остальные «я» вовсе не были довольны происходящим. Правда, Алетт была немного добрее Тони. Она даже симпатизировала Келлеру.

— Думаю, он не так уж плох, — признавалась она подруге. — Такой милый и заботится о нас.

— Дура набитая, — фыркнула Тони. — Слепа, как летучая мышь! Неужели не видишь, что происходит? Сколько раз мне твердить: он притворяется добреньким, чтобы вертеть нами, как пожелает. Добивается, чтобы мы беспрекословно подчинялись, а сам знаешь, что задумал? Хочет свести нас троих вместе и убедить Эшли, что она в нас не нуждается. Ну а потом... Потом нам конец. Мы умрем. Ты этого желаешь? Лично я — нет!

— Ты права, — нерешительно призналась Алетт. — Погибать так страшно. До сих пор мы неплохо жили. Что им всем от нас нужно?

— Лучше слушайся меня, если не хочешь кончить, как эти мужики! Нужно во всем соглашаться с доктором. Пусть верит, что мы действительно хотим ему помочь. Будем водить его, как бычка на веревочке. Спешить нам некуда. Обещаю, что в один прекрасный день вытащу нас отсюда.

— Как скажешь, Тони.

— Прекрасно. Пусть старина доки радуется, что все идет как надо.

Через несколько дней Эшли получила письмо от Дэвида. В конверт была вложена фотография смеющегося малыша. Эшли перечитала письмо несколько раз:

«Дорогая Эшли!

Надеюсь, дела идут хорошо и скоро вы окажетесь дома. У нас ничего нового. Я много и с удовольствием работаю.

Клиентов немало, у каждого свои беды, и приятно сознавать, что можешь чем-то помочь людям. Джеффри растет не по дням, а по часам. Ему уже два года. Если все и дальше пойдет такими темпами, еще немного — и он объявит, что женится. Мы по-прежнему думаем о вас и желаем счастья. Сандра посылает самый горячий привет и надеется, что мы когда-нибудь обязательно увидимся.

Дэвид».

Эшли долго сидела, рассматривая снимок.

«Какой милый малыш! Счастлив и весел, и дай бог, чтобы так было и впредь».

Она пошла обедать, а когда вернулась, обрывки фотографии были разбросаны по всей комнате.

Июнь, 15, 1.30 дня

Пациент: Эшли Паттерсон. Сеанс терапии с применением амитала натрия. Чужеродное «я»: Алетт Питерс.

— Расскажите мне о Риме, Алетт.

— Я не видела города прекраснее. Там столько музеев! Я побывала во всех. Проводила там целые дни. Картины... скульптуры... жаль, что вы этого не видели.

«Что может какой-то докторишка знать о музеях!»

— Вы хотели быть художницей?

— Да.

«Идиотский вопрос. Кем мне еще быть? Уличной девкой?!»

— Вы учились рисовать?

— Никогда.

«Тебе еще не надоело привязываться ко мне?»

— Почему? Из-за того, что матери не нравились ваши картины?

— О нет! Просто посчитала, что у меня не слишком выдающиеся способности.

«Тони, убери его, я больше не могу!»

— Вы переживали какие-то психологические травмы в этот период? Возможно, с вами случилось нечто страшное. То, чего вы не хотите вспоминать!

— Нет. Я была очень счастлива в Риме.

«Тони!»

Август, 15, 9 часов утра

Пациентка: Эшли Паттерсон. Сеанс гипнотерапии с чужеродным «я» Тони Прескотт.

— Хотите, поговорим о Лондоне, Тони?

— Почему не поговорить? Я так прекрасно проводила там время. Лондон намного цивилизованнее многих здешних городов. Там очень хорошо.

— У вас были какие-то проблемы во время пребывания в Лондоне?

— Проблемы? Откуда вы взяли? Я же сказала, это были лучшие дни моей жизни.

— И ничего плохого с вами не случилось?

— Разумеется, нет.

«Поломай-ка себе голову, олух! Чего захотел! Так ему и открой душу! Обойдешься!»

Каждый сеанс терапии приносил с собой мириады воспоминаний, ностальгических и тяжелых, светлых и мрачных. По ночам ей часто снилось, что она сидит за своим компьютером в «Глоубл компьютер грэфикс корпорейшн». На экране монитора один за другим возникали причудливые, фантастически красивые рисунки. И Шейн. Шейн Миллер, как всегда, стоит рядом и восторженно смотрит на работу Эшли.

«Здорово! Ну и молодец же ты! Как мы до сих пор обходились без тебя, не понимаю!»

Но она, не успев ответить, вновь оказывается в тюремной камере, и Шейн, отводя глаза, бормочет:

«Мне не хотелось бы... тяжело... но компания решила уволить тебя... оберегать наше доброе имя... надеюсь, ты понимаешь... ничего личного...»

По утрам, когда Эшли просыпалась, подушка была мокра от слез.

Алетт становилась все более грустной и отрешенной. Она тосковала по Риму и Ричарду Мелтону. Какая злая судьба отняла у нее Ричарда!

«Мы могли быть счастливы вместе, но теперь поздно. Слишком поздно. Другого такого мне не найти...»

Тони, в противоположность Алетт, была доведена до крайности. Она тоже не желала вспоминать тот кошмар, в который когда-то превратилась ее жизнь. «Подумать только, она делала все, чтобы уберечь Алетт и Эшли. Но разве кому-то есть до этого дело? Ничего подобного! Всем наплевать! Мало того, ее заперли в психушку, как преступницу какую-то! Словно она рехнулась! Да еще неизвестно, кто умнее! Но ей недолго тут куковать! Недолго! Она еще покажет им».

Листки календаря осыпались, как клены осенью. Прошел еще год. Так же безрезультатно. Доктор Келлер чувствовал, что зашел в тупик.

— Я читал ваш последний отчет, — сообщил как-то Луисон. — Считаете, это коллективный провал в памяти или чистое притворство?

— Притворство, разумеется. Похоже, они разгадали меня и пытаются обхитрить. Из них троих одна Эшли искренне хочет мне помочь. Но они не позволяют. Обычно гипноз или амитал натрия помогают вытянуть правду на свет Божий, только Тони слишком сильна. Сильна и опасна. Остальные в полном ее подчинении и ничего не могут сделать.

— Опасна, говорите?

— Еще бы! Представьте, сколько ненависти должно накопиться в душе, чтобы зарезать и кастрировать пятерых!

Остаток года прошел ничуть не лучше. С другими пациентами было куда проще, но именно Эшли, та самая, которая была так дорога Келлеру, не поддавалась излечению. Временами доктору казалось, что Тони нравится с ним играть. Она делала все, чтобы он потерпел неудачу.

Но перелом наступил. Внезапно и неожиданно. Все началось с письма доктора Паттерсона.

«Дорогая Эшли!

Я должен отправиться в Нью-Йорк по делам, но по дороге хотел бы заехать и повидаться с тобой. Позвони доктору Луисону и, если он не возражает, жди меня к двадцать пятому июня.

Твой любящий отец».

Три недели спустя доктор Паттерсон действительно появился в компании привлекательной темноволосой женщины и ее трехлетней дочери Катрины.

Визитеров провели в кабинет доктора Луисона. Тот вежливо поднялся:

— Доктор Паттерсон! Счастлив знакомством с такой знаменитостью!

— Ну что вы, это я должен быть польщен встречей с вами. Позвольте представить, это мисс Виктория Энистон и ее дочь Катрина.

— Здравствуйте, мисс Энистон. Катрина, как поживаешь?

— Я привез их с собой, чтобы познакомить с Эшли.

— Превосходно. Сейчас у нее сеанс с доктором Келлером, но скоро они освободятся.

— Как дела у Эшли? — осведомился Стивен.

Отто немного замялся:

— Доктор Паттерсон, нельзя ли поговорить с вами наедине?

— Разумеется. Виктория, может, пока погуляете с Катриной в саду? Подождите меня там, мы с Эшли скоро придем.

— Хорошо, дорогой, — улыбнулась Виктория. — Очень рада встрече с вами, доктор Луисон.

— Благодарю, мисс Энистон.

Доктор Паттерсон проводил взглядом своих спутниц и повернулся к доктору Луисону:

— Возникли проблемы, доктор?

— Постараюсь быть с вами откровенным, мистер Паттерсон. Мы продвигаемся не так быстро, как хотелось бы. Эшли утверждает, что помощь ей необходима, и в то же время она замкнута и упрямо отказывается работать с нами. Более того, она всеми силами противится лечению.

— Но почему? — удивился доктор Паттерсон.

— Знаете, это не так уж редко бывает. На какой-то стадии пациенты, страдающие расщеплением сознания, боятся встречи со своими чужеродными «я». Это их пугает. Сама мысль о том, что в их мозгу и теле могут жить чужаки, которые к тому же имеют над ними власть... Понимаете, какая трагедия?

— Естественно, — кивнул Стивен.

— Кроме того, нас смущает еще одна проблема. Обычно подобные заболевания имеют корни в самом раннем детстве и связаны с какими-то сексуальными или физическими надругательствами. В случае Эшли нам ничего об этом неизвестно, так что мы не имеем ни малейшего представления о том, что явилось основной причиной травмы.

Доктор Паттерсон тяжело вздохнул.

— К сожалению, знаю я, — с трудом выговорил он. — Во всем случившемся моя вина.

Отто Луисон молча, пристально смотрел на собеседника.

— Это произошло, когда Эшли было шесть лет. Мне пришлось поехать в Англию. Моя жена не смогла меня сопровождать, но Эшли я взял с собой. В Лондоне у жены был престарелый родственник по имени Джон. В то время я не знал, что он... скажем, не вполне здоров. Както мне пришлось читать лекцию в одной из больниц, и Джон предложил посидеть с Эшли.

Когда я вернулся, его не было, а Эшли рыдала и билась в истерике. Пришлось почти полночи успокаивать ее. Но после этого она никого к себе не подпускала. Превратилась в настоящую дикарку. А неделей позже Джон был арестован за развратные действия в отношении несовершеннолетних.

Доктор Паттерсон печально покачал головой.

— Представьте, как я был потрясен, узнав обо всем! Никогда не прощу себе этого, никогда. Больше я в жизни не оставлял Эшли наедине с чужим человеком, но было уже поздно. Она стала тем, кем стала.

Мужчины долго молчали. Наконец Отто встал и положил руку на плечо доктора Паттерсона.

— Мне ужасно жаль, что так вышло. Но мы, по крайней мере, наконец получили нужный ответ. Теперь доктору Келлеру есть над чем поработать.

— Понимаете, это слишком болезненная тема, чтобы обсуждать ее с посторонними. Поэтому я молчал до сих пор.

— Понимаю, — кивнул Луисон и, посмотрев на часы, добавил: — Эшли еще занята. Почему бы вам не погулять по саду вместе с мисс Энистон, а я передам Эшли, что вы приехали.

— Спасибо, я так и сделаю, — кивнул доктор Паттерсон.

Отто Луисон едва дождался, пока за ним закроется дверь. Ему не терпелось поскорее сообщить доктору Келлеру новости.

Виктория и Катрина чинно гуляли по дорожкам между клумбами:

— Ты видел Эшли? — спросила Виктория.

— Скоро придет, — сообщил Паттерсон, осматриваясь. — Чудесное местечко, верно, дорогая?

Виктория хотела что-то ответить, но подбежавшая девочка попросила:

— Хочу в небо!

— Так и быть, озорница, — усмехнулся Стивен и, подняв ее, подбросил в воздух.

— Выше!

— Тогда держись! Не струсишь?

Она снова взлетела вверх, восторженно требуя:

— Еще!

Паттерсон стоял спиной к зданию и не видел, как в сад вышли доктор Келлер с Эшли.

— Еще! — визжала Катрина.

Эшли неожиданно застыла, окаменев, не в силах сделать ни шагу. При виде отца, игравшего с ребенком, время словно раскололось. Все происходило как в замедленной съемке.

Малышка с косичками машет руками и громко кричит:

— Выше, папа!

— Тогда держись! Не струсишь?

Но девочку неожиданно швыряют на постель...

Чей-то знакомый голос повторяет:

— Вот увидишь, тебе это понравится.

Темная фигура мужчины, который бесцеремонно ложится рядом.

Малышка захлебывается плачем:

— Перестань! Нет! Пожалуйста, не надо.

Незнакомец держится в тени. Он прижимает ее к постели и начинает гладить...

— Разве тебе не хорошо?

И тут тень мгновенно исчезла, словно чья-то большая рука сдернула покрывало, и Эшли увидела лицо. Лицо своего отца.

Из глотки Эшли вырвался нечеловеческий вопль. Вопль раненого зверя. Она кричала и кричала и не могла остановиться. Лицо было искажено мучительно-уродливой гримасой. В этот момент она не походила ни на себя, ни на своих «заместителей».

Доктор Паттерсон, Виктория и Катрина удивленно обернулись.

— Прошу прощения, — поспешно вмешался доктор Келлер. — Сегодня, по-видимому, неудачный день. Не могли бы вы прийти в другое время?

Он подхватил Эшли на руки и понес в дом.

Вскоре Эшли уже лежала в кабинете неотложной помощи. Около нее хлопотала медсестра.

— Ее пульс неестественно частый, — заметил Келлер. — Она в состоянии катативной амнезии.

Подвинувшись ближе, он окликнул:

— Эшли, вам нечего бояться. Здесь вы в безопасности. Никто не причинит вам зла. Прислушивайтесь к звукам моего голоса и расслабляйтесь... расслабляйтесь...

Прошло не менее часа, прежде чем Эшли немного успокоилась.

— Эшли, объясните, что случилось, — снова попросил Келлер. — Что вас так расстроило?

— Отец и маленькая девочка...

— И что тут такого?

— Она не может вынести этого, — ответила за нее Тони. — Боится, что он сделает с малышкой то же самое, что сотворил с ней.

Доктор Келлер мгновенно встрепенулся. Неужели разгадка близка?

— И что... что же он сотворил с ней?

Это случилось в Лондоне. Она уже лежала в постели. Он сел рядом и тихо пообещал:

— Я кое-что приготовил для тебя, детка. Вот увидишь, тебе понравится.

И стал щекотать ее, а она заливалась смехом... А потом... потом началось самое страшное. Он стащил с Эшли пижамку и принялся гладить ее и засовывать палец в ту дырочку, что внизу...

— Правда, тебе хорошо, крошка? — непрестанно повторял отец.

— Нет! Не нужно, папа, не нужно! — кричала Эшли, но отец, ничего не слушая, лег на нее и продолжал... продолжал...

— Тогда это случилось впервые, Тони? — спросил Келлер.

— Да.

— Сколько лет было тогда Эшли?

— Шесть.

— Именно в тот вечер вы и родились?

— Да. Эшли была вне себя от страха и не могла даже думать связно.

— А что происходило потом?

— Отец приходил каждую ночь и ложился с ней в постель, — выпалила Тони. — Она так и не сумела уговорить его не делать этого. Когда они вернулись домой, Эшли пожаловалась матери, но та назвала ее подлой, лживой сучонкой. Эшли перестала спать, боясь, что отец снова появится в ее комнате. Он заставлял ее касаться его... его члена, а потом играл с собой. И все время твердил:

— Никому не рассказывай, иначе я больше не стану тебя любить.

Вот она и молчала. Мама с папой постоянно скандалили, и Эшли считала, что это все из-за нее. Она понимала, что сделала что-то плохое, но не знала, что именно. Мама ее ненавидела.

— И сколько это продолжалось?

— Когда мне было восемь... — Тони осеклась.

— Ну же, продолжайте.

Лицо Эшли стало мягче, беззащитнее. Теперь в кресле сидела Алетт.

— Мы переехали в Рим, — пояснила она, — где отец проводил исследования в клинике Умберто Первого.

— И там родились вы?

— Верно. Эшли не перенесла того, что сделал отец в первую же ночь, вот я и пришла, чтобы защитить ее.

— Что же он сделал, Алетт? — допытывался Келлер.

— Опять вошел в ее комнату, пока Эшли спала. Он был совсем голый. Забрался к ней в постель, только на этот раз изнасиловал. Было ужасно много крови и так больно, так больно... Эшли не совладала с ним. Она умоляла его не делать этого больше, но все повторялось каждую ночь. И он всегда говорил одно:

— Крошка моя, только таким способом мужчина показывает женщине, что любит ее больше всех на свете. Ты моя единственная, и я обожаю тебя. Но не смей никому и пикнуть об этом.

И Эшли молчала. Она не знала, что ей делать, и была совершенно одна. Вот мы с Тони и помогали, как умели.

Эшли громко всхлипывала. По щекам катились слезы. Гилберт сверхчеловеческим усилием воли удерживался от того, чтобы не обнять ее, не признаться, что любит, что отныне все будет хорошо. Но об этом, разумеется, не могло быть и речи.

«Я ее доктор. Отношения доктора с пациенткой святы».

Вернувшись в кабинет доктора Луисона, Гилберт обнаружил, что доктор Паттерсон и его спутницы успели уехать.

— Что же, наконец-то все прояснилось, — сообщил Келлер. — Именно этого мы ждали. Произошел перелом. Теперь я знаю, когда и по какой причине родились Тони и Алетт. Отныне нужно ждать больших перемен.

Доктор Келлер оказался прав. Свершилось чудо.

Глава 26

Сеансы гипнотерапии начались снова. Но на этот раз все было по-другому. Как-то, погрузив Эшли в сон, Келлер попросил рассказать о Джиме Клири.

— Я любила Джима, — грустно призналась девушка. — Мы собирались сбежать и пожениться.

— Как это было?

— После выпускного бала Джим попросил меня зайти к нему домой, но я... я отказалась. Когда он привез меня домой, отец уже поджидал нас. Он был вне себя. Велел Джиму убираться и больше не показываться ему на глаза.

— А потом?

— Потом я решила уйти к Джиму, не дожидаясь утра. Сложила вещи и вышла из дому. Только... только на полпути передумала и вернулась. Я...

Эшли неожиданно исчезла. Вместо нее появилась Тони:

— Черта с два она вернулась. Побежала к нему как миленькая.

В окнах дома Клири было темно. Эшли вспомнила, что родители Джима уехали на уик-энд. Она поднялась на крылечко и робко нажала кнопку звонка. Очевидно, Джим уже спал, потому что открыл минут через пять. Он был в пижаме. Волосы взъерошены, глаза сами собой закрывались. Но, увидев Эшли, он оживился. Сон как рукой сняло.

— Эшли! — широко улыбнулся он. — Ты все-таки решилась!

Он втянул ее в прихожую.

— Я пришла, потому что...

— Мне все равно. Главное, что ты здесь!

Он обнял ее и поцеловал.

— Хочешь выпить?

— Нет, разве что воды, — нерешительно пробормотала девушка, отчего-то смутившись. Может, действительно, отец прав, и она зря все это затеяла?

— Ну конечно! Пойдем.

Джим взял ее за руку, повел на кухню и достал из холодильника бутылку колы.

— Ты, похоже, не в себе.

— Да... немножко.

— Не волнуйся. Мы здесь одни, и мои предки точно не вернутся раньше завтрашнего вечера. Пойдем наверх.

— Джим, по-моему, нам не стоит этого делать.

Он встал у нее за спиной и нежно сжал груди. Девушка поспешно повернулась:

— Джим...

Но он уже прижал ее к кухонному столу и впился губами в ее губы.

«Нет, это не Джим... а отец! Отец стоит здесь! Это его голос: "Я все сделаю, чтобы ты была счастлива, солнышко..."»

Эшли оцепенела. И не сопротивлялась, когда он начал стягивать с нее одежду... Опять он возьмет ее и причинит боль...

Отец вонзился в нее грубым рывком, по-прежнему прижимая к столу. Из груди Эшли рвался безумный вопль, хотя в комнате слышалось лишь тяжелое дыхание.

И тут Эшли овладела примитивная животная ярость. Краем глаза она заметила большой тесак, воткнутый в деревянную колоду для рубки мяса, и, вытащив его, принялась наносить удары куда попало: в грудь, плечи, живот...

— Перестань, отец! Немедленно отпусти! Да остановись же! — почти визжала она и, немного придя в себя, увидела, что Джим лежит на полу в луже крови. — Животное! — взвизгнула она. — Грязное животное! Больше ты ко мне не притронешься!

Она нагнулась и отсекла плоть, посмевшую вторгнуться в нее.

В шесть утра Эшли вышла из дому и направилась на вокзал, чтобы встретиться с Джимом. Но его там не было.

Подождав немного, девушка заволновалось: «Что стряслось? Джим не мог ее бросить!»

Услышав вдалеке свисток тепловоза, она посмотрела на часы. Ровно семь. Состав извивающейся змеей подтянулся к перрону. Эшли вскочила и лихорадочно огляделась.

«С ним случилось что-то ужасное».

Еще несколько минут — и Эшли осталась на перроне, растерянно глядя вслед уходившему поезду. Подождав еще с полчаса, она поплелась домой и уже к вечеру сидела рядом с отцом в самолете, улетавшем в Лондон.

Сеанс подходил к концу.

— ...четыре... пять... Просыпайтесь, — скомандовал Келлер.

Эшли открыла глаза.

— Что тут было?

— Тони рассказывала, как убила Джима Клири. Он набросился на вас.

Лицо Эшли моментально побелело.

— Я хочу уйти к себе.

— Намечаются некоторые улучшения, — докладывал Келлер Отто Луисону. — До сих пор ситуация была патовой. Каждый боялся сделать первый ход. Но теперь все трое немного успокоились. Мы движемся в правильном направлении, правда, Эшли все еще боится столкнуться с реальностью.

— Она понятия не имеет, как происходили убийства? Такое редко бывает, — заметил Луисон. — Может, притворяется?

— Не думаю. Один шанс на миллион. Ее разум полностью отторгает возможность подобных деяний. Тони во всем призналась.

Два дня спустя доктор снова вызвал к себе Эшли. На этот раз она не слишком охотно шла на сеанс, зная заранее, что случится. Но Келлер был неумолим. Медлить не время. Он должен, должен добиться полного исцеления!

— Вам удобно, Эшли?

— Очень, — едва слышно ответила девушка.

— Я хочу поговорить о Деннисе Тиббле. Он был вашим другом?

— Нет, всего-навсего сослуживцем. Мы работали вместе.

— В полицейском протоколе сказано, что в его квартире обнаружены отпечатки ваших пальцев.

— Это правда. Я приехала к нему, когда он попросил меня о помощи. Хотел получить совет... что-то, связанное с его невестой.

— И что было дальше?

— Мы немного поговорили, и он угостил меня вином, куда ухитрился подсыпать то ли снотворное, то ли наркотик.

— Вы заснули и...

— И проснулась в Чикаго.

Уголки губ девушки чуть опустились. Значит, Тони решила вмешаться?

— Хочешь знать, что было на самом деле? — недобро бросила она.

— Да, Тони, пожалуйста.

Деннис Тиббл захватил с собой бутылку вина.

— Давай устроимся поудобнее, — предложил он и, подхватив Эшли под руку, повел в спальню.

— Деннис, я не желаю...

Но он уже принялся срывать с нее одежду.

— Знаю я, чего ты желаешь, беби! Чтобы я оприходовал тебя по первому разряду! Иначе ты не подумала бы пойти со мной!

Эшли попыталась оттолкнуть его, вырваться и убежать.

— Оставь меня, Деннис!

— Ни за что, пока не получишь того, за чем пришла! Вот увидишь, тебе понравится! Нечего из себя целку строить!

Он швырнул Эшли на кровать, навалился сверху и сунул руку между ее бедер.

Отец... опять отец ее насилует! Это его слова... его ненавистные слова: «Вот увидишь, тебе понравится, беби!»

И он снова вторгается в нее, разрывая тонкую перегородку.

«Нет! Нет! Нет!» — твердит она про себя, и отец смеется. Громко, самодовольно, нагло...

И тут невыразимое бешенство охватывает ее. Она видит бутылку с вином, тянется к ней, разбивает о край стола и вонзает рваные края горлышка в его спину. Дикий вопль. Отец пытается вскочить, но она с неизвестно откуда взявшейся силой удерживает его и продолжает полосовать острым осколком. Он скатывается на пол и что-то несвязно бормочет.

Она наклоняется ближе.

— Не нужно, не нужно...

— Обещаешь никогда больше не делать этого? Но чтобы не сомневаться, удостоверимся, что ты исправился...

Она подхватывает горлышко бутылки и ударяет точно в пах поверженного врага.

И все меркнет.

— А что было дальше, Тони? — осторожно осведомился Келлер, выждав несколько минут.

— Я решила поскорее убраться, пока не заявилась полиция. Нужно признать, у меня от возбуждения руки тряслись. Хотелось немного развеяться. Надоело вести скучную, правильную жизнь и во всем слушаться Эшли. У меня в Чикаго живет приятель, и я решила его навестить. Но дружка не оказалось дома, поэтому я походила по магазинам, заглянула в несколько баров и наконец-то повеселилась как следует.

— Ну а потом?

— Потом нашла отель подешевле и завалилась спать.

Тони пожала плечами.

— Уступаю очередь Эшли.

Эшли медленно открыла глаза. Что-то неладно... совсем неладно... Ее словно опоили.

Эшли огляделась и в панике вскочила. Одна, совершенно обнаженная, в постели номера неизвестного дешевого отеля. Непонятно, как она здесь очутилась. Голова раскалывалась от боли, в виски стучали сотни молоточков.

Эшли осторожно ступила на пол, направилась в крохотную ванную и встала под душ. Струи горячей воды словно смывали все ужасные, грязные вещи, которые вытворяли с ней. Что, если она забеременеет? Сама мысль о том, что на свет может появиться ребенок Тиббла, вызывала тошноту.

Эшли вышла из ванны, вытерлась и распахнула дверцы шкафа. Ее вещи исчезли. На вешалках болтались черная кожаная мини-юбка, дешевый топ и туфли на высоких шпильках. Ей было противно натягивать все это на себя, но куда деваться?

Эшли поспешно оделась и взглянула в зеркало. Настоящая шлюха!

— Отец, я...

— Что с тобой?

— Я в Чикаго и...

— Что ты делаешь в Чикаго?

— Потом расскажу. Мне необходим билет на самолет до Сан-Хосе, а денег совсем мало. Ты не можешь мне помочь?

— Конечно. Подожди... Самолет «Америкен Эйрлайнз» вылетает из аэропорта О'Хара в десять сорок. Рейс четыреста семь. Возьмешь билет у стойки регистратора.

— Алетт, ты слышишь меня? Алетт!

— Я здесь, доктор Келлер.

— Давайте вспомним Ричарда Мелтона. Он был вашим другом, не так ли?

— Да. Очень, очень simpatico. Я была в него влюблена.

— А он в вас?

— Кажется, да. Он был художником. Очень талантливым. Мы часто ходили вместе в музеи и часами простаивали перед картинами. С Ричардом я чувствовала себя... живой. Он был мне очень дорог. И если бы его не убили, мы, возможно, и поженились бы когда-нибудь.

— Расскажите о последнем дне, который вы провели вместе.

— Когда мы выходили из музея, Ричард сказал, что парня, с которым он жил в одной квартире, сегодня пригласили на вечеринку и он вернется поздно. А потом пригласил меня в гости. Пообещал показать свои последние работы. Но я отказалась.

— И что он ответил?

— Заверил, что все будет, как я пожелаю. Мы назначили друг другу свидание в следующую субботу, и я уехала. Больше я его...

Алетт осеклась. Очевидно, ей не дали договорить. Перед глазами доктора Келлера появилось лицо Тони. Опять эта ее кривая ухмылочка!

— Это она так считает, — безапелляционно заявила Тони. — Или хочет считать. На самом же деле все было совершенно иначе. Побольше слушай эту девчонку, она еще и не такого наплетет!

— Как же все было? — удивился доктор Келлер.

Она согласилась пойти в его квартиру на Фелл-стрит. Маленькая, ничем не примечательная, но картины Ричарда превращали ее в роскошный дворец. Алетт восхищенно всплеснула руками, не находя слов.

— Ричард... ты... ты гений.

— Спасибо, Алетт, — шепнул он, обнимая ее. — А ты прекрасна. Я хочу любить тебя.

«Ты прекрасна... я хочу любить тебя...» — так говорил отец.

Алетт словно окаменела, ожидая того неизбежного ужаса, который сейчас произойдет. И не успела оглянуться, как уже лежала на кровати обнаженная, ощущая знакомую боль его вторжения, раздирающую внутренности.

— Нет, отец! — снова и снова повторяла она. — Ни за что.

Но он уже ничего не слышал. И тогда в который раз возникла потребность убить ненасытного дракона, осквернявшего плоть и душу. Она не помнила, откуда взялся нож. Из-под клинка брызнул багровый фонтанчик. Один, другой...

Эшли с воплями извивалась в кресле.

— Все хорошо, Эшли, — успокаивал Гилберт. — Вы в безопасности. Сейчас я досчитаю до пяти, и вы проснетесь.

Эшли, дрожа как в лихорадке, очнулась:

— Опять что-то не так?

— Все так. Тони рассказала о Ричарде Мелтоне. Вы занимались любовью, и вам показалось... что это отец, поэтому и...

Эшли поспешно закрыла ладонями уши:

— Я ничего не желаю больше слышать!

После этого сеанса Гилберт отправился к доктору Луисону:

— Пожалуй, конец уже близок, — радостно сообщил он. — И хотя Эшли очень страдает, осталось совсем немного. Воскресить в памяти еще два убийства.

— Ну а что дальше? Она все равно ничего не сознает.

— Я сведу Алетт, Тони и Эшли вместе. Пусть подружатся.

Глава 27

— Тони! Тони, вы слышите меня? — настойчиво повторял Гилберт, стоя перед спящей Эшли.

— Разумеется, доки! И нечего так орать!

— Может, поговорим о Жан-Клоде Паране?

— Мне следовало бы с самого начала знать: это слишком хорошо, чтобы быть правдой! Двуличная тварь! Козел!

— О чем вы, Тони?

— Вначале он казался настоящим джентльменом. Водил меня по ресторанам, говорил комплименты, ухаживал: все как полагается. Мы в самом деле неплохо проводили время. Я было посчитала, что он не такой, как остальные, но все оказалось чистым притворством. Ему, как и другим, было нужно только одно — секс, секс и секс. Похотливая дрянь! Распустил слюни, сволочь! Но ничего, он свое получил!

— Понятно.

— Ничего тебе не понятно, болван! Ты тоже хорош! Только и знаешь, что сочувственно кивать да вздыхать, а на самом деле хочешь моей гибели.

— Ничего подобного, Тони. Видите ли...

— Ладно уж, замнем. Короче, он подарил мне шикарное кольцо и вообразил, что стал моим хозяином. Но не тут-то было! Правда, я согласилась пойти к нему домой, в прелестный двухэтажный особнячок из красного кирпича, обставленный антикварной мебелью, полный чудесных безделушек.

— Как тут хорошо!

— Но самое главное ждет нас в спальне. Поднимемся!

Жан-Клод потащил ее наверх, бессильную, несопротивляющуюся, и распахнул дверь спальни.

— Раздевайся, — прошептал он, обнимая ее.

— Но я не...

— Конечно, хочешь! Мы оба этого хотим.

Он торопливо расстегивал пуговки нарядной блузки, стаскивал юбку, чулки... потом положил ее на постель и придавил всем телом к матрацу.

— Не нужно, — простонала она. — Пожалуйста, остановись, отец!

Но он, не обращая внимания, рвал «молнию» брюк. Что-то теплое, неумолимо-твердое ворвалось в нее. Она задохнулась от боли, но Жан-Клод, уже не помня себя, врезался все глубже. Она не знала, сколько прошло времени, прежде чем он судорожно всхлипнул и обмяк.

— Ты была великолепна, — пробормотал он наконец.

И тут в ней кипящей лавой взорвалась злоба. Стиснув в кулаке острый нож для разрезания бумаг, она ткнула им в грудь Жан-Клода. Лезвие на удивление легко вошло в сердце. Но она не успокоилась, пока все тело неудачливого любовника не покрылось рваными ранами.

«Больше ты ни с кем этого не сделаешь», — прошипела она и занесла нож над жалкой и уже не опасной мужской плотью.

Потом она не спеша приняла душ, оделась и вернулась в отель.

— Эшли... Эшли, пора просыпаться.

Эшли медленно всплыла на поверхность из окутавшего ее забытья.

— Снова Тони? — вздохнула она, застенчиво глядя на Келлера.

— Да. Она познакомилась с Жан-Клодом в Интернете. Эшли, когда вы были в Квебеке, случались провалы в памяти? Когда вы словно просыпались и обнаруживали, что время девалось неизвестно куда?

Эшли нерешительно кивнула:

— Да, и довольно часто.

— В эти моменты всем управляла Тони.

— И именно тогда... тогда она?..

— Да.

Следующие несколько месяцев протекли без особых подъемов и спадов. Доктор Келлер любил слушать пение Тони и сидеть вместе с Алетт в саду, пока та рисовала. Оставалось обсудить еще одно убийство, но он хотел, чтобы Эшли перед сеансом окончательно успокоилась. Наступал самый ответственный момент, и сейчас самым главным было ничего не испортить. Прошло почти пять лет с того дня, как Эшли приехала сюда. Она почти здорова. Почти.

В понедельник Гилберт попросил Эшли прийти. Она нерешительно переступила порог его кабинета. Гилберт присмотрелся к девушке. Выглядит не слишком хорошо: бледная, уставшая, словно предчувствует, что ее ожидает. При виде Гилберта она коротко кивнула.

— Доброе утро, Эшли. Как себя чувствуете?

— Нервничаю. Это последнее, верно?

— Да. Сегодня потолкуем о помощнике шерифа Блейке. Что он делал в вашем доме?

— Я сама просила его прийти. Кто-то написал помадой на зеркале в ванной: «Ты умрешь!» Я до смерти перепугалась. Совершенно растерялась, не знала, что делать. Думала, кто-то хочет меня убить. Я позвонила в полицию, и мистер Блейк согласился приехать. Такой милый человек. Он очень мне сочувствовал.

— И вы захотели, чтобы он остался.

— Да. Мне было страшно ночевать в квартире одной. Он пообещал провести там ночь, а утром договориться о круглосуточной охране. Я предложила ему лечь в спальне, а сама собиралась спать на диване в гостиной, но он не согласился. Прекрасно помню, что мистер Блейк проверил, закрыты ли окна, и задвинул на двери все засовы. Его пистолет лежал на столе рядом с диваном. Я пожелала ему спокойной ночи, вошла в спальню и закрыла дверь.

— И все?

— Да. Проснулась я от диких воплей под окном. Потом приехал шериф и сообщил, что тело мистера Блейка нашли в переулке.

Она замолчала, ломая руки.

— Хорошо. Теперь вы заснете. Закрывайте глаза, успокойтесь, расслабьтесь...

Дождавшись, пока Эшли отключится, доктор Келлер тихо позвал:

— Тони...

— Здесь я, здесь! Опять докапываетесь до правды?

— Что поделать, приходится.

— Так и быть. Эта идиотка Эшли не нашла ничего лучшего, кроме как пригласить Блейка к себе. Она же ни с кем не советуется! Считает себя умнее всех! Уж я могла бы ей порассказать, что ее ожидает!

Он услышал крики из спальни, вскочил и, сжав рукоятку пистолета, поспешил к двери и прислушался. Все тихо. Ему, должно быть, почудилось.

Сэм уже повернулся, чтобы отойти, но тут крик повторился. Он толкнул тяжелую створку. Эшли, голая, не позаботившись прикрыться даже простыней, крепко спала и тихо стонала во сне. Сэм подошел ближе. Она что-то пробормотала и свернулась клубочком. Такая красивая, такая соблазнительная и беззащитная. Кажется, ей снятся кошмары...

Сэму отчего-то страстно захотелось прижать ее к себе, утешить, укачать, как ребенка. Он прилег рядом и осторожно притянул ее ближе, но, ощутив жар ее тела, потерял голову.

Ее разбудил чей-то голос, твердивший одно и то же:

— Все хорошо. Ты в безопасности.

Жесткие губы прижались к ее губам, поползли ниже...

Мужчина перевернул ее на спину, разомкнул бедра и оказался в ней...

— Нет, папа! — пронзительно вскрикнула она. Но он двигался все быстрее, все настойчивее, и жажда мести, дикая, примитивная, затопила душу. Она едва успела дотянуться до ножа, лежавшего на тумбочке у кровати, и несколько раз ударила отца...

— Что было после того, как вы его убили?

— Она завернула труп в простыню, потащила в лифт и вынесла через гараж в переулок, — ехидно сообщила Тони.

— А потом, — рассказывал доктор Келлер Эшли, — Тони завернула труп в простыню, потащила в лифт и вынесла через гараж в переулок.

Эшли побледнела:

— Она чудо... то есть я. Это я чудовище.

— Нет, Эшли, вам нужно постоянно помнить, что Тони — порождение ваших моральных травм, бессознательная попытка защититься от удара. То же самое можно сказать об Алетт. Пора вам встретиться. Без этого вы никогда не поправитесь.

Эшли отчаянно зажмурилась.

— Вы правы, доктор. Я постараюсь. Когда... когда это будет?

— Завтра утром.

Эшли обреченно кивнула.

Назавтра, погрузив Эшли в забытье, доктор Келлер начал с Тони.

— Тони, я хочу, чтобы вы и Алетт поговорили с Эшли.

— А почему ты воображаешь, что она готова к этому?

— Я просто уверен. Мы должны попытаться.

— Ладно, доки, как скажешь.

— Алетт, вы согласны встретиться с Эшли?

— Если Тони разрешит.

— Валяй, Алетт. Кажется, пора.

Доктор Келлер, немного помедлив, собрался с духом:

— Эшли, поздоровайтесь с Тони.

Последовало долгое молчание. Потом послышалось застенчивое:

— Привет, Тони...

— Привет.

— А теперь поговорите с Алетт.

— Здравствуй, Алетт.

— Добрый день, Эшли...

Келлер облегченно вздохнул:

— Вам необходимо получше узнать друг друга. Пришлось пройти через ужасные испытания, которые надолго вас разлучили. Но тяжелые времена кончились, и всем троим пора подружиться. Стать одной здоровой, цельной личностью. Считайте, что мы сделали первый шаг по длинной, но прямой дороге. Но даю слово, самый сложный участок вы уже одолели.

С этого дня состояние Эшли начало улучшаться на глазах. Она и ее чужеродные «я» постоянно говорили друг с другом. Девушка узнавала про себя то, что было до сих пор надежно скрыто защитными резервами памяти и мозга.

— Мне приходилось оберегать тебя, — объясняла Тони. — Наверное, каждый раз, расправляясь с очередным мужчиной, я вновь и вновь убивала отца за то, что он сделал с тобой.

— Я тоже старалась отгородить тебя от этого кошмара, — добавила Алетт.

— Мне... я так вам благодарна! Не знаю, что бы делала без вас, — призналась Эшли и, повернувшись к Гилберту, сухо осведомилась: — Ведь я в действительности разговариваю сама с собой, не так ли? Вам не смешно?

— Но почему? — искренне удивился он. — Ваше сознание расколото, и вы общаетесь с двумя остальными частями собственной души. Давно пора слиться в единое целое и снова возродиться.

Эшли улыбнулась и кивнула:

— Вы правы, Гилберт. Наконец и я это осознала. Пора. Я готова.

После ухода Эшли Келлер долго сидел за столом, сжав виски ладонями. Кажется, настал самый важный момент в жизни его пациентки. Да если быть честным, и в его тоже. Эшли, родная, милая, самая лучшая... Она уйдет навсегда, и ему в утешение останутся лишь сладостно-горькие воспоминания.

Тяжело поднявшись, он направился к Отто Луисону.

— Говорят, вы все-таки добились своего, Гилберт, — приветствовал Отто.

— Эшли просто не узнать, — кивнул Келлер. — Еще несколько месяцев, и мы ее выпишем. Далее она может продолжать лечение амбулаторно.

— Искренне рад за вас. Поздравляю! — воскликнул Отто.

«Я стану тосковать по ней. Безумно тосковать...»

— Мистер Сингер, доктор Сейлем на второй линии, — сообщила секретарь.

— Слышу.

Дэвид озабоченно потянулся к трубке. Что от него нужно Сейлему? Они не виделись уже много лет.

— Алло! Ройс?

— У меня для вас интересная информация. Это насчет Эшли Паттерсон.

Знакомая тревога стиснула сердце Дэвида.

— С ней что-то случилось?

— Помните, как долго и безуспешно мы пытались выяснить причину ее душевного заболевания?

Еще бы ему не помнить! Самое слабое место в тщательно выстроенной схеме защиты.

— Разумеется.

— Так вот, теперь я знаю ответ. Только сейчас звонил мой друг доктор Луисон, главный врач Коннектикутской психиатрической лечебницы. Недостающее звено головоломки — Стивен Паттерсон. Он постоянно насиловал Эшли, когда та была совсем еще ребенком.

— Что?! — неверяще охнул Дэвид.

— Доктор Луисон сам лишь недавно узнал об этом.

Дэвид рассеянно слушал Сейлема, хотя мыслями был далеко. В мозгу настойчиво прокручивались слова Паттерсона: «Вы единственный, кому я доверяю, Дэвид... Кроме дочери, у меня никого нет. Она самое дорогое, что есть у меня на свете. Спасите ее... Прошу вас защищать Эшли... Не желаю, чтобы в этом деле был замешан кто-то еще... Никаких помощников...»

И тут Дэвид внезапно понял, почему доктор Паттерсон так упорно настаивал, чтобы он один представлял на суде Эшли. Стивен был в полной уверенности, что если Эшли и откроет что-то Дэвиду, тот промолчит и не станет выносить сор из избы. Поставленный перед выбором между дочерью и своей репутацией, Стивен выбрал репутацию. Хотел остаться чистеньким, пусть даже ценой жизни единственного ребенка! Сукин сын! Подонок! Дэвид, а ты круглый идиот! Но что тогда можно было сделать! Чудо, что он вообще выиграл тот процесс! Иначе на совести у Дэвида была бы еще одна невинная жертва!

— Спасибо, Ройс, что сообщили. Какая мерзость!

— И мы еще удивляемся, почему бедняга стала убивать мужчин! Здорово ей, должно быть, пришлось натерпеться.

Они долго говорили о прошлом, прежде чем распрощаться.

Днем, зайдя в комнату отдыха, она увидела на столе небрежно сложенную газету «Уэстпорт ньюс» и, сама не зная почему, подошла ближе. На первой странице красовалась фотография отца в обнимку с Викторией Энистон и Катриной.

В глаза сразу бросились набранные крупным шрифтом строчки: «Прославленный кардиолог, доктор Стивен Паттерсон объявил о своей помолвке с известной в светских кругах Викторией Энистон, имеющей от предыдущего брака трехлетнюю дочь Катрину. Доктор Паттерсон согласился работать в больнице Святого Иоанна на Манхэттене и в ближайшие месяцы переезжает в Нью-Йорк. Он и его будущая супруга уже купили дом на Лонг-Айленде...»

Эшли отбросила газету, как ядовитую змею. Лицо исказилось уродливой гримасой, превратившись в маску неудержимой ярости.

— Я убью эту сволочь! — истерически завопила Тони. — Убью!

Она совершенно не владела собой: вырывалась, царапалась, лягалась... Потребовалось несколько дюжих санитаров, чтобы усмирить ее и отнести в обитую войлоком палату, предназначенную специально для буйнопомешанных, чтобы она не поранила себя. Пришлось также сковать ее по рукам и ногам. Когда служитель пришел покормить ее, Тони попыталась его убить, после чего Келлер отдал приказ не подходить к ней близко. Тони полностью завладела Эшли.

Теперь она не верила никому. Даже Гилберту. Увидев его, она злобно прошипела:

— Немедленно выпусти меня, ублюдок! Ненавижу!

— Мы обязательно выпустим вас, — пообещал Гилберт, — но прежде вы должны успокоиться.

— Я спокойна, мать твою! Совершенно спокойна! Разве не видишь? Отпусти! — визжала Тони. В уголках губ показалась пена, глаза закатились.

Но Гилберт невозмутимо улыбнулся и присел на край кровати:

— Тони, когда вам на глаза случайно попался снимок отца, вы пообещали отомстить ему и...

— Лжешь! Я собиралась его прикончить!

— От ваших рук погибло достаточно людей. Не хотите же вы снова пустить в ход кинжал? Поверьте, вам это не к лицу. Совсем как в дешевом романе!

— Я не собиралась пускать в ход нож. Слышали когда-нибудь о соляной кислоте? Она разъедает все на свете, включая кожу и глаза. Погодите, пока я...

— Не стоит даже думать об этом, Тони.

— Ты прав! Пожалуй, лучше сжечь его живьем. Тогда ему не придется ждать, пока черти утащат его в ад и начнут поджаривать. Я сумею все обтяпать так, чтобы меня не поймали, если...

— Тони, забудьте об этом.

— Ладно, у меня в запасе еще немало способов...

Гилберт огорченно вздохнул:

— Почему вы так рассердились?

— Разве не знаешь? Эх ты, медицинский гений! Он женится на женщине с трехлетней дочерью! И что будет с этой несчастной малышкой, мистер Знаменитый Психиатр? Не нужно быть ясновидящей, чтобы предсказать: то же, что случилось с нами. Ну так вот, больше я этого не допущу!

— Я надеялся, что за это время вы успели избавиться от ненависти.

— Ненависть? Хочешь знать, что такое настоящая ненависть?

Шел дождь, непрестанный, многодневный. Струи воды лились с неба, образуя серую стену. Капли уныло стучали по крыше несущегося с огромной скоростью автомобиля. Бесконечная блестящая лента шоссе уходила вдаль. Девочка украдкой взглянула на сидевшую за рулем мать и, счастливо улыбнувшись, запела:

Вокруг тутовника вприпрыжку
Гонялась за хорьком мартышка...

Мать дернулась, словно от удара, и, на миг забыв обо всем, прикрикнула:

— Немедленно замолчи! Сколько раз повторять: не смей выть эту идиотскую песню! Меня от тебя тошнит, жалкая маленькая...

Она не успела договорить. Все происходило как при замедленной съемке. Машина не вписалась в поворот и, слетев с дороги, врезалась в дерево. Девочку выбросило из окна. Она больно ушиблась, но даже не потеряла сознания и почти сразу же вскочила. Мать зажало между креслом и рулевым колесом. Она истерически кричала:

— Эшли, вытащи меня! Помоги! Помоги!

Но дочь молча наблюдала, не двигаясь с места, пока не раздался взрыв.

— Ненависть? Хочешь послушать еще?!

«Решение должно быть принято единогласно, — заявил Уолтер Мэннинг. — Моя дочь — профессиональная художница, а не какая-то дилетантка... сделала одолжение всем нам... не можем же мы отказаться... либо мы выберем работу моей дочери... либо пастор останется без подарка...»

Она припарковала машину у обочины, но не выключила зажигание. Пришлось подождать минут десять, пока Уолтер Мэннинг не вышел на улицу. Он явно направлялся к гаражу, где оставил свое авто. Она вцепилась в баранку и нажала на педаль акселератора. Машина рванулась вперед. В последний момент Уолтер услышал шум мотора и обернулся. Она пристально всматривалась в лицо человека, который мгновение спустя уже лежал, бездыханный, под колесами. Изломанное тело отбросило в сторону, а она, не снижая скорости, умчалась. Свидетелей не нашлось. Господь был на ее стороне.

— Это и есть ненависть, доки! Настоящая ненависть!

Гилберт Келлер не нашелся, что ответить, потрясенный силой этой хладнокровно-злобной жестокости. Он с трудом поднялся и вышел. Пришлось отменить все остальные консультации, назначенные на остаток дня. Келлер чувствовал, что должен побыть в одиночестве.

На следующее утро он поспешил в обитую войлоком комнату. Там уже царила Алетт.

— Почему вы так переменились, доктор Келлер? За что так наказываете меня? Неужели я в чем-то виновата? Не держите меня здесь.

— Вы выйдете, и скоро, — заверил доктор. — Как дела у Тони? Что она вам сказала?

— Что мы должны сбежать отсюда и убить отца.

— Доброе утро, доки, — жизнерадостно вставила Тони. — Как дела? У нас все хорошо. Может, все-таки отпустите нас?

Келлер посмотрел в ее глаза. Глаза безжалостной убийцы.

— Мне ужасно жаль, что все так вышло, — посочувствовал Отто. — Такое стабильное улучшение, и вдруг...

— Дошло до того, что сейчас я даже не могу добраться до Эшли. Она спряталась, и намертво.

— По-видимому, это означает, что лечение придется начать сначала.

— Не думаю, Отто, — возразил Келлер. — Мы достигли момента, когда все трое смогли без помех познакомиться друг с другом. Это уже немало значит. Следующим шагом должно быть воссоединение. Придется найти способ это сделать.

— Чертова статья. Как она попалась на глаза Тони?

— Нам еще крупно повезло.

— Повезло? — удивился Отто. — Ничего себе везение!

— Видите ли, эта ненависть зрела в Тони как нарыв, который мог прорваться в любую минуту. Теперь, когда мы все узнали, можно и нужно избавить от нее Эшли. Я хочу попробовать одну вещь... И если это сработает, значит, мы на верном пути. Если же нет... Тогда, боюсь, Эшли останется здесь до конца жизни.

— Что вы хотите делать?

— Думаю, пока Эшли не стоит видеться с отцом, но я позвоню в Национальное бюро вырезок* и договорюсь, чтобы мне присылали все материалы о докторе Паттерсоне, появляющиеся в печати.

— И что это даст? — удивленно заморгал Отто.

— Я стану показывать их Тони. В конце концов ее ненависть рано или поздно сама себя сожрет и угаснет. Таким образом я сумею помочь Эшли управлять всеми движениями души Тони.

— На это уйдет много лет, Гилберт!

— Вы преувеличиваете. Год-полтора, не больше. Но это единственный шанс, который остался у Эшли.

Только через пять дней Эшли пришла в себя. Когда доктор Келлер в очередной раз навестил ее, Эшли сконфуженно пробормотала:

— Доброе утро, Гилберт. Простите, что все так вышло.

— А я рад, что все так вышло. Теперь между нами не осталось ничего недосказанного.

Он кивнул охраннику, и тот быстро снял с девушки наручники. Эшли встала, потирая запястья.

— Говоря по правде, мне было не слишком удобно, — призналась она и, выйдя в коридор, тихо добавила: — Тони очень сердится.

— Да, но я попытаюсь с ней договориться. Вот что, Эшли...

Они шли по коридору, тихо разговаривая. Куда девалась злобная фурия? Ее место заняла спокойная, выдержанная молодая леди, очевидно получившая прекрасное воспитание.

---

* Бюро, которое занимается тем, что присылает вырезки из газет и журналов по требованию клиентов.

Оказалось, что пресса явно балует доктора Паттерсона своим вниманием. Гилберт регулярно получал три-четыре статьи в месяц. В одной упоминалось о предстоящей свадьбе.

«В ближайшую пятницу доктор Стивен Паттерсон собирается устроить пышную свадебную церемонию в церкви на Лонг-Айленде. Коллеги и друзья жениха соберутся...»

Когда Келлер показал эту статью Тони, та закатила бурную истерику.

— Ничего, этот брак долго не продлится, — пообещала она, немного придя в себя.

— Почему, Тони?

— Потому что новобрачный скоро отправится на тот свет!

«Доктор Стивен Паттерсон оставил должность в больнице Святого Иоанна, чтобы взять на себя обязанности заведующего кардиохирургическим отделением в Манхэттенском методистском госпитале...»

— Чтобы можно было безнаказанно насиловать всех девочек, кто имел несчастье оказаться в этой больнице! — завизжала Тони, прочтя заметку.

«Доктор Паттерсон получил премию Ласкера за выдающуюся медицинскую деятельность. Награду вручали в Белом доме...»

— Им следовало бы повесить ублюдка, — коротко прокомментировала Тони.

Но Келлер не опускал рук. Он неукоснительно собирал вырезки и оставлял в комнате Тони. Шло время, и Тони, казалось, уже была не так непримиримо настроена против отца, словно ее эмоции выдохлись, изжили себя. Ненависть сменилась гневом, а потом чем-то вроде покорности судьбе. Наконец пришло известие, что доктор Паттерсон переехал в только что купленный дом на Манхэттене, но планирует приобрести поместье в Хамптонсе, где собирается проводить летние отпуска вместе с женой и дочерью.

Тони горько расплакалась:

— Как он посмел сотворить такое с нами!

— Вы считаете, что малышка заняла ваше место, Тони?

— Не... не знаю. Все так смешалось...

Прошел еще год. Эшли приходила к доктору Келлеру на сеансы три раза в неделю. Алетт почти каждый день рисовала, но Тони отказывалась петь или играть.

В канун Рождества Гилберт показал Тони новую вырезку с фотографией счастливого семейства Паттерсонов. Подпись гласила:

«Питтерсоны решили отпраздновать Рождество в Хамптонсе».

— Мы обычно проводили Рождество вместе, — с легкой завистью вздохнула Тони. — Он всегда дарил мне чудесные подарки. Знаешь, он был не так уж плох. Если не считать того самого... ну ты понимаешь, он был идеальным отцом. Думаю, он по-настоящему меня любил.

Гилберт радостно улыбнулся. Верный, хотя еще робкий знак очередного перелома болезни.

В один прекрасный день Гилберт Келлер, проходя мимо комнаты отдыха, услышал голос Тони и невольно замер. Девушка распевала под собственный аккомпанемент. Гилберт заглянул в комнату, но Тони, целиком поглощенная музыкой, ничего не замечала вокруг.

На следующем сеансе доктор Келлер спросил у нее:

— Ваш отец стареет, Тони. Какие, по-вашему, чувства вы будете испытывать, когда он умрет?

— Я... мне не хочется, чтобы он умирал. Знаю, что наговорила вам кучу глупостей, но лишь потому, что была зла на него.

— А сейчас? По-прежнему сердитесь?

— Нет, — немного подумав, призналась девушка. — Не сержусь, но ужасно обижена. Кажется, вы были правы. Я действительно считала, будто малышка вытеснила меня из сердца отца. Совсем запуталась... Но, говоря по правде, мой отец имеет право на собственную жизнь, как, впрочем, и Эшли. Не стоит вмешиваться в чужую судьбу.

Доктор Келлер широко улыбнулся.

«Кажется, мы вновь на верной дороге. Теперь нам ничего не страшно».

Отныне все трое свободно и не стесняясь беседовали друг с другом.

— Эшли, без Тони и Алетт вам пришлось бы куда тяжелее, — твердил доктор Келлер. — Вы просто не смогли бы вынести боли, и неизвестно, выжили бы или нет. Как вы теперь относитесь к отцу?

Эшли сосредоточенно закусила губу.

— Знаете, — медленно выговорила она, — я никогда не забуду того, что он сделал со мной, но теперь способна простить его. Все, что мне хочется сейчас, — оставить позади прошлое и смело смотреть в будущее.

— Но для этого мы должны соединить вас. Как считаете, Алетт, я прав?

— Но я смогу по-прежнему рисовать, когда стану Эшли? — встревожилась Алетт.

— Разумеется.
— Тогда я согласна.
— А вы, Тони?
— Как насчет музыки?
— Кто может вам помешать?
— В таком случае я с вами.
— Эшли?
— Я готова к тому, чтобы мы трое соединились. Но прежде хочу поблагодарить за то, что помогли, когда я так отчаянно в этом нуждалась.
— Очень рада, крошка, — засмеялась Тони.
— Помни, мы всегда вместе, — добавила Алетт.

Настала пора для последнего шага — интеграции.

— Вот и хорошо. Эшли, попрощайтесь с Тони и Алетт.

Эшли глубоко вздохнула:

— Прощайте, Тони, Алетт.
— Прощай, Эшли.
— Береги себя, Эшли.

Уже через несколько минут Эшли погрузилась в состояние глубокого гипноза.

— Эшли, больше вам нечего бояться. Все проблемы решены, — начал Келлер. — Отныне вы сами способны защищаться и не нуждаетесь в «заместителях». Ваша жизнь в ваших руках. И не стоит прятаться от трудностей, нужно стараться решить все проблемы. Вы взрослый человек и вполне способны с ними справиться. Вы согласны со мной?
— Да, доктор. Я готова ко всему и ничего не боюсь.
— Прекрасно. Тони?

Молчание.

— Тони?

Молчание.

— Алетт?

Тишина.

— Алетт!

Тишина.

— Они ушли. Теперь вы полностью исцелились, Эшли, и стали новым человеком. Все кончено.

Лицо Эшли осветилось радостью.

— Просыпаетесь на счет «три». Один... два... три...

Эшли открыла глаза и по-детски восторженно заулыбалась:

— Это... это случилось, верно?

— Да, Эшли. Все позади.

— И я свободна! — восторженно выдохнула девушка. — О, спасибо, Гилберт. Я... я чувствую себя так, словно непроницаемый черный занавес, который отгораживал меня от обычных людей, неожиданно поднялся.

Доктор Келлер взял ее за руку:

— Не могу выразить, как счастлив. Следующие несколько месяцев уйдут на различные тесты, и если все обернется, как я ожидаю, мы отпустим вас домой. Как только обоснуетесь, я договорюсь об амбулаторном лечении.

Эшли кивнула, слишком переполненная эмоциями, чтобы говорить.

Глава 28

Доктор Келлер сдержал слово и попросил Отто Луисона вызвать независимых психиатров-экспертов. В тестах использовались гипнотерапия и амитал натрия.

— Здравствуйте, Эшли. Я доктор Монфорт и хотел бы задать вам несколько вопросов. Что скажете о себе?

— Я в полном порядке, доктор. Чувствую, что наконец оправилась от долгой и тяжкой болезни.

— Как по-вашему, вы дурной человек?

— Нет. Я знаю, что совершала много ужасных поступков, но не считаю, что несу за них ответственность.

— Вы кого-то ненавидите?

— Нет.

— А отец? Как вы к нему относитесь?

— Когда-то ненавидела так, что хотела убить. Но теперь все ушло. Видимо, он сам над собой не властен. Слабый человек и несчастный. Надеюсь, он когда-нибудь обретет покой.

— Вы хотели бы снова увидеться с ним?

— Думаю, будет лучше, если этого не произойдет. У него своя жизнь, у меня своя. Новая.

— Эшли!

— Да?

— Я доктор Вон. Хотелось бы немного потолковать с вами.

— Пожалуйста, доктор.

— Вы помните Тони и Алетт?

— Разумеется. Но их больше нет.

— Что вы к ним испытываете?

— Вначале, узнав о них, смертельно испугалась, но теперь понимаю, что нуждалась в них. И благодарна за все, что они сделали для меня.

— Вы крепко спите по ночам?

— Теперь да.

— Можете рассказать свои сны?

— Раньше я страдала от кошмаров. Кто-то постоянно гнался за мной. Преследовал, хотел убить. Я думала, что не проживу долго.

— А сейчас? По-прежнему мучаетесь кошмарами?

— Нет. Больше нет. У меня самые мирные сны. Я вижу яркие цветы, смеющихся детей. Что мне приснилось прошлой ночью? Что я на лыжном курорте и лечу с крутого склона. Это было чудесно. Теперь я больше не боюсь холода.

— А отец? Как вы к нему относитесь?

— Желаю ему счастья и хочу сама стать счастливой.

— Здравствуйте, Эшли. Рад видеть вас.

— Здравствуйте.

— Я доктор Хелтерхофф.

— Счастлива с вами познакомиться.

— Мне никто не говорил, как вы красивы. Кстати, по-вашему, вы хороши собой?

— Ну... довольно привлекательна...

— Я слышал, что у вас прекрасный голос. Это правда?

— Я нигде не училась, но умудряюсь не фальшивить, — рассмеялась девушка.

— И к тому же рисуете. Хорошо?

— Неплохо для любителя.

Доктор задумчиво изучал лицо девушки.

— У вас есть какие-то проблемы, которые вы хотели бы обсудить со мной?

— Сейчас даже сообразить не могу. Кажется, нет. Меня прекрасно лечили.

— Не хотели бы вы уехать отсюда в широкий мир?

— Я много думала об этом. Очень страшно, но в то же время эта мысль меня волнует.

— Боитесь, что не найдете места среди людей?

— Нет. Я хочу начать новую жизнь. Меня не зря считают квалифицированным компьютерным специалистом, и хотя я не смогу вернуться в компанию, где работала до суда, уверена, что всегда найду другое место, ничем не хуже...

Доктор Хелтерхофф кивнул:

— Спасибо, Эшли. Беседовать с вами настоящее удовольствие.

В кабинете Отто Луисона собрался консилиум. Кроме Отто, здесь сидели доктор Монфорт, доктор Вон, доктор Хелтерхофф и Гилберт Келлер. Закончив читать отчеты, Отто взглянул на Келлера и улыбнулся:

— Поздравляю. Все заключения положительны. Вы проделали великолепную работу.

— Она необычайная женщина, Отто. Я счастлив, что вернул ей здоровье.

— Она согласилась на амбулаторное лечение после того, как выйдет отсюда?

— Да, и охотно.

— Вот и хорошо. Я составлю все бумаги и подпишу документы о выписке, — объявил Отто. — Благодарю вас, джентльмены, я высоко ценю вашу помощь.

Глава 29

Уже через два дня все было подготовлено. Эшли вызвали в кабинет доктора Луисона. Там же присутствовал и доктор Келлер. Вместе они решили, что Эшли вернется в Купертино, где будет продолжать амбулаторное лечение под наблюдением одобренных судом психиатров.

— Ну вот и настал торжественный момент! — провозгласил доктор Луисон. — Вы волнуетесь?

— Волнуюсь, перепугана и... и еще не знаю что. Чувствую себя птичкой, которую выпустили из клетки. Хочется расправить крылья и взлететь.

Девушка восторженно улыбалась, но в глазах таилась настороженность.

— Я рад, что вы поправились, но... но буду скучать по вас, — признался Гилберт.

Эшли порывисто сжала его руку:

— Мне тоже будет вас не хватать. Не знаю... просто не знаю, как смогу отблагодарить за все, что вы сделали. Вернули мне жизнь.

По ее щекам потекли слезы. Не вытирая их, она подошла к доктору Луисону.

— Когда я вернусь в Калифорнию, постараюсь подыскать работу в одной из компьютерных фирм и обязательно напишу вам, как все сложилось и помогает ли амбулаторное лечение. Хочу быть уверенной, что прошлое никогда не вернется.

— Думаю, вам не о чем беспокоиться, — заверил доктор Луисон.

После ухода Эшли он с грустной улыбкой заметил:

— Одно это возмещает десятки случаев, когда нам не так повезло. Сколько еще несчастных, Гилберт, страшно подумать!

В солнечный июньский день Эшли шагала по нью-йоркской Мэдисон-авеню, и люди оборачивались вслед девушке с сияющей улыбкой и искрящимися счастьем глазами. Никогда еще она не была так счастлива. При мысли о безграничных возможностях и ничем не омраченной жизни Эшли была готова петь и танцевать прямо на улице. Как хорошо, что и трагедии иногда имеют счастливый конец!

Она вошла в здание вокзала Пенсильвания-стейшн, самого большого в Америке и представляющего собой ничем не примечательный лабиринт унылых непривлекательных залов и переходов. Здесь, как в любое время суток, было полно народа.

И каждый может рассказать немало интересного. Разъезжаются по всей стране, страдают и смеются, плачут и радуются.

«Теперь и у меня будет своя жизнь...»

Эшли купила билет в автомате. Оказалось, что ее поезд отправляется через несколько минут. Судьба!

Войдя в вагон, она отыскала свободное место и уселась. Внутри нее так и бурлило возбуждение, словно лопались один за другим пузырьки шампанского. Мосты сожжены, она пускается в свободное плавание.

Состав дернулся и стал набирать скорость.

«Наконец-то я вырвалась!»

И, ВЫГЛЯНУВ ИЗ ОКНА МЧАВШЕГОСЯ В ХАМПТОНС ПОЕЗДА, ДЕВУШКА ТИХОНЬКО ЗАПЕЛА:

Вокруг тутовника вприпрыжку
Гонялась за хорьком мартышка.
И чуть не падала от смеха:
Вот так игра!
Ну и потеха!
Но — прыг да скок —
Удрал хорек...

Послесловие автора

За последние двадцать лет в американских судах состоялось немало процессов, на которых подсудимые заявляли, что страдают расщеплением сознания. Преступления, за которые их судили, охватывают почти все статьи уголовного кодекса, от убийства до киднэппинга и поджога.

Расщепление сознания, иначе говоря, деперсонализация, или диссоциативное расстройство личности, — тема постоянных дискуссий между психиатрами. Некоторые психиатры уверены, что подобного недуга не существует. С другой стороны, немало докторов, работающих в лечебницах и организациях социальных служб, утверждают, что лечили пациентов, больных расщеплением сознания. В некоторых специальных работах говорится, что этой болезнью страдают от пяти до пятнадцати процентов душевнобольных.

Статистические данные департамента юстиции доказывают, что приблизительно одна треть несовершеннолетних, ставших жертвами сексуальных домогательств, — это дети до шести лет и что одна из трех девочек подвергается насилию в той или иной форме еще до тринадцати лет. В большинстве доказанных случаев инцеста речь идет об отце и дочери.

Исследования, проведенные в трех странах, предполагают, что расщеплению личности подвержен один процент населения.

Диссоциативные расстройства очень трудно диагностировать, и исследования показывают, что иногда такие пациенты по семь лет ищут помощи, прежде чем добиться точного диагноза.

Две трети таких больных поддаются излечению. Автор прилагает список организаций, готовых помочь и принять на лечение больных с диагнозом «деперсонализация». Ниже следует список литературы.

США
B.E.A.M. (Being Energetic About Multiplicity)
P.O.Box 20428

Louisville, KY 40250-0428
(502) 493-8975 (fax)
The Center for Post-Traumatic
Dissociative Disorders
Program
The Psychiatric Institute of Washington
4228 Wisconsin Avenue, N.W.
Washington, D.C. 20016
(800) 369-2273
The Forest View Trauma Program
1055 Medical Drive, S.E.
Grand Rapids, MI 49546-3671
(800) 949-8437
International Society for the Study of Dissociation
60 Revere Drive, Suite 500
Northbrook, IL 60062
(847) 480-0899
(847) 480-9282 (fax)
Justus Unlimited
P.O. Box 1221
Parker, CO 80134
(303) 643-8698
Masters and Johnson's Trauma and Dissociative Disorders
Programs
Two Rivers Psychiatric Hospital
5121 Raytown Road
Kansas City, MO 64133
(800) 225-8577
Mothers Against Sexual Abuse (MASA)
503 1/2 South Myrtle Avenue, No. 9
Monrovia, CA 91016
(626) 305-1986
(626) 503-5190 (fax)
The Sanctuary Unit
Friends Hospital
4641 Roosevelt Boulevard
Philadelphia, PA 19124
(215) 831-4600
The Sidran Foundation
2328 West Joppa Road, Suite 15
Lutherville, MD 21093

(410) 825-8888
The Timberlawn Trauma Program
4600 Samuell Boulevard
Dallas, TX 75228
(800) 426-4944

АРГЕНТИНА

Grupo de Estudio de
Trastornos de disociacion y trauma de Argentina
Dra. Graciela Rodriguez
Federico Lacroze 1820 7mo. A
(1426) Buenos Aires
Argentina
Tel./Fax 541-775-2792

АВСТРАЛИЯ

Australian Association for Trauma and Dissociation (AATD)
P.O. Box 85
Brunswick
Melbourne, Victoria 3056
Australia
Tel. (03) 9663 6225
Beyond Survival: A Magazine on Abuse, Trauma and Dissociation
P.O.Box 85
Annandale, NSW 2038
Australia
Tel. (02) 9566 2045

КАНАДА

Canadian Mental Health Association
Metro Toronto Branch
970 Lawrence Avenue West, Suite 205
Toronto, Ontario
Canada M6A 3B6
Tel. (416) 789-7957
Fax (416) 789-9079
Canadian Society for the Study of Dissociation
c/o John O'Neil, MD, FRCPC
4064 Wilson Avenue

Montreal, Quebec
Canada H4A 2T9
Tel. (514) 485-9529

ИЗРАИЛЬ

Maytal-Israel Institute for Treatment
Research on Stress
Eli Somer, Ph. D., Clinical Director
3 Manyan Street
Haifa 34484, Israel
Tel. +972-4-8381999
Fax +972-4-8386369

НИДЕРЛАНДЫ

Nederlands-Vlaamse Vereniging voor de bestudering van Dissociatieve Stoornissen (NVVDS)
(Netherlands-Flemish Society for the Study of Dissociative Disorders)
c/o Stichting RBC, location P.C.Bloemendaal
Kliniek voor Intensieve Behandeling Atlantis
Fenny ten Boschstraat 23
2555 PT Den Haag
The Netherlands
Tel. +31 (070) 391-6117
Fax +31 (070) 391-6115
Praktijk voor psychotherapie
en hypnose
Els Grimminck, M.D.
Wielewaal 1
1902 KE Castricum
The Netherlands
Tel. (+31-0) 251650264
Fax (+31-0) 251653306

ВЕЛИКОБРИТАНИЯ

British Dissociative Disorders Professional Study Group
c/o Jeanie McIntee, MSo
Chester Therapy Centre
Weldon House
20 Walpole Street

Chester CH1 4HG
England
Tel. 1244-390121

КНИГИ

Calof, David L., with Mary Leloo. Multiple Personality and Dissociation: Understanding Incert, Abuse, and MPD. Park Ridge, IL: Parkside Publishing, 1993.

Putnam, Frank. Diagnosis and Treatment of Multiple Personality Disorder. New York: Guilford Press, 1989.

_______. Dissociation in Children and Adolescents: A Developmental Perspective. New York: Guilford Press, 1997.

Roseman, Mark, Gini Scott, and William Craid. You the Jury. Santa Ana, CA: Seven Locks Press, 1997.

Saks, Elyn R., with Stephen H.Behnke. Jekyll on Trial. New York: New York University Press, 1997.

Schreiber, Flora Rheta. Sybil. New York: Warner Books, 1995.

Thigpen, Corbett H., and Hervey M.Cleckey. Three Faces of Eve. Red. ed. Augusta, GA: Three Faces of Eve, 1992.

СТАТЬИ

Abrams, S. «The Multiple Personality: A Legal Defense». American Journal of Clinical Hypnosis 25 (1983): 225-31.

Allison, R.B. «Multiple Personality and Criminal Behavior». American Journal of Forensic Psychiatry 2 (1981-82): 32-38.

МАТЕРИАЛЫ ИНТЕРНЕТА:

The Sidran Foundation Online
http: //www.sidran.org
Pat McClendon's Home Page
http: www.users.mis.net/~patmc/
International Society for the Study of Dissociation
E-mail: into@issd.org

Переводчик выражает искреннюю благодарность консультантам за бескорыстную помощь в работе над книгой: Системному администратору Константину Кучину, адвокату-криминалисту Евгении Моисеевой, врачу-психиатру Алле Сухаловой и специалисту по компьютерной графике Инне Сынковой.

Литературно-художественное издание

Шелдон Сидни

РАСКОЛОТЫЕ СНЫ

Ответственный за выпуск
О. Герасенкова

Художественный редактор
А. Гладышев

Технический редактор
Н. Стерина

Компьютерная верстка
И. Слепцова

Корректор
Н. Лемешева

Сдано в набор 06.06.01. Подписано в печать 15.08.02.
Формат $84\times108^{1}/_{32}$. Гарнитура «Кудряшевская». Печать офсетная.
Усл. печ. л. 18,48. Доп. тираж 5000 экз. Изд. № 01-3331-ОБГ.
Заказ № 502.

ООО «Издательство АСТ»
674460, Читинская область, Агинский район,
п. Агинское, ул. Базара Ринчино, 84
Наши электронные адреса:
WWW.AST.RU
E-mail: astrub@aha.ru

Издательство «ОЛМА-ПРЕСС Звездный мир»
129075, Москва, Звездный бульвар, 23А, стр. 10

Отпечатано в полном соответствии
с качеством предоставленных диапозитивов
в полиграфической фирме «КРАСНЫЙ ПРОЛЕТАРИЙ»
103473, Москва, Краснопролетарская, 16